Fremdes Heimatland
Remigration und literarisches Leben nach 1945

Fremdes Heimatland

*Remigration und literarisches Leben
nach 1945*

Herausgegeben von
Irmela von der Lühe
und Claus-Dieter Krohn

WALLSTEIN VERLAG

Gedruckt mit Unterstützung der
Herbert und Elsbeth Weichmann Stiftung

Inhalt

Einleitung

von Claus-Dieter Krohn und Irmela von der Lühe

»Kommen Sie bald wie ein guter Arzt«, hat Walter von Molo Thomas Mann in seinem offenen Brief vom 18. August 1945 zugerufen und damit ein Bild von Deutschland als tragisch dahinsiechendem Patienten gezeichnet, der »Trost durch Menschlichkeit« benötige. Als Arzt und »Seelenkundiger« möge Thomas Mann zurückkehren und ein Zeichen setzen für Humanität, ja für die Pflicht zum Glauben an die »Mitmenschheit«.[1]

Thomas Mann hat dieses Ansinnen bekanntlich abgelehnt und sich damit – neben den anmaßenden Vorwürfen von Frank Thieß – unter anderem aus der Feder von Erich Kästner die öffentliche Frage eingehandelt »Wer kam nur zu erst auf die Idee, ihn über den Ozean zwischen unsere Trümmer zu holen?«[2] In der komplizierten und ressentimentgeladenen ›Großen Kontroverse‹[3] um Thomas Manns Weigerung, nach Deutschland zurückzukehren, konkretisierte und aktualisierte sich eine Konstellation, die zwischen Dagebliebenen und (Re)migranten von Anfang an bestand und deren Wurzeln sehr viel weiter, nämlich bis ins Jahr 1933 zurückreichten. Die politisch und moralisch radikal asymmetrische Kommunikation zwischen den Schriftstellern und Schriftstellerinnen des Exils und der so genannten ›Inneren Emigration‹ erscheint in der Kontroverse zwischen Gottfried Benn und Klaus Mann vom Mai 1933 gleichsam präfiguriert. Klaus Manns privater Brief, der in einer Mischung aus Bewunderung für das große literarische Vorbild und offensiv vorgetragener Empörung über Benns Haltung gegenüber dem Nationalsozialismus auf Er-

---

1 Thomas Mann, Warum ich nicht nach Deutschland zurückgehe, in: ders., Essays, hrsg. von Hermann Kurzke u. Stephan Stachorski, Bd. 6. Frankfurt/M. ²1998, S. 33-45.
2 Erich Kästner, Betrachtungen eines Unpolitischen (Die Neue Zeitung vom 14. Januar 1946), in: ders., Werke, hrsg. v. Franz Josef Görtz, Bd. 6, München 1998, S. 516-519, hier S. 519.
3 Johannes F. G. Grosser (Hg.), Die große Kontroverse. Ein Briefwechsel um Deutschland, Hamburg 1963. Zu den Hintergründen und zur Funktion der ›Großen Kontroverse‹ vgl. den Beitrag von Leonore Krenzlin in diesem Band sowie: Irmela von der Lühe, »Kommen Sie bald wie ein guter Arzt« – Die *große Kontroverse* um Thomas Mann (1945), in: Joanna Jablowska u. Malgorzata Pótrola (Hg.), Gegenwart, Debatten, Skandale. Deutschsprachige Autoren als Zeitgenossen, Lodz 2002, S. 305-320.

klärung bzw. Revision dringt, war von Benn mit einer öffentlichen, d.h. durch Zeitung und Rundfunk verbreiteten *Antwort an die literarischen Emigranten*[4] quittiert worden, in der den Emigranten u.a. vorgeworfen wurde, sie könnten von den sonnigen Stränden der Côte d'Azur aus die sich in Deutschland vollziehenden Veränderungen gar nicht ermessen.

In Frank Thieß' Replik auf Thomas Mann kehrt der Topos vom Exil als Ort luxurierenden Zuschauerdaseins wieder; er wird erweitert um den Vorwurf des Verrats und des Treuebruchs – »ist Thomas Mann überhaupt noch ein Deutscher«, fragte nicht nur Frank Thieß. Letzterer ließ seine Vorwürfe schließlich in der Behauptung kulminieren, unter der Diktatur sei man menschlich und künstlerisch gereift und der Veredelungseffekt eines Lebens in der Diktatur sei der Trostlosigkeit des Exildaseins allemal vorzuziehen. Die Langzeitwirkung dieser polemischen Formeln, insbesondere derjenigen von den Logen- und Parterreplätzen der Emigranten im Ausland, ist bekannt. Noch in der Kampagne gegen Willy Brandt als SPD-Spitzenkandidat bei den Bundestagswahlen 1965 wurde auf sie zurückgegriffen.

Die zwischen sentimentalem Rückrufpathos und aggressiver Attacke schwankenden Reaktionen der sich nach Kriegsende in stolzem Selbstmitleid formierenden ›Inneren Emigration‹ hat von Beginn an das Klima zwischen dagebliebenen und emigrierten Autoren vergiftet. Die moderateren Töne, die auf dem ersten und einzigen gesamtdeutschen Schriftstellerkongreß von Ricarda Huch und Elisabeth Langgässer, von Alfred Kantorowicz und Stephan Hermlin, von Johannes R. Becher und Wolfgang Harich angeschlagen wurden, konnten ihre Wirkung nicht entfalten angesichts der streitwütigen, auf Polarisierung setzenden Rede von Melvin J. Lasky über die *Unfreiheit der sowjetischen Schriftsteller*. Die Konfrontation zwischen inneren und tatsächlichen Emigranten, die vor allem die bundesrepublikanische Nachkriegsliteratur bestimmen sollte, setzte sofort nach Kriegsende ein; sie spiegelte sich in den problematischen Rückrufaktionen und in der ›Großen Kontroverse‹. Sie wurde zementiert durch den Verlauf des Schriftstellerkongresses und sie führte durch den Ost-West-Konflikt und den Kalten Krieg zu kaum mehr überwindbaren Positionsnahmen.

Dabei lagen die Fronten anfangs gar nicht so weit auseinander, kommunikative Anknüpfungen hätte es durchaus geben können, wie Leonore Krenzlins Aufsatz über die diskurspolitischen Hintergründe der ›Großen Kontroverse‹ belegt und Hermann Haarmann für die Debatten auf dem Schriftstellerkongreß von 1947 zeigt. Denn anders als markante Segmente der vertriebenen

---

4   Gottfried Benn, Antwort an die literarischen Emigranten, in: ders., Sämtliche Werke, in Verb. mit Ilse Benn hrsg. v. Gerhard Schuster, Bd. 4: Prosa 2, Stuttgart 1989, S. 24-32; vgl. außerdem Klaus Mann, Brief an Gottfried Benn sowie Antwort auf die *Antwort*, in: ders., Zahnärzte und Künstler. Aufsätze, Reden, Kritiken 1933-1936, hrsg. v. Uwe Naumann u. Michael Töteberg, Reinbek 1993, S. 24-31.

Wissenschaften oder bildenden Künste entwickelte sich die literarische Emigration nicht zu einer globalen Elite, sie wurde vielmehr in ständigem Selbstzweifel hin und her gerissen zwischen ihrer Herkunft, den deutschen kulturellen Traditionen und den neuen Erfahrungen in den Zufluchtsländern. Von einer verpaßten Chance hat denn auch Heinrich Böll noch im Mai 1963 in einem Brief an den in den USA lebenden Oskar Maria Graf gesprochen. Hellsichtig, aber auch damals schon verspätet, fragt sich Böll in diesem Brief, ob die Verständigungsschwierigkeiten zwischen den Remigranten und der jungen Generation (womit vorzugsweise die Gruppe 47 gemeint war) nicht auch den Grund dafür geliefert hätten, »warum ›uns‹ ... die Bonner Form der Demokratie so wenig zusagt. Es fehlt etwas in diesem Lande. Wahrscheinlich [ist es] unwiderbringlich dahin«.[5]

Aus heutiger Sicht wird man dieses 1963 geäußerte Bedauern fast für eine Verharmlosung halten müssen. Denn zwischen den (wenigen) jüdischen Remigranten und den Autoren der jungen Generation, die sich in der Gruppe 47 formierten, gab es nicht etwa nur Verständigungsschwierigkeiten, sondern offenen oder versteckten Antisemitismus, Dialogverweigerung und aggressive Ausgrenzung. Paul Celan ist das berühmteste, aber nicht das einzige Beispiel. Die Beiträge von Helmut Peitsch und Klaus Briegleb in diesem Bande belegen dies an weitgehend unbekanntem Quellenmaterial und durch mikroanalytische Untersuchungen der hinter den Kulissen ausgetragenen Konflikte.

Und das wurde nicht ihr Staat, hat Peter Mertz sein 1985 erschienenes Buch genannt, das *Erfahrungen emigrierter Schriftsteller mit Westdeutschland* dokumentiert (von Günther Anders bis Carl Zuckmayer, von Alfred Döblin bis Erwin Piscator, Hans Henny Jahnn, Theodor Plievier u.v.a.).[6] Grete Weil und Hilde Domin, Irmgard Keun und Rose Ausländer kommen in diesem für die literarisch-künstlerische Remigration zentralen Quellenwerk nicht vor. Auch nicht der für die Thematik des vorliegenden Bandes so wichtige Brief, den Grete Weil 1947 an Margarete Susman geschrieben hatte und in dem sie, die im niederländischen Exil gewesen und deren Mann in Mauthausen ermordet worden war, die Frage zu beantworten versucht »Warum ich trotzdem in Deutschland lebe«.

Sie haben mich, gnädige Frau, dringend gefragt, warum ich für Deutschland das Wort ›häßlich‹ gebrauche, und ich konnte Ihnen keine rechte Antwort geben in den zusammengedrängten Minuten. Sie erwächst mir jetzt klarer, als ich sie allein hätte finden können, aus Ihrem Buch. Denn alles, was bei uns, den deutschen Juden, Geist und Geborgensein im Geiste ist, stammt aus der jüdischen, alles aber, was Gestalt und Liebe zur Gestalt

---

5   Zit. n. Reinhold Grimm u. Jost Hermand (Hg.), Exil und innere Emigration, Frankfurt/M. 1972, S. 200.
6   Peter Mertz, Und das wurde nicht ihr Staat. Erfahrungen emigrierter Schriftsteller mit Westdeutschland, München 1985.

ist, aus der deutschen Wurzel. Eine oft bis zur Unkenntlichkeit verzerrte Form aber ist häßlich. Ich meine damit nicht nur die zertrümmerten Städte, ich meine in allererster Linie die deutschen Menschen, die jetzt erst in ihren verhungerten, ausgemergelten, unzufriedenen und oft bösen Gesichtern die Züge tragen, welche Mord- und Zerstörungslust oder besser vielleicht die Gier nach Selbstvernichtung spiegeln. Lassen Sie mich Ihnen sagen, warum ich mich trotzdem entschlossen habe, wieder unter diesem Volk zu leben. Vollkommen ohne jüdische Bindungen und Tradition aufgewachsen – und das heißt natürlich auch ohne das Wissen um den Bund mit Gott – hat das jüdische Schicksal mich mit seiner ganzen Wucht getroffen und mich so zerbrochen, daß ich lange Zeit aus nichts anderem heraus die Kraft zum Leben fand als aus meiner Sehnsucht nach dem Tode. Ich bin durch die tiefste Hölle des Zweifelns am Sinn, des Verzweifelns gegangen. In sechs furchtbar schweren Jahren (sie waren es auch von außen her: zuerst die Deportation nach Holland, dann das eigene Untertauchen und zuletzt das Allerschwerste vielleicht: das Ende des Krieges und die Wiederaufnahme der Beziehungen mit den Menschen, die nicht in dem dämonischen Kreis des Bösen mit einbezogen waren und deren Norm nicht der Tod ist) in diesen langen Jahren also habe ich versucht zu lernen, Ja zum Leben zu sagen. Wenn ich es jetzt kann (trotz vieler Stunden der Anfechtung), so ist dies wohl nur aus meinem Jüdischsein heraus erklärbar, und ich nehme es dankbar hin als das Wunder, das unser stets auf das Äußerste gerichtete und der Vernichtung preisgegebenes Leben bewahrt und trägt.[7]

Dies sind Reflexionen über jüdisches Schicksal und jüdische Identität im Angesicht und aus der Erfahrung der Katastrophe; Reflexionen einer jüdischen Autorin, die – nach der Lektüre von Margarete Susmans *Das Buch Hiob und das Schicksal des jüdischen Volkes* (1946) und nach einem Besuch bei der Verfasserin – die bereits getroffene Entscheidung zur Remigration neuerlich zu begründen versucht. Zwei Aspekte spielen dabei eine entscheidende Rolle: die aus der Katastrophe erwachsende Lebensbejahung und die mit dieser Lebensbejahung verbundene Bereitschaft zum Dialog, zum Gespräch gerade mit denen, die die Katastrophe herbeiführten. Die jüdischen Remigranten in und außerhalb der Gruppe 47 kehrten mit dieser Hoffnung und Bereitschaft zum Dialog zurück und mußten – wie Grete Weil – erleben, daß ihr literarisches Dialogangebot entweder abgewiesen wurde oder ungehört verhallte. Die Erfahrung der Fremdheit und der Marginalisierung bestimmte schließlich auch Kindheit und Jugend der sogenannten ›zweiten Generation‹,

---

7 Grete Weil, »Warum ich trotzdem in Deutschland lebe«. Ein Brief aus dem Jahre 1947 an Margarete Susman, in: Süddeutsche Zeitung, 16./17. Juli 1994; teilweise wiederabgedruckt in: Grete Weil, Leb ich denn, wenn andere leben, Zürich 1998, S. 250-255.

deren ältere Vertreter dazu gegen Ende der 1970er Jahre programmatisch ihre Stimme erhoben.[8] Das Nach-Exil in der Bundesrepublik und in der DDR hat jüdische Identität mit einem Tabu belegt, das erst in den 1980er Jahren und insbesondere nach dem Fall der Mauer aufgebrochen werden konnte. Den literarischen Zeugnissen solcher Aufbruchs- und Selbstfindungsversuche geht Ariane Huml in ihrem Aufsatz am Ende des Bandes nach.

Folgt man der neueren Forschung zur Remigration im Allgemeinen,[9] zur Rolle der literarisch-künstlerischen Remigration[10] im Besonderen und schließlich zur Bedeutung der Gruppe 47 für das literarische Leben,[11] so ist man versucht, von einer von allem Anfang an verqueren, aussichtslosen Konstellation zu sprechen. Die Frage nach dem Beitrag der literarischen Remigration für den Aufbau einer demokratischen Kultur in der Bundesrepublik muß mit resigniertem Achselzucken beantwortet werden, denn Ausgrenzung und Dialogverweigerung bestimmten die Reaktion der Gruppe 47 auf die Remigranten, in zugespitzter Form gilt dies für die jüdischen Autoren und Autorinnen. Alfred Döblin zog sich enttäuscht nach Frankreich zurück, Lion Feuchtwanger, Peter Weiss und Erich Fried blieben im Exil. Hans Sahls Remigration kommt – wie Bernhard Spies zeigt – einem »doppelten Exil« gleich. »Wir sind die Letzten, fragt uns aus«,[12] heißt es resignativ und provokativ in einem seiner späten Gedichte. Irmgard Keun wurde erst kurz vor ihrem Tode 1972 in der BRD wieder entdeckt, Grete Weil, deren singulärer Roman *Tramhalte Beethovenstraat* 1963 fast unbeachtet blieb, galt immerhin kurz vor ihrem Tode (1999) als Geheimtip.[13] So problematisch er gewesen

---

8   Henryk M. Broder u. Michael R. Lang (Hg.), Fremd im eigenen Land: Juden in der Bundesrepublik, mit einem Vorwort v. Bernt Engelmann, Frankfurt/M. 1979; Lea Fleischmann, Dies ist nicht mein Land: eine Jüdin verläßt die Bundesrepublik, Hamburg 1980.

9   Vgl. Marita Krauss, Heimkehr in ein fremdes Land. Geschichte der Remigration nach 1945, München 2001; Claus-Dieter Krohn u. Patrik von zur Mühlen (Hg.), Rückkehr und Aufbau nach 1945. Deutsche Remigranten im öffentlichen Leben Nachkriegsdeutschlands, Marburg 1997.

10   Stephan Braese, ›Nach-Exil‹. Zu einem Entstehungsort westdeutscher Nachkriegsliteratur, in: Exilforschung. Ein internationales Jahrbuch 19 (2001), S. 227-253.

11   Helmut Peitsch, Die Gruppe 47 und die Exilliteratur – ein Mißverständnis, in: Justus Fetscher, Eberhard Lämmert u. Jürgen Schutte (Hg.), Die Gruppe 47 in der Geschichte der Bundesrepublik, Würzburg 1991, S. 108-134; Klaus Briegleb, Mißachtung und Tabu. Eine Streitschrift zur Frage »Wie antisemitisch war die Gruppe 47?«, Berlin, Wien 2003.

12   Hans Sahl, Wir sind die Letzten. Gedichte, 2., durchgesehene Aufl. Heidelberg 1986, S. 13.

13   Irmela von der Lühe, ›Osten, das ist das Nichts.‹ Grete Weils Roman *Tramhalte Beethovenstraat* (1963), in: Irmela von der Lühe u. Anita Runge (Hg.), Wechsel der Orte. Studien zum Wandel des literarischen Geschichtsbewußtseins (Festschrift für Anke Bennholdt-Thomsen), Göttingen 1997, S. 322-333. Vgl. außerdem die Kapitel über Grete Weil in: Stephan Braese, Die andere Erinnerung. Jüdische Autoren in der westdeutschen Nachkriegsliteratur, Berlin, Wien 2001, S. 105ff. u. 517ff.

sein mag: kein in die Bundesrepublik remigrierter Autor hat je den Ruhm erworben, den Anna Seghers und Bertolt Brecht in der DDR genossen.

Dies hat in erster Linie politisch-ideologische Gründe, denn die Remigranten repräsentierten die Infragestellung jenes Realitätsprinzips, das die Mitscherlichs als »Derealisation [...] im Dienst einer Selbstgerechtigkeit« analysiert hatten.[14] Im Jahre 1964 antworteten u.a. Hermann Kesten, Paul Maas, Ludwig Marcuse, Oskar Maria Graf, Erich Fried, Hans Habe, Richard Huelsenbeck, Walter Mehring, Manès Sperber, Max Tau und Carl Zuckmayer mit mehr oder weniger ähnlichen Argumenten auf die Frage, warum sie nicht in der BRD lebten.[15]

Im wesentlichen wurden vier Gründe genannt: 1. Das politische Klima, die fortdauernde Präsenz von Nationalsozialisten in wichtigen Staatsämtern, die ›Spiegel‹-Affäre weckten Zweifel an der Rechtsstaatlichkeit in der Bundesrepublik; 2. keine offizielle Stelle in der Bundesrepublik habe sie gerufen, Interesse an ihnen gezeigt, eine Aufforderung zur Rückkehr ergehen lassen; 3. wird die persönliche Erinnerung erwähnt, die als emotionale Sperre wirke. Erst an vierter Stelle sprechen die antwortenden Schriftsteller von ihrer Verbundenheit mit der neuen Heimat und ihrem daraus erwachsenen Gefühl, einem Weltbürgertum anzugehören, das sie zwischen Ländern und Grenzen pendeln lasse. Oskar Maria Graf schließlich schreibt:

»Was mich aber bei meinen Deutschlandbesuchen gerade in der ›wirtschaftswunderlichen‹ Bundesrepublik am meisten anwiderte, war, ganz abgesehen von einem bereits latent gewordenen Antisemitismus, das wiedererwachte, engstirnig provinzielle deutsche Tüchtigkeitsprotzertum, gepaart mit der durchgehenden spießbürgerlichen nihilistischen Prasserstimmung«.[16]

So treffend man diese und andere Äußerungen finden mag – es bleibt die andere Seite zu erwähnen. Staatliche Stellen oder offizielle Institute verliehen Preise und Ehrungen für einzelne Emigranten: für Thomas Mann bekanntlich schon 1949; Carl Zuckmayer und Fritz von Unruh, Tilla Durieux, Ernst Deutsch und Leonhard Frank erhielten das Bundesverdienstkreuz; die Darmstädter Akademie verlieh 1947 den hochangesehenen Büchner-Preis an Anna Seghers, aber 1951 dann an Gottfried Benn. Weitgehend unabhängig von politischem Ausgewogenheitskalkül agierte der deutsche Buchhandel bei der Verleihung des Friedenspreises: der erste Preisträger wurde 1950 der in Oslo lebende Emigrant, Lektor und Schriftsteller Max Tau; auch später sind Emigranten unter den Preisträgern: Martin Buber (1953), Paul Tillich (1962), Nelly Sachs (1965), Ernst Bloch (1967).

14 Alexander u. Margarete Mitscherlich, Die Unfähigkeit zu trauern. Grundlagen kollektiven Verhaltens, Neuausgabe München 1977, S. 70.
15 Hermann Kesten (Hg.), Ich lebe nicht in der Bundesrepublik, München 1964.
16 Zit. n. Mertz, Und das wurde nicht ihr Staat (Anm. 6), S. 217.

Auszeichnungen und Ehrungen gingen indes in großer Zahl auch an Autoren und Autorinnen der ehemaligen nationalsozialistischen Kulturszene (Agnes Miegel, 1959: Literaturpreis der Bayerischen Akademie der Schönen Künste).[17] Vor allem aber hat die Präsenz von Autoren und Autorinnen der sogenannten ›Inneren Emigration‹ in den Lesebüchern der bundesrepublikanischen Schulen Signalwert. Noch 1965 dominierten in den Schulbüchern Gottfried Benn, Hans Carossa, Ernst Jünger, Werner Bergengruen, Rudolf Alexander Schroeder, Ina Seidel. In Anthologien waren es Josef Weinheber, Gottfried Benn, Hans Carossa, Georg Britting, Werner Bergengruen, Rudolf Alexander Schroeder. Erst die späten 1960er Jahre brachten eine entscheidende Zäsur: in der Forschung, im öffentlichen Interesse, in den Curricula und Lesebüchern der Schulen.

In welchen Phasen das verlegerische Engagement für die Literatur des Exils erfolgte, welche Aktivitäten und paradoxen Konstellationen sich beim Versuch der Eingliederung der deutschsprachigen Exilliteratur in den literarischen Kanon nach 1945 ergaben, zeigt der Beitrag von Ernst Fischer.

Neben den politisch-ideologischen Gründen für den in der BRD verschenkten, vermiedenen oder offensiv verweigerten Dialog zwischen Remigranten und Dagebliebenen, gab es generationentypische und programmatisch künstlerische Gründe, die eine Verständigung erschwerten bzw. verhinderten. Auch dafür sind die Debatten in der Gruppe 47 bzw. in ihrem Vorläufer, der Zeitschrift Der Ruf aufschlußreich. Thomas und Heinrich Mann, Alfred Döblin, Hans Henny Jahnn und Bertolt Brecht waren in den Augen der Jungen, also für Alfred Andersch, Hans Werner Richter und Heinrich Böll, Vertreter eines veralteten ästhetischen Ideals, sie repräsentierten die 1920er Jahre, an die man gerade nicht anknüpfen wollte. Auf eine andere Sprache und eine neue Sicht der Gegenwart zielten Ende der 1940er Jahre Heinrich Böll, Alfred Andersch und Ernst Kreuder. Jean Paul Sartre und der französische Existenzialismus, Albert Camus, William Faulkner und Franz Kafka waren die Vorbilder, die Alfred Andersch in seinem berühmt gewordenen Aufsatz Deutsche Literatur in der Entscheidung 1948 (im Ruf) aufrief, nicht Heinrich Mann, nicht Arnold Zweig, Joseph Roth oder Alfred Döblin, nicht – trotz braver Respektbezeigung – Thomas Mann und die »realistische Tendenzkunst«.[18] Allenfalls Theodor Plieviers Stalingrad, aber auch Oskar Maria Graf, Anna Seghers und Bertolt Brecht, akzeptiert Alfred Andersch als vorbildhaft. Polemisch und pointiert erklärte Wolfgang Borchert:

---

17 Vgl. ebd., S. 220f.
18 Alfred Andersch, Deutsche Literatur in der Entscheidung. Ein Beitrag zur Analyse der literarischen Situation, in: ders., Gesammelte Werke in 10 Bdn., kommentierte Ausgabe, hrsg. v. Dieter Lamping, Bd. 8 (Essayistische Schriften I), Zürich 2004, S. 187-218, hier S. 204.

»Wir brauchen keine Dichter mit guter Grammatik. Zu guter Grammatik fehlt uns die Geduld. Wir brauchen die mit dem heißen, heiser geschluchzten Gefühl. Die zu Baum Baum und zu Weib Weib sagen und ja sagen und nein sagen: ›laut und deutlich‹ und dreifach und ohne Konjunktiv.«[19]

Daß ein solches gefühlsgestütztes, poetisches Unmittelbarkeitsverlangen weder Thomas Mann noch Alfred Döblin, weder Hans Mayer noch Oskar Maria Graf zu beeindrucken vermochte, liegt auf der Hand. Die Kriegs- und Heimkehrerfahrung, das Erlebnis zerstörter Städte und verlorener Ideale beherrschte die Kunstprogrammatik der ›jungen‹ Literatur im Nachkriegsdeutschland so nachhaltig, daß sie die ästhetischen und politischen Positionen der Remigranten gleichsam zwanghaft ausgrenzten. In allen Debatten verliefen die Frontlinien nicht nur zwischen Innen und Außen, zwischen gegensätzlichen politischen, sondern auch zwischen unterschiedlichen ästhetischen Positionen. Wie Klaus Brieglebs bewußt polemische Analyse zeigt, konnte der versteckte oder offene Antisemitismus in ästhetisierender oder in politisierender Gestalt daher kommen; er konnte in künstlerischen Idealen oder in politischen Prinzipien verborgen sein.

Nach Tagungen zur Rolle von Remigranten beim Aufbau des parlamentarischen Systems (1999) und zum Einfluß remigrierter Personen beiderlei Geschlechts in den bundesrepublikanischen Medien (2002)[20] hat die Herbert und Elsbeth Weichmann Stiftung im März 2004 erstmals ein Symposium veranstaltet, in dem nach den Erfahrungen remigrierter Autorinnen und Autoren und damit nach der Rolle der Remigranten im literarischen Leben der Bundesrepublik gefragt wurde. Eine Erfolgsgeschichte war dabei wahrlich nicht zu erwarten, eher eine Geschichte ungenutzter Möglichkeiten oder auch verspäteter, weitgehend unbeabsichtigter Wirkungen. Dies zeigt Georg Bollenbeck, indem er in der Forderung nach Realitätssinn und Engagement, den die ›Jungen‹ in der Gruppe 47 einklagten, die »subkutane Wirkungsmacht der Remigranten« diagnostiziert; dies zeigt sich an der von Eva-Maria Siegel untersuchten Rezeption des Brechtschen Theaters in Frankreich. Dem widerstreitet indes die Überlieferungs- und Editionsgeschichte des Werkes der in Auschwitz ermordeten Gertrud Kolmar. Regina Nörtemann, der die erste textkritische Ausgabe der Gedichte Kolmars zu danken ist, berichtet in ihrem Beitrag über die ›Remigration‹ dieses Werkes in die Bundesrepublik und in die DDR.

---

19 Wolfgang Borchert, Das ist unser Manifest, in: ders., Das Gesamtwerk, Reinbek 1991, S. 308-315, hier S. 310.
20 Vgl. Claus-Dieter Krohn, Martin Schumacher (Hg.), ›Exil und Neuordnung‹, Beiträge zur verfassungspolitischen Entwicklung in Deutschland nach 1945, Düsseldorf 2000; Claus-Dieter Krohn, Axel Schildt (Hg.), Zwischen den Stühlen? Remigranten und Remigration in der deutschen Medienöffentlichkeit der Nachkriegszeit (Hamburger Beiträge zur Sozial- und Zeitgeschichte Bd. 39), Hamburg 2002.

»Fremdes Heimatland« blieb die Bundesrepublik für Jean Améry trotz seiner Popularität in den späten 1960er Jahren immer. Irene Heidelberger-Leonard, deren Beitrag zu diesem Band eine gekürzte Fassung des siebten Kapitels ihrer Biographie über Jean Améry darstellt, betont die radikale Außenseiterposition, die noch der erfolgreiche und vielfach geehrte Jean Améry innehatte. Sein Werk thematisiert die Opfererfahrung, es zielt auf intellektuelle Vergegenwärtigung und gerade nicht auf Bewältigung der nationalsozialistischen Vergangenheit. Alfred Andersch hat Jean Améry in seinem 1967 erschienenen Roman *Efraim* ein literarisches Denkmal gesetzt und somit – wie Dieter Lamping zeigt – als einer der ganz wenigen Autoren der Gruppe 47 ein literarisches Beispiel für die Möglichkeit geliefert, daß Differenzen zwischen Autoren der Nachkriegs- und Exilliteratur zumindest punktuell überwindbar waren. Die von der Gruppe 47 beanspruchte Diskurshoheit hat eine solche Ausnahme nicht verhindert; wie sehr sie gleichwohl die Frage nach jüdischer Identität im Nachkriegsdeutschland mit einem Tabu belegt hat und in welchem Maße die Epochenjahre 1968 und 1989 im literarischen Erinnerungsdiskurs der Bundesrepublik als Zäsur wirkten, davon zeugen die literarischen Arbeiten der so genannten ›zweiten‹ und ›dritten‹ Generation. Aus Zeit- und Umfangsgründen konnten die Tagung und der vorliegende Band diesem Thema nur geringe Aufmerksamkeit widmen. Es bleibt zu hoffen, daß ein späteres Symposium zur jüdischen Remigration und zum literarischen Reflex von Remigration und Nach-Exil im Werk jüdischer Autoren und Autorinnen diese Lücke schließen kann.

Die Herausgeber danken der Herbert und Elsbeth Weichmann Stiftung dafür, daß sie die hier dokumentierte Tagung ermöglicht hat, dem Verlag Klett-Cotta für die Genehmigung zum Wiederabdruck von Teilen aus Kapitel 7 der Améry-Biographie von Irene Heidelberger-Leonard; vor allem aber Sarah Radtke und Birte Werner für Hilfe bei der Drucklegung und der (nicht selten mühevollen) Überprüfung der Zitate.

Georg Bollenbeck

Restaurationsdiskurse und die Remigranten.

Zur kulturellen Lage im westlichen Nachkriegsdeutschland[1]

»You can't go home again« – so sollte der Titel einer Publikation lauten, in der Erika und Klaus Mann über ihre Erfahrungen im Nachkriegsdeutschland berichten wollten.[2] Dieser Feststellung und Mahnung kann ein gewisser Realitätsgehalt nicht abgesprochen werden, wie das Schicksal der nach Westdeutschland remigrierenden Schriftsteller zeigt. Aber ›Schicksal‹ ist ein vages und verbrauchtes Wort. Präziser wäre danach zu fragen, mit welchen Erwartungen die Schriftsteller zurückkommen, welche Erfahrungen sie im Nachkriegsdeutschland machen und welche Resonanz sie finden.

Aufgrund eigener Erfahrungen schreibt Hermann Kesten, es gingen »Hunderttausende ins Exil, unter tausendfach verschiedenen Umständen, aus tausendfach verschiedenen Gründen, zu tausendfach verschiedenem Schicksal.«[3] Wie kann man also überhaupt von *den* Exilanten oder Remigranten sprechen? Um es gleich vorweg zu sagen: Ich bin mir bewußt, daß die Rede von *den* Remigranten aus werkbiographischer Sicht eine unzulässige Pauschalisierung ist.[4] Diese Pauschalisierung gerät allerdings zu einer sinnvollen Verallgemeinerung, wenn man durch bestimmte Merkmalszuweisungen die Remigranten als eine Gruppierung konturiert, um danach zu fragen, wie sie die kulturelle Lage im westlichen Nachkriegsdeutschland erfahren und bewerten. Sicher, es handelt sich bei den Remigranten um eine heterogene Gruppierung, deren Mitglieder höchst unterschiedliche politische Perspektiven und literarästhetische Vorstellungen haben, verschiedenen Generationen angehören und ungleiche Positionen im kulturellen Feld einnehmen. In Deutschland wurden 1933 ja nicht allein, wie Benn zynisch formulierte, »gewisse erste Ränge leergefegt«.[5] Ver-

---

1   Der Vortragsduktus wurde für die Veröffentlichung beibehalten.
2   Vgl. dazu Irmela von der Lühe, Erika Mann. Eine Biographie, Frankfurt/M. 1996, S. 290.
3   Hermann Kesten, Das ewige Exil, in: ders. (Hg.), Ich lebe nicht in der Bundesrepublik, München 1963, S. 10.
4   Vgl. zu dieser Perspektive, die sich davon leiten läßt, daß sich Menschen nicht ›einfach kategorisieren‹ lassen, den Beitrag von Bernhard Spies in diesem Band.
5   Gottfried Benn, Der neue Staat und die Intellektuellen, in: Gesammelte Werke in vier Bänden, hrsg. v. Dieter Wellershoff, Bd. I, Wiesbaden 1959, S. 444.

trieben wurden auch viele, um mit Thomas Mann zu sprechen, ›kleine Meister‹ wie etwa Leonhard Frank oder Oskar Maria Graf, die im eigenen Land erfolgreich waren, die es aber nie im Exil wurden. Dennoch, die Remigranten weisen charakterisierende Gemeinsamkeiten auf, die sinnvolle Verallgemeinerungen erlauben. Zunächst der kleinste gemeinsame Nenner: Sie verbindet der Wunsch, aus dem Exil ins Heimatland zurückzukehren. Und sie kehren zurück. Man könnte sie mit Peter Gay als nicht anpassungsbereite »Beiunskis« bezeichnen;[6] also als Leute, die sich wie Adorno, Brecht oder Döblin im Exilland mit freundlichem Rückblick auf das wahre Deutschland weiter als Fremde fühlen, eben als Emigranten und nicht als Immigranten; Leute, die der deutschen Kultur nachtrauern, wieder in der deutschen Sprache leben und am politischen ›Neuanfang‹ mitwirken wollen – auch weil sie die These von der Kollektivschuld der unverbesserlichen Deutschen ablehnen.[7]

Auch das erlaubt die Verallgemeinerung: So unterschiedlich die Remigranten auch sind, sie weisen, formal gesehen, persönlichkeitspsychologische Gemeinsamkeiten auf.[8] Ihr Lebensprozeß ist geprägt durch die Frontstellung gegen den Nationalsozialismus, durch den erzwungenen Wechsel ins Exil, der schmerzliche Positionsverluste und Wendepunkte produziert. Ihre Lebenslage im Exil ist (bei den meisten) durch ökonomische Unsicherheiten und Orientierungsschwierigkeiten im neuen kulturellen Feld gekennzeichnet. Schließlich ihre subjektive Lebensbefindlichkeit: die Einsichten, Deutungsmuster und Wünsche drängen zur Rückkehr. Gerade in diesem Punkt unterscheiden sich die Remigranten von denjenigen, die nicht mehr in Deutschland leben wollen. So lassen sich ähnliche Motive für die Rückkehr ausmachen. Repräsentativ dafür ist Adornos Antwort auf die Frage, warum er denn nach Deutschland zurückkehre. Er habe nie, so Adorno, an die Schuld eines ganzen Volkes geglaubt; er sei zurückgekehrt um einer »Wiederholung des Unheils entgegenzuwirken«; er wolle zurück in die Heimat, aber Heimweh sei nicht das Entscheidende, vielmehr gebe es etwas Objektives, und das sei die deutsche »Sprache«, der übrigens auch bei Adorno »eine

6 Peter Gay, Meine deutsche Frage. Jugend in Berlin 1933-1939, München 1999, S. 199.
7 Zur Trennungslinie zwischen Immigranten und Exilierten vgl. Manfred George, Am Scheideweg, in: Aufbau 10 (1944), 19, S. 4. Für Oskar Maria Graf gibt es noch eine dritte Gruppierung: die »Diasporiten«, damit sind diejenigen gemeint, die mit zunehmend gelockerten Realitätskontakten im Exilland bleiben, sich dort nicht gänzlich integrieren, weil ihr Deutschlandbezug bestehen bleibt. »Es gibt keine Weiterentwicklung für diese Leute. Sie begeben sich in ein Vakuum. Sie leben in der Diaspora, auch wenn sie sich für die wildesten Amerikaner halten und sich so geben.« Oskar Maria Graf, Die Flucht ins Mittelmäßige, München 1976, S. 582. Vgl. dazu auch Georg Bollenbeck, Vom Exil zur Diaspora. Zu Oskar Maria Grafs Roman *Die Flucht ins Mittelmäßige*, in: Exilforschung. Ein internationales Jahrbuch 3, München 1985, S. 260-269.
8 Vgl. Hans Thomae, Das Individuum und seine Welt. Eine Persönlichkeitstheorie, Göttingen 1968. Hans-Dieter Schmidt, Grundriß der Persönlichkeitspsychologie. Mit einem Nachwort von Klaus Holzkamp, Frankfurt/M., New York 1986.

besondere Wahlverwandtschaft zur Philosophie« bescheinigt wird.[9] Aber es gibt nicht nur ähnliche Motive für die Remigration, es gibt auch einen gemeinsamen Deutungsmodus, der zwei Deutschlandbilder konturiert, nämlich ein ›helles‹ und ein ›dunkles‹; einerseits das Bild vom Heimatland als Ort der Muttersprache und der Kultur von Weimar und andererseits das Bild vom Terrorland als Ort der Unterdrückung, Vertreibung und Vernichtung. In diesem Sinne produziert die Erinnerung an das Exil eine ›elegische‹ und zugleich sensibilisierende Urteilskraft gegenüber der kulturellen Lage im Nachkriegsdeutschland.

Im Folgenden sollen zunächst die unterschiedlichen Remigrationskonstellationen im westlichen und östlichen Nachkriegsdeutschland skizziert werden. Danach werden in einem zweiten Schritt Erfahrungen der Remigranten im Westen zu Kritikpunkten typisiert. Dies geschieht auch in der Absicht, den in neueren Forschungen in die Kritik geratenen Begriff der Restauration als eine sinnvolle literaturgeschichtliche Kontextualisierungskategorie zu begründen; eine Kategorie, die einen paradoxen Effekt erschließt, nämlich den Tatbestand, daß die im literarischen Feld vorübergehend marginalisierten Remigranten mit ihrer Kritik an den Nachkriegsverhältnissen subkutan als erfolgreiche Akteure einer kulturellen Westbindung wirkten.

I. Remigrationskonstellationen

Noch 1972 sah der Exilforscher Hans-Albert Walter in Westdeutschland die deutsche Exilliteratur »draußen vor der Tür« stehen.[10] Obgleich es, so Walter, unmittelbar nach 1945 ein großes Interesse am Werk der exilierten Schriftsteller gegeben habe, sei dieses Interesse doch bald erloschen. Die westdeutsche Nachkriegsliteratur habe sich ohne einen Traditionsbezug zur Exilliteratur entwickelt. Zudem sei es im Klima der »restaurierten Verhältnisse« nicht zu einer »Re-Integration der Exilierten« gekommen.[11] Und gerade dieser Tatbestand mache deren Rehabilitation erforderlich. Seitdem ist die Rehabilitationsarbeit in der Öffentlichkeit wie in der germanistischen Forschung entscheidend vorangekommen. Nicht ohne Stolz verweist das *Börsenblatt für den Deutschen Buchhandel* am 28. April 1982 auf die Schwierigkeiten der Remigranten in der Nachkriegszeit, auf die Anerkennung der Exilliteratur in der DDR und auf die rehabilitierenden Neuausgaben in der Bundesrepublik: z.B. auf Ausgaben von Bert Brecht, Lion Feuchtwanger, Oskar Maria Graf, Hans Henny

---

9 Theodor W. Adorno, Auf die Frage: Was ist deutsch [1965], in: ders., Stichworte. Kritische Modelle 2, Frankfurt/M. 1969, S. 110.

10 Hans-Albert Walter, Deutsche Exilliteratur 1933-1950, Bd. 1, Bedrohung und Verfolgung, Darmstadt, Neuwied 1972, S. 13.

11 Ebd. S. 11ff.

Jahnn, Franz Jung oder Kurt Tucholsky. Und bekanntlich hat in den letzten 30 Jahren auch die Erforschung der deutschsprachigen Emigration große Fortschritte gemacht. Über die Hintergründe der Verfolgung, die Anlässe der Flucht, über die Arbeits- und Lebensbedingungen im Exil, die unterschiedlichen kulturpolitischen Konzepte der Emigranten, die verschiedenen Gruppierungen und Neuordnungspläne liegen inzwischen detaillierte Forschungsarbeiten, Überblicksdarstellungen wie Spezialuntersuchungen vor.[12]

Unverkennbar ist nach einer langen Phase der Tabuisierung und Ausgrenzung das Exil in den einzelnen sozial- und kulturwissenschaftlichen Fächern zu einem resonanzträchtigen Gegenstandsbereich geworden. Dieser Wandel indiziert einen allgemeinen Wandel der Erinnerungskultur, der bereits in den 1960er Jahren mit den NS-Prozessen und den Verjährungsdebatten, den ›Schuldzuweisungen‹ der 68er Generation und dem ›sozialliberalen Klimawandel‹ einsetzt. Damals endet die Zeit des ›kommunikativen Beschweigens‹. Ein entscheidender Impuls für die Aufwertung und Anerkennung der Exilliteratur geht 1965 von der Ausstellung *Exil-Literatur 1933-1945* aus, die für mehrere Jahre mit großem Erfolg im In- und Ausland gezeigt wird.[13] Gut zehn Jahre später, im Herbst 1976, wecken Jürgen Serkes Serie über *Die verbrannten Dichter* im *stern*-Magazin und das daraus entstehende Buch ein völlig neuartiges Interesse an den Exilierten, an ihrem Schicksal und an ihrer Literatur. Der *Buchreport* resümiert:

»Wie eine verspätete Wiedergutmachung nimmt sich aus, daß 45 Jahre nach der Bücherverbrennung durch das nationalsozialistische Deutschland und offenbar angeregt durch die *stern*-Serie und das Buch *Die verbrannten Dichter* eine Reihe von Verlagen daran geht, eine ganze Dichtergeneration wiederzuentdecken.«[14]

Die zunächst gescheiterte Reintegration läßt sich nicht durch einen radikalen Traditionsbruch nach ›1945‹ erklären. Für die meisten Remigranten erweist sich Deutschland als ›fremdes Heimatland‹, gerade weil bestimmte ›Kontinuitäten‹ restauriert werden, und weil zugleich diejenigen unter den Schriftstellern der jüngeren Generation, die gegen diese Restauration sind, nicht an die Tradition der Exilliteratur anknüpfen wollen. Ein politischer »Regimewechsel«, so der Soziologe M. Rainer Lepsius, muß nicht mit dem »Typenwechsel einer

---

12 Vgl. Handbuch der deutschsprachigen Emigration 1933-1945, hrsg. v. Claus-Dieter Krohn, Patrik von zur Mühlen, Gerhard Paul, Lutz Winckler unter redaktioneller Mitarbeit von Elisabeth Kohlhaas, Darmstadt 1998.

13 Exil-Literatur 1933-1945. Eine Ausstellung aus den Beständen der Deutschen Bibliothek, Frankfurt/M. (Sammlung Exil-Literatur). Ausstellung und Katalog: Werner Berthold, Frankfurt/M. 1965.

14 Buchreport 10. März 1978. Vgl. dazu auch den Beitrag von Ernst Fischer im vorliegenden Band. Jürgen Serke, Die verbrannten Dichter, mit Photos von Wilfried Bauer, Weinheim 1977.

ganzen Gesellschaft und ihre[r] Kultur« verbunden sein.[15] Auch insofern kann es keine ›Stunde Null‹ oder auch nur einen radikalen ›Kahlschlag‹ geben. Zu fragen bleibt also, wie sich mit Blick auf die Erfahrungen der Remigranten das Verhältnis von Kontinuität und Diskontinuität näher bestimmen läßt, warum das westliche Nachkriegsdeutschland für sie ein ›fremdes Heimatland‹ wird. Solche Fragen sind nicht einfach zu beantworten; zumal die eigentliche Zeit des Exils immer noch besser erforscht ist als die Zeit der Remigration nach 1945 – trotz zahlreicher Einzelstudien, in deren Zentrum unterschiedliche Berufsgruppen, Besatzungszonen und Regionen stehen.[16] Dennoch sind – jedenfalls mit Blick auf die literarisch-künstlerische Remigration – erste systematisierende oder verallgemeinernde Befunde möglich. *Und das wurde nicht ihr Staat,* so betitelt Peter Mertz seine anregende, aber methodisch problematische Monographie über die *Erfahrungen emigrierter Schriftsteller mit Westdeutschland.*[17] Mertz arrangiert die einzelnen Stellungnahmen – etwa die eines Alfred Döblin, eines Leonhard Frank oder Hans Henny Jahnn – zu einer Enttäuschungsgeschichte, die plausibel wird, wenn man die Erfahrungen der Vertreibung und des Exils, die Erwartungen auf einen Neubeginn nach der Niederlage des nationalsozialistischen Regimes und die Erfahrungen während der Nachkriegszeit im ›Westen‹ aufeinander bezieht.

Die Westzonen erscheinen den meisten Remigranten von Beginn an weniger attraktiv als die SBZ und spätere DDR. Deshalb remigrieren nur wenige wie eben Döblin, Jahnn oder Frank dorthin. Im Westen fühlen sich die Remigranten unwillkommen oder gar ausgegrenzt.[18] Hier werden Vorurteile, die aus dem Arsenal der nationalsozialistischen Propaganda stammen, im Zeichen des einsetzenden Kalten Krieges gegenüber linken Autoren aufgefrischt.[19] Demnach

15 M. Rainer Lepsius, Die Bundesrepublik Deutschland in der Kontinuität und Diskontinuität historischer Entwicklungen: Einige methodische Überlegungen, in: Werner Conze, M. Rainer Lepsius, Sozialgeschichte der Bundesrepublik. Beiträge zum Kontinuitätsproblem, Stuttgart 1983, S. 11-19.

16 Vgl. Rückkehr und Aufbau nach 1945. Deutsche Remigranten im öffentlichen Leben Nachkriegsdeutschlands. Hrsg. v. Claus-Dieter Krohn und Patrik zur Mühlen, Marburg 1997; Claus-Dieter Krohn, Axel Schildt (Hg.), Zwischen den Stühlen. Remigranten und Remigration in der deutschen Medienöffentlichkeit der Nachkriegszeit, Hamburg 2002; Marita Kraus, Westliche Besatzungszonen und Bundesrepublik Deutschland, in: Handbuch der deutschsprachigen Emigration 1933-1945 (Anm. 12), S. 1157-1195.

17 Peter Mertz, Und das wurde nicht ihr Staat. Erfahrungen emigrierter Schriftsteller mit Westdeutschland, München 1985.

18 Wenige Tage vor seinem Tod klagt Heinrich Mann:»Drüben könnte er von Herrn Adenauer einen netten Brief erwarten, wie Pieck sie ihm schreibt. Der Brief kommt nicht«. Zit. bei Willi Jasper, Der Bruder. Heinrich Mann. Eine Biographie, Frankfurt/ M. 1994, S. 344.

19 Frithjof Trapp, Logen- und Parterreplätze. Was behinderte die Rezeption der Exilliteratur?, in: Ulrich Walberer (Hg.), 10. Mai 1933. Bücherverbrennungen in Deutschland und die Folgen, Frankfurt/M. 1983, S. 240-258.

sind Exilanten Landesverräter, die im sicheren Ausland, sozusagen von »Logen- und Parterreplätze[n]« aus, gegen Deutschland gearbeitet haben.[20] Aus dieser unheilvollen Kontinuität erklärt sich auch der Tatbestand, daß Emigranten wie etwa Thomas Mann, Walter Mehring, Oskar Maria Graf, Hermann Kesten, Manès Sperber, Robert Neumann, Erich M. Remarque oder Carl Zuckmayer, die nicht in den ›stalinistischen‹ Osten wollen, auch den ›freiheitlichen‹ Westen meiden. Sie alle fühlen sich in der deutschen Sprache und Kultur zu Hause, und doch bleibt ihnen das gesamte Nachkriegsdeutschland fremd.[21]

Hingegen herrscht in der SBZ eine anziehende Kulturemphase, die ihre motivationale Kraft, übrigens bei den Kulturfunktionären der SED wie bei den sowjetischen Kulturoffizieren, aus der zähen Macht der bildungsbürger-lichen Kunstsemantik erhält.[22] Und hier scheinen in der Tradition der Volks-frontpolitik und des antifaschistischen Widerstands die Umstände für einen demokratischen und sozialistischen Neubeginn günstiger als in den West-zonen. Hier bemüht man sich um die Rückkehr der Exilierten.[23] Auf die Frage, warum sie ihren Wohnsitz im östlichen Teil Deutschlands genommen habe, antwortet Anna Seghers:

»Weil ich hier die Resonanz haben kann, die sich der Schriftsteller wünscht. Weil hier ein enger Zusammenhang besteht zwischen dem geschriebenen Wort und dem gelebten Leben. Weil ich hier ausdrücken kann, wozu ich gelebt habe.«[24]

20 Mit solchen Vorurteilen konnte noch zu Beginn der sechziger Jahre im Wahlkampf der CDU gegen Willy Brandt polemisiert werden. Vgl. Daniela Münkel, »Alias Frahm« – Die Diffamierungskampagnen gegen Willy Brandt in der rechtsgerichteten Presse, in: Zwischen den Stühlen (Anm. 16), S. 397-418.

21 Vgl. auch Ich lebe nicht in der Bundesrepublik (Anm. 3).

22 »[…] schließlich waren die sowjetischen Kulturoffiziere selber nach dem übereinstim-menden Urteil aller, die mit ihnen zu tun hatten, hochqualifizierte Intellektuelle. Sie sprachen fließend deutsch und kannten sich in der deutschen Literatur- und Kunstge-schichte häufig besser aus als ihre Berliner Gesprächspartner. Anekdoten wie die, daß ein russischer Offizier seine deutschen Zuhörer mit langen Zitaten aus Heines *Winter-reise* und dem *Nibelungenlied* beschämte, finden sich in jedem Berliner Erinnerungs-buch«. So Wolfgang Schivelbusch, Vor dem Vorhang. Das geistige Berlin 1945-1948, München, Wien 1995, S. 56.

23 So verspricht der zukünftige Präsident der DDR, Wilhelm Pieck, Heinrich Mann am 20. Juli 1947 in einem Brief: »Sie können versichert sein, daß wir ihre Unterbringung auf das beste und zu ihrer Zufriedenheit regeln werden. Das betrifft die Beschaffung einer Villa, eines Autos mit Chauffeur, einer Bedienung usw.« Zit. bei Jasper, Der Bru-der (Anm. 18), S. 338.

24 Zit. nach Ralf Schnell, Geschichte der deutschsprachigen Literatur seit 1945. 2., über-arb. u. erw. Aufl., Stuttgart 2003, S. 68. »Die Lebensweise hier ist angesichts der vielen Privilegien für Künstler nahezu völlig normal, und das geistige Klima ist unvergleich-lich«, schreibt B. Brecht am 29. Dezember 1948 an Caspar Neher, in: Bertolt Brecht, Werke, hrsg. v. Werner Hecht, Jan Knopf, Werner Mittenzwei, Klaus-Detlef Müller, Bd. 29, Briefe 1937-1949, Frankfurt/M. u.a. 1998, S. 485.

Ähnliche Motive gelten für das Gros der Remigranten nach Ostdeutschland wie Erich Arendt, Johannes R. Becher, Bert Brecht, Louis Fürnberg, Wieland Herzfelde, Stefan Heym, Rudolf Leonhard, Theodor Plievier, Ludwig Renn, Erich Weinert oder Arnold Zweig. Sie alle verbinden »gemeinsame antifaschistische Kampferfahrungen«.[25]

Zwar sind im Osten diese Exilautoren *und* ihre Werke willkommen, aber auch hier beginnt mit der Remigration eine Ernüchterungs- und Desillusionierungsgeschichte. Diese weist freilich eine völlig andere Verlaufsform als im Westen auf. Die Entscheidungszwänge des Kalten Krieges und die Reinstallation der alten Eliten in der Westzone[26] befördern zunächst – trotz erster Irritationen durch die ›Formalismuskampagne‹ und diktatorische Praktiken – eine stärkere Identifikation mit dem Programm einer demokratischen Erneuerung aus sozialistischer Perspektive. Von daher erklären sich auch die Übersiedlungen eines Peter Hacks, Stefan Hermlin, Stefan Heym, Hans Mayer oder Werner Steinberg von West nach Ost. Doch lassen sich auch in der DDR wie etwa bei Alfred Kantorowicz, Rudolf Leonhard, Theodor Plievier oder Hanns Eisler eine wachsende Distanz und Enttäuschung ausmachen.[27] Das sind aber zunächst Ausnahmen. Hier entsteht mit der Diskrepanz zwischen verheißungsvoller Programmatik und ernüchternder Repression ein langfristiger Desillusionierungstrend, der von der Identifikation mit dem Aufbau des Sozialismus' über die Distanzierung bis zur Ausbürgerungs- und Übersiedlungswelle in den 1970er und 80er Jahren reicht.

II. Erfahrungen der Remigranten

Im westlichen Nachkriegsdeutschland läßt sich eine vergleichbare Identifikation mit den politischen Perspektiven und kulturellen Zuständen nicht beobachten. Hier herrscht unter den Remigranten und unter den Emigranten, die das Land besuchen oder gar probeweise bereisen, eine wachsende Enttäuschung über die Nachkriegsentwicklung. Das hängt auch mit den Schwierigkeiten zusammen, sich im literarischen Leben zu re-etablieren. Zwar gibt es zunächst durchaus freundliche und wohlmeinende Appelle zur Rückkehr, doch vorherrschend wird ein Klima der Abwehr, Ablehnung und Unterstellung gegenüber den Vertretern der Exilliteratur. 1946 veröffentlicht Günther Weisenborn einen Appell an 45 namentlich genannte Autoren mit dem Titel

---

25 Wolfgang Emmerich, Kleine Literaturgeschichte der DDR, erw. Neuausg., Leipzig 1996, S. 80.

26 Hier im Sinne der Eliten des Nationalsozialismus' und der Eliten im Nationalsozialismus. Vgl. dazu Axel Schildt, Konservatismus in Deutschland. Von den Anfängen im 18. Jahrhundert bis zur Gegenwart, München 1998, S. 211.

27 Zum Gesamtkomplex: Werner Mittenzwei, Die Intellektuellen. Literatur und Politik in Ostdeutschland 1945-2000, Leipzig ³2002.

Wir bitten um Ihre Rückkehr aus allen Ländern der Welt, nicht ohne zu versichern »Es ist das andere Deutschland, das ruft.«[28] Aber nur wenige wie Stefan Andres, Martin Beheim-Schwarzbach, Ferdinand Bruckner, Leonhard Frank oder Fritz von Unruh kehren in den Westen zurück. Alfred Andersch betont in einem ähnlichen Aufruf an die emigrierten Hochschullehrer, daß die Zeitschrift der »*Ruf* immer grundsätzlich die Rückkehr der Emigration fordern werde.«[29] Aber »das andere Deutschland« ist schwach, wie schon 1945/46 die Debatten um die Rückkehr Thomas Manns zeigen. Als der sich einer Aufforderung Walter Molos, nach Deutschland zurückzukehren, verweigert, kommt es zu einer bemerkenswerten Debatte, in der Frank Thieß, ein selbsternannter und durchaus anpassungsbereiter Vertreter der ›Inneren Emigration‹, mit falschen Anschuldigungen den rechten Ton trifft, indem er an das anknüpft, was 1933 bereits Gottfried Benn der Emigration vorgeworfen hatte. Für Thieß haben die Exilautoren »aus den Logen und Parterreplätzen des Auslands« der deutschen Tragödie zugeschaut, wie man denn überhaupt in Deutschland mehr gelitten habe als im Ausland.[30] Eine Mischung aus Selbstmitleid, Verdrängung und Selbstgerechtigkeit erleichtert die verbreitete Ablehnung gegenüber den Exilierten, die so den Eindruck gewinnen, wenig willkommen zu sein. Gerade gegen Erika Mann, die sich engagierter als ihr auf Wohlklang und Repräsentanz eingestellter Vater politisch positioniert, offenbart diese Mischung ihre aggressive Kontinuität. Sie weigert sich, die Welt so einzuteilen, wie es das offiziöse Deutungsmuster im Westen verlangt: nämlich in eine freie Welt vor und eine totalitäre Welt hinter dem ›Eisernen Vorhang‹. Deshalb wird sie im Klima des Kalten Krieges mit dem »Kulturbolschewismusverdacht« überzogen und als »Salonbolschewistin« denunziert.[31] So werden Begriffe reaktiviert, die schon vor 1933 zum Diffamierungsvokabular der deutschen Rechten zählten und in deren Namen man nach 1933 vertrieben oder gar vernichtet wurde.

Aber unmittelbar nach dem Krieg gibt es durchaus achtbare Versuche, die Verfemten und Exilierten zu rehabilitieren.[32] So veröffentlichen Zeitungen wie die *Neue Zeitung* oder die *Tägliche Rundschau* und Zeitschriften wie *Das*

---

28 Günther Weisenborn, Wir bitten um Eure Rückkehr [1946], zit. nach: Vaterland, Muttersprache. Deutsche Schriftsteller und ihr Staat seit 1945. Ein Nachlesebuch für die Oberstufe. Zusammengestellt von Klaus Wagenbach, Winfried Stephan, Michael Krüger. Mit einem Vorwort von Peter Rühmkorf, Berlin 1979, S. 45.

29 Zit. ebd.

30 Hermann Kurzke, Thomas Mann. Das Leben als Kunstwerk. Eine Biographie, München 1999, S. 531f. Vgl. den Beitrag von Leonore Krenzlin in diesem Band.

31 Von der Lühe, Erika Mann (Anm. 2), S. 295ff. Zum Schlagwort »Kulturbolschewismus« vgl. Georg Bollenbeck, Tradition, Avantgarde, Reaktion. Deutsche Kontroversen um die kulturelle Moderne 1880-1945, Frankfurt/M. 1999, S. 275ff.

32 Jost Hermand »Kultur und Wiederaufbau. Die Bundesrepublik Deutschland 1945-1965, München 1986, S. 94ff.

Goldene Tor, Frankfurter Hefte, Die Wandlung und *Ost und West* Texte der Exilliteratur, doch mit geringem Erfolg. Daher spricht Berthold Spangenberg, der Verleger des *Ruf,* nach seinen Mißerfolgen mit Klaus Manns *Der Wendepunkt* und Leonhard Franks *Links wo das Herz ist* von »einer Art Boykott«. Er resümiert: »Unsere guten Deutschen wollten bis 1955 von Schriftsteller-Emigrant No 1, Thomas Mann, gar nichts wissen, feindeten ihn an. Und mehr noch die anderen Emigranten«.[33] Offenbar besteht kein großes Interesse an der während des Exils entstandenen Literatur. Döblins Roman *Hamlet oder Die lange Nacht nimmt ein Ende* bleibt ungedruckt;[34] Oskar Maria Graf bietet vergeblich seine Arbeiten westdeutschen Verlagen an; selbst Heinrich Mann hat Schwierigkeiten, seine Arbeiten unterzubringen. Leonhard Frank fühlt sich als »eine Art Handlungsreisender, dessen Ware nichts taugt [...].«[35] Und der zwischen der Schweiz, Frankreich und der Bundesrepublik hin und her pendelnde Walter Mehring klagt: »Ich schreibe Tag und Nacht ohne Verleger.«[36] So kann Gottfried Benn nicht ohne Häme am 3. Februar 1949 an F. W. Oelze schreiben:

> »Wer heutzutage die Emigranten noch ernst nimmt, der soll ruhig dabei bleiben, ich habe das Herrn Lüth auch schon geschrieben, nämlich daß ich ihr Gegeifer nur possierlich finde. Sie hatten vier Jahre lang Zeit; alles lag ihnen zu Füßen, die Verlage, die Theater, es brauchte nur jemand den Wilsonbahnhof oder den Popokatepetl in Mexico im Traum gestreift zu haben, so hatte er jede Chance, jetzt hier hochzukommen, aber per saldo ist doch effektiv gar nichts dabei zu Tage gekommen, kein Vers, kein Stück, kein Bild, das wirklich von Rang wäre.«[37]

So bleibt für die meisten Remigranten das Heimatland fremd, weil ihre Rückkehr nicht die erwartete Rückkehr ins literarische Leben bedeutet. Aber gerade die, wie sie Hans Henny Jahnn nennt, »Vereinsamung der Dichtung«[38] steigert die sensibilisierende Urteilskraft gegenüber der Lage im westlichen Nachkriegsdeutschland. Ob nun in Tagebüchern, Briefen, Essays, Berichten oder Memoiren – es tauchen immer wieder bestimmte Befunde auf, die sich zu

---

33 Zit. Mertz, Und das wurde nicht ihr Staat (Anm. 17), S. 118f.
34 Am 28. April 1953 schreibt A. Döblin am Th. Heuss: »Stellen Sie sich vor, lieber Herr Heuss, daß schon vor dreieinhalb Jahren mein Verleger Keppler in Baden-Baden mir meine Werke quasi zurückgab und jetzt bei der Jahreswende der Herder-Verlag mir mitteilt: ›Ihre Sachen bleiben bei uns liegen, wir können Ihrem Werk keine Heimat bieten.‹ Ich habe es schon lange gemerkt. Ich kenne den politischen Wind, der da weht.«, in: Alfred Döblin, Briefe, Olten u. Freiburg i. Br. 1970, S. 458f.
35 Leonhard Frank, Links wo das Herz ist [1952], Frankfurt/M. 1972, S. 172.
36 Zit. nach Mertz, Und das wurde nicht ihr Staat (Anm. 17), S. 250.
37 Gottfried Benn. Briefe an F. W. Oelze 1945-1949, hrsg. v. Harald Steinhagen u. Jürgen Schröder, Wiesbaden, München 1979, S. 175.
38 Zit. nach Mertz, Und das wurde nicht ihr Staat (Anm. 17), S. 226.

vier typischen Kritikpunkten bündeln lassen, zu Kritikpunkten, die unterschiedliche Erfahrungen im Nachkriegsdeutschland artikulieren.[39] Das meint
1. Kritik an der Rückkehr der alten Eliten. Diese Kritik ist keine Eigenheit der Linken oder gar der Propaganda des Ostens. Über ihren *Besuch in Deutschland* 1950 schreibt Hannah Arendt:

>»Die Wiedereinführung einer wirklich freien Marktwirtschaft war gleichbedeutend mit der Übergabe der Fabriken und der Verfügungsgewalt an jene, die, was die praktischen Ziele der Nazis betraf, stramme Anhänger des Regimes gewesen waren, auch wenn sie sich über die letzten Konsequenzen des Nazismus ein wenig im Irrtum befunden hatten.«[40]

Solche Befunde kann man immer wieder lesen. »Die Bundesrepublik bietet«, so Hermann Kesten 1963,

>»das Schauspiel, daß von 159 Blutrichtern Hitlers, die bis 1961 oder 1962 amteten, sechs heute noch Recht sprechen, daß SS-Generäle in Parlamenten sitzen oder Bürgermeister sind, daß die Bundesregierung einen Wolfgang Fraenkel zum Generalbundesanwalt ernennt, der unter Anklage von Nazi-Verbrechen sogleich zurücktreten mußte, daß Bonn einen vormaligen SS-Mann namens Hans Egon Holthusen ans Goethehaus in New York delegiert […]. Die Mehrheit der Diplomaten der Bundesrepublik waren auch die Diplomaten Hitlers.«[41]

2. Kritik an den aufbauwilligen aber aufarbeitungsunfähigen Deutschen. Bereits während des Krieges wies Herbert Marcuse in Studien für den US-amerikanischen Geheimdienst OSS auf die »zynische Sachlichkeit« der Deutschen hin; auf eine Rationalität, die ohne Idealismus und äußerst pragmatisch »alles an den Kriterien von Effizienz, Erfolg und Nützlichkeit mißt.«[42] Was Marcuse im Exilland USA mutmaßte, kann Döblin vor Ort im Nachkriegsdeutschland beobachten:

>»Ein Haupteindruck im Land, und er löst Ende 1945 bei dem, der hereinkommt, das größte Staunen aus, ist, daß die Menschen hier wie Ameisen in

---

39 Diese Kritikpunkte weisen große Gemeinsamkeiten mit den Befunden der Politikwissenschaftler Franz L. Neumann, Arnold Brecht und Hannah Arendt auf, vgl. Alfons Söllner, Zwischen totalitärer Vergangenheit und demokratischer Zukunft, in: Exilforschung. Ein internationales Jahrbuch 9 (Exil und Remigration), München 1991, S. 146-170.
40 Hannah Arendt, Besuch in Deutschland. Aus dem Amerikanischen von Eike Geisel. Mit einem Vorwort von Henryk M. Broder und einem Porträt von Ingeborg Nordmann, Berlin 1993, S. 51.
41 Kesten, Das ewige Exil (Anm. 3), S. 19.
42 Herbert Marcuse, Die neue deutsche Mentalität, in: ders., Feindanalysen. Über die Deutschen, hrsg. v. Peter-Erwin Jansen und mit einer Einleitung von Detlev Claussen, Lüneburg 1998, S. 24f.

einem zerstörten Haufen hin und her rennen, erregt und arbeitswütig zwischen den Ruinen [...]. Die Zerstörung wirkt auf sie nicht deprimierend, sondern als intensiver Reiz zur Arbeit [...]. Und wenn einer früher geglaubt hat, das Malheur im eigenen Lande und der Anblick einer solchen Verwüstung würde die Menschen zum Denken bringen und würde politisch erzieherisch auf sie wirken, so kann er sich davon überzeugen: er hat sich geirrt.«[43]

3. Kritik an der Amalgamierung von bildungsbürgerlicher Kunstemphase und Verdrängung. Als Bert Brecht 1948 in Konstanz erstmals ein deutsches Nachkriegstheater besucht, da empört ihn ein Theaterstil, der eine »wohlgemutete Ahnungslosigkeit« anzeigt, »die Unverschämtheit, daß sie einfach weitermachen als wären bloß ihre Häuser zerstört, ihre Kunstseligkeit, ihr voreiliger Friede mit dem eigenen Land, all dies war schlimmer als befürchtet.«[44] Theodor W. Adorno, gerade wieder nach Deutschland zurückgekehrt, ist überrascht über »die geistige Energie, die auf Fragen der Deutung und Auslegung bestehender Gebilde, Dichtungen und Philosophie verlagert« wird.[45] Adorno erwartete angesichts des Nachkriegselends einen »Abbau« der Kultur und er erlebt ihre »Auferstehung« – allerdings eine fragwürdige, sterile und provinzielle. Er sieht, ganz Vertreter der kulturellen Moderne, den »Bildungsphilister« am Werk. Für ihn dient diese geistige Beflissenheit dazu, abseits von den gesellschaftlichen Beziehungen, den »Rückfall in die Barbarei« zu vertuschen. Adorno meint damit nicht jene achtbaren Versuche, die kulturelle Moderne, die verfemten Maler, Musiker und Literaten zu rehabilitieren. Seine Kritik zielt auf die vorherrschende Praxis, nach der Erfahrung des staatlichen Terrors eine Art besatzungsmachtgeschützte Innerlichkeit zu pflegen; eine Vorliebe fürs Gute, Wahre und Schöne, die sich eskapistisch wohletablierter Traditionen und einer moderaten Moderne vergewissert.

4. Kritik am Scheitern der Re-education und des politischen Neubeginns. »Man hat nichts gelernt, und es ist alles, bis auf die Vertreibung von Hitler, gleich geblieben« schreibt Döblin resignierend 1951, bevor er abermals nach Paris ins Exil geht.[46] Erika und Klaus Mann beklagen die »Schlußstrichmentalität« und »Verdrängungsfähigkeit« der Deutschen; sie warnen die Eltern vor einer Rückkehr, ja vor einem Besuch.[47] »Die Erfahrungen der Terrorjahre«,

43 Alfred Döblin, Schicksalsreise, in: ders., Autobiographische Schriften und letzte Aufzeichnungen, Frankfurt/M., Wien, Zürich 1978, S. 376.
44 Max Frisch, Erinnerungen an Brecht, Berlin 1968, S. 14.
45 Theodor W. Adorno, »Auferstehung der Kultur in Deutschland?«, in: Frankfurter Hefte 1950, 5, S. 469. Vgl. auch Jost Hermand, Kultur im Wiederaufbau. Die Bundesrepublik Deutschland 1945-1965, München 1986, S. 89ff.; Wolfgang Schivelbusch, Vor dem Vorhang (Anm. 22); Hermann Glaser, Die Kulturgeschichte der Bundesrepublik Deutschland. Zwischen Kapitulation und Währungsreform 1945-1948, Frankfurt/M. 1990.
46 Zit. nach Schnell, Geschichte der deutschsprachigen Literatur (Anm. 24), S. 69.
47 Von der Lühe, Erika Mann (Anm. 2), S. 291.

so Peter Weiss in einem Zeitungsartikel über seinen Deutschland-Besuch im Sommer 1947, »führten nicht zu Einsicht und Reife, sondern einzig zu Aussichtslosigkeit und Korruption [...]. Die Entnazifizierung wurde zu einer Farce, da es den Einflußreichen glückte, sich dem Netz zu entwinden, und die kleinen Hilfsboten und Straßenbahnschaffner saßen fest.«[48] – So kritisieren zahlreiche Autoren wie etwa Hannah Arendt, Leonhard Frank, Hans Henny Jahnn oder Thomas Mann die Wiederkehr der alten Eliten, die Bereitschaft aufzubauen und zu verdrängen, die Kulturbeflissenheit in traditionalistischen Bahnen und das Scheitern eines Neubeginns.

Man sollte auch nicht verschweigen, daß im Einzelfall jene sensibilisierende Urteilskraft in eine verzerrende Vorurteilsdisposition oder, wie es Erich Fried nennt, in »Emigrantenressentiments« umschlagen kann.[49] »[B]is auf die Vertreibung von Hitler« ist eben nicht alles gleich geblieben. Es gibt – nach den Erfahrungen mit dem nationalsozialistischen Deutschland und angesichts der Erfahrungen im Nachkriegsdeutschland – eine durchaus verständliche Disposition, bestimmte beunruhigende Befunde einer irreversiblen ›deutschen Misere‹ und den ›unverbesserlichen Deutschen‹ zuzurechnen. Grete Weil, die 1947 nach Deutschland remigriert, berichtet über ein Gespräch mit ihrem Jugendfreund K. Mann.

»Er redete eine ganze Nacht auf mich ein, daß ich nicht nach Deutschland zurückgehen dürfte (ich tat es doch und habe es nie bereut), er war von einem unglaublichen Haß auf Deutschland besessen und fand alles und alles dort entsetzlich und verabscheuenswert. Nie habe ich einen Juden getroffen, der so gehaßt hat.«[50]

III. Resonanzen

»Sie hatten ihre Chance« – die Vermutung liegt nahe, die Kritik an der Remigration habe mehr Erfolg als die Kritik der Remigranten. Aber genau besehen herrscht eine Disproportion zwischen der Wirkungslosigkeit ihrer Werke und der subkutanen Wirkung ihrer Kritik am westlichen Nachkriegsdeutschland. Offenbar bleibt für ihre Literatur (wie allgemein für die Exilliteratur) zwischen den Bemühungen der ›jungen Generation‹ um einen

---

48 Peter Weiss, Sechs Reportagen aus Deutschland für *Stockholms Tidningen* (Juni-August 1947), in: ders., Die Besiegten. Aus dem Schwedischen von Beat Mazenauer. Mit einem Nachwort von Gunilla Palmstierna-Weiss, Frankfurt/M. 1985, S. 142.

49 Erich Fried, Ein Versuch, Farbe zu bekennen, in: Ich lebe nicht in der Bundesrepublik (Anm. 3), S. 44.

50 Zit. nach Uwe Meyer, »Neinsagen, die einzige unzerstörbare Freiheit«. Das Werk der Schriftstellerin Grete Weil, Frankfurt/M., 1996, S. 142.

›kahlschlagartigen‹ literarischen Neubeginn ohne größeren Traditionsballast[51] und dem Erfolg der Autoren der ›Inneren Emigration‹[52] mit Traditionsballast zunächst wenig Raum. Alfred Andersch verwirft die Exilliteratur als nicht anknüpfungsfähig,[53] wie auch Hans Werner Richter angesichts der Trümmerlandschaft keine »Anknüpfungsmöglichkeit nach hinten« sieht.[54] So werden die Remigranten auch von der ›jungen Generation‹ an den Rand des literarischen Feldes gedrückt.

Und doch bleibt die Kritik der Remigranten nicht wirkungslos. Das erklärt sich nicht allein aus der diagnostischen Qualität, sondern auch aus einer bisher unbeachteten Resonanzkonstellation. Denn die von den Remigranten formulierte Kritik korrespondiert mit der Kritik jener bald hegemonialen ›jungen Generation‹, die sich zur Gruppe 47 zusammenfinden wird. Aber der Resonanzraum ist noch größer. Die Befunde der marginalisierten Remigranten sind integraler Teil eines ›Restaurationsdiskurses‹, der die Kritik am westlichen Nachkriegsdeutschland reguliert. Innerhalb dieses Diskurses tauchen die skizzierten vier typischen Kritikpunkte immer wieder auf. Dieser Diskurs läßt sich nicht alleine am Wortgebrauch ›Restauration‹ ausmachen. Er beinhaltet bestimmte Argumentationsweisen gegenüber Mentalitäten, Verhaltensweisen und Verhältnissen in Westdeutschland, immer wieder auftauchende Muster der gesellschaftlichen Kommunikation, die aus dem Bewußtsein eines nötigen Neuanfangs die Wiederkehr dessen kritisieren, was ehedem zum Nationalsozialismus führte und was möglicherweise neues Unheil bringen könnte.

---

51 So schreibt Wolfdietrich Schnurre im Rückblick:»Es war kein einfaches Schreiben. Es gab keinen ethischen Rückhalt. Es gab kein literarisches Vorbild. Es gab keine Tradition. Es gab nur die Wahrheit«. Wolfdietrich Schnurre, Vorwort zu *Man sollte dagegen sein,* Olten, Freiburg 1960, S. 9.

52 Bis in die sechziger Jahre hinein dominieren diese Autoren die Lesebücher. Dazu führt R. Schnell drei Gründe an: 1. Diese Autoren verkörpern das andere Deutschland, das sich gegen den Nationalsozialismus behauptet hat. 2. Sie repräsentieren »jenes Maß an Irrationalität, Individualität und Religiosität, das in den Lehrplänen der 50er Jahre als Erziehungsziel konstituiert wurde«. 3. Diese Autoren konnten zu »Kronzeugen des Kampfes gegen den ›Totalitarismus‹« stilisiert werden. Ralf Schnell, Literarische innere Emigration 1933-1945, Stuttgart 1976, Einleitung.

53 Alfred Andersch, Deutsche Literatur in der Entscheidung. Ein Beitrag zur Analyse der literarischen Situation, Karlsruhe 1948.

54 Hans Werner Richter, Warum schweigt die junge Generation?, in: Der Ruf Nr. 2, 2. September 1946. Während es nach 1918, so Walter Jens, eine kulturelle Kontinuität gegeben habe, bestehe nach 1945 eine »Tabula-rasa-Situation«. Man war »wortwörtlich auf sich selbst gestellt: jetzt gab es überhaupt nichts Positives mehr, von dem man sich absetzen, keine Werte, die man wegwerfen konnte – selbst die Sprache war ja geschändet«. Ders., Deutsche Literatur der Gegenwart. Themen, Stile, Tendenzen, München 1961, S. 29.

Bereits im Winter 1946/47 erhebt in der Zeitschrift *Ruf* Hans Werner Richter den Vorwurf der Restauration.[55] Vom »restaurativen Charakter der Epoche« spricht der linkskatholische Publizist Walter Dirks 1950 in den *Frankfurter Heften*. Dirks meint damit die »Wiederherstellung« einer Welt, »die abermals den Keim des Unheils in sich trägt.«[56] Wenn Zeitgenossen (meist handelt es sich um Vertreter der literarisch-künstlerischen Intelligenz oder der politischen Linken) von Restauration reden,[57] dann artikulieren sich darin Enttäuschungen über die vertane Chance eines Neuanfangs, der die Welt der alten Eliten und des Kapitalismus hinter sich lassen sollte.[58] Solche Hoffnungen sind im Klima der unmittelbaren Nachkriegszeit keineswegs völlig realitätsfremd, beschwört doch die Rhetorik aller zugelassenen Parteien (zunächst bestärkt durch die Siegermächte) eine »demokratische Neuordnung Deutschlands« und die »konsequente Beseitigung des Faschismus«.[59] Darauf zielt das Vierpunkteprogramm der Potsdamer Konferenz im Sommer 1945 mit seinen Forderungen nach einer Entmilitarisierung, Entnazifizierung, Entkartellisierung und Demokratisierung. Die damit verbundenen Erwartungen werden bald enttäuscht. Und aus dieser Enttäuschung entsteht der Restaurationsdiskurs. Insofern ist der Begriff Restauration mehr als ein »negativer Erwartungsbegriff«, der in den restaurierten Verhältnissen das Potential kommenden Unheils sieht.[60] Er ist auch ein realitätsgesättigter

---

55 Hans Werner Richter, Parteipolitik und Weltanschauung, in: Der Ruf, 15. November 1946. Hier geht es zunächst nur um die Restauration der politischen Parteien der Weimarer Republik. Vgl. auch Hans Werner Richter, Die versäumte Evolution, in: Der Ruf, 15. Januar 1947. Richter benutzt allerdings hier den Ausdruck »Reaktion« um Deutschland als Land der »versäumten Evolutionen« vorzustellen.

56 Walter Dirks, Der restaurative Charakter der Epoche, in: Frankfurter Hefte 5 (1950), S. 942. Zu einem ähnlichen Befund kommt auch Eugen Kogon, Die Aussichten der Restauration, in: Frankfurter Hefte 7 (1952), S. 165-177.

57 Allerdings ist die Rede von der Restauration keine ausschließlich linke Angelegenheit. Vgl. Axel Schildt, Zwischen Abendland und Amerika. Studien zur westdeutschen Ideenlandschaft der 50er Jahre, München 1999, S. 3.

58 Thomas Koebner, Gert Sautermeister, Sigrid Schneider (Hg.), Zukunftspläne aus dem Exil und der Besatzungszeit 1939-1949, Opladen 1984.

59 Zum Demokratisierungsprogramm der Siegermächte schreibt Wolfgang Benz: »Nach der Potsdamer Konferenz im August 1945 wurden – wenn auch undeutlich genug – wenigstens einige Umrisse der künftigen Deutschlandpolitik sichtbar. Im Potsdamer Protokoll hatten die drei Großmächte die Ziele der Besetzung Deutschlands als Arbeitsanweisung für den Viermächtekontrollrat formuliert. Die völlige Abrüstung und Entmilitarisierung und die Ausschaltung bzw. Überwachung der gesamten deutschen Industrie für Kriegsproduktion, die Vernichtung der NSDAP, die Verhaftung, Aburteilung und Bestrafung der Elite des NS-Regimes, die Entnazifizierung – das waren die Nahziele, und dies wurde entsprechend hervorgehoben«. Ders., Neuanfang in Bayern 1945-1949, S. 10-15.

60 Helmuth Kiesel, Die Restauration des Restaurationsbegriffs im Intellektuellendiskurs der frühen Bundesrepublik, in: Carsten Dutt (Hg.), Herausforderungen der Begriffsgeschichte, Heidelberg 2003, S. 179.

Enttäuschungsbegriff, dessen Genese verständlich wird, wenn man sich die Erwartungen an die Nachkriegsentwicklung und die Erfahrungen in der Nachkriegszeit vor Augen hält.

Gegen das Restaurationsszenario wenden sich – mit guten Gründen – seit geraumer Zeit Historiker, Politikwissenschaftler und Literaturwissenschaftler. So spricht Helmuth Kiesel von einer »Nachkriegsmodernisierung« oder einem »historisch unvergleichlich großen Modernisierungsschub« – und zwar in ökonomischer und technologischer, politischer und kultureller Hinsicht.[61] Gerade aus der Perspektive einer ›dreifachen Zeitgeschichte‹ (Hans Günter Hockerts), der des Dritten Reiches und der beiden Nachfolgestaaten, wird die erste Dekade der Bundesrepublik zum Beginn einer »success story« erklärt.[62] Demnach beginnt in der Nachkriegszeit eine Erfolgsgeschichte, ein Modernisierungsprozeß, innerhalb dessen, so jüngst Hans Ulrich Wehler, Restauration lediglich als ein »Schlagwort« gelten darf, das »vage und amorph« »ganz unterschiedliche Aversionen, Wünsche und Ziele in sich aufnehmen« kann.[63]

Man könnte es sich einfach machen und darauf hinweisen, daß Wehler hier als ein ›rückwärts-gekehrter‹ Prophet argumentiert, für den Modernisierung als geschichtsphilosophisch unterfüttertes Richtungskriterium seiner Gesellschaftsgeschichte dient. Aber so leicht lassen sich die Einwände der Kritiker des Restaurationsdiskurses nicht abtun. Denn Restauration eignet sich nicht als Epochen- oder universaler Richtungsbegriff. Der Begriff ist von seinem Umfang her zu eng, wenn er sich nur auf die Elitenkontinuität, die Rekapitalisierung und autoritäre Mentalitäten bezieht. Ihm entgehen fundamentale soziokulturelle und politische Prozesse, achtbare Neuansätze im Westen, die nicht mit dem Restaurationsverdacht überzogen werden können. Das gilt auch für die kulturelle Lage nach 1945 mit ihrem Neben- und Gegeneinander von kulturkonservativer Innerlichkeit und politischem Engagement, von traditionsverhaftetem Klassikerkult und Wiederentdeckung der internationalen Moderne. Genau besehen setzt nach 1945 – trotz einer vorübergehenden Revitalisierung der bildungsbürgerlichen Kunstsemantik – gerade deren Ende ein. Und das Bildungsbürgertum verliert seine kulturelle Hegemonie. Ehedem gängige Selbstthematisierungen wie ›gebildeter Mittelstand‹ oder ›gebildetes Bürgertum‹ sinken ebenso im Kurs wie die alten Wert- und

---

61 Helmuth Kiesel, Geschichte der literarischen Moderne. Sprache. Ästhetik. Dichtung im zwanzigsten Jahrhundert, München 2004, S. 424ff.
62 Axel Schildt, Ankunft im Westen. Ein Essay zur Erfolgsgeschichte der Bundesrepublik, Frankfurt/M. 1999, S. 15. A. Schildt, den seine enormen Kenntnisse der heterogenen Fakten und Quellen zu einer gewissen Vorsicht veranlassen, vermeidet eine Definition des Begriffs Modernisierung. Die Rücknahme der letztlich pauschalisierenden Modernisierungsthese kommt seinen Arbeiten zugute.
63 Hans-Ulrich Wehler, Deutsche Gesellschaftsgeschichte, Bd. 4: Vom Beginn des Ersten Weltkriegs bis zur Gründung der beiden deutschen Staaten 1914-1949, München 2003, S. 973.

Identifikationsbegriffe. Immer seltener werden – trotz der Klagen über den ›Verlust der Mitte‹ (H. Sedlmayr) – die ›deutsche Kunst‹, der ›deutsche Geist‹, die ›deutsche Dichtung‹ oder die ›deutsche Kultur‹ gegen die internationale Moderne in Stellung gebracht. Von seinem Inhalt her ist der Begriff Restauration einer (die Wahrnehmung schärfenden und zugleich verengenden) linksdemokratischen und sozialistischen Perspektive verpflichtet, wenn er die Nachkriegszeit vorrangig im Zeichen der Wiederherstellung des schlechten Alten sieht. Kurzum, er wird mit seiner gespaltenen Sehkraft den Inkongruenzen und Widersprüchen der Nachkriegszeit nicht gerecht.

Aber der Gegenbegriff Modernisierung, den die Kritiker des Restaurationsszenarios in der Regel anführen, eignet sich ebensowenig zum universalen Richtungsbegriff – selbst wenn es eine »Modernisierung unter konservativen Auspizien« sein soll.[64] Denn sein Begriffsumfang privilegiert positive Aspekte des Wandels und sein Begriffsinhalt verbindet, ob nun ausdrücklich betont oder nicht, diesen Wandel mit der Aura eines unaufhaltsamen Fortschritts. Auch wenn man unter ›Modernisierung‹ einen widerspruchsvollen, langfristigen Transformationsprozeß voller Konflikte und Chancen versteht, so drängt doch der normative Gehalt des Richtungsbegriffs dazu, die Vergangenheit lediglich als Entstehungsgeschichte einer Gegenwart gelten zu lassen, die als die beste aller reformierbaren Welten gilt und aus der letztlich getilgt wird, was nicht auf Modernisierung verweist. Für die von den Remigranten kritisierten Nachkriegsverhältnisse oder für bestimmte literaturgeschichtliche Konstellationen lassen solch ›große Erzählungen‹ wenig Raum.

Zählen also auch die Remigranten zu den »Gesinnungsethiker[n], die eine schwärmerische Vision vom ›Neuen Sozialismus‹ verfochten«?[65] Nein, so läßt sich der Realitätsgehalt ihrer Kritik nicht herunterspielen. Denn gerade die Remigranten verfügen über eine Urteilskraft, die (sensibilisiert durch die Erfahrung der Vertreibung und des Exils in anderen Lebenswelten) in der Lage ist, konkrete Kritikpunkte zu einem Restaurationsszenario zu verallgemeinern, dessen Diagnose zutrifft und dessen Prognose sich als falsch erweisen wird. Die wachsende Stabilität der Bundesrepublik Deutschland gründet in einem Prozeß, den ›rückwärts-gekehrte Propheten‹ heute erklären können, der aber damals nicht vorauszusehen war. Gemeint ist nicht nur das deutsche ›Wirtschaftswunder‹, jene Erfolgsgeschichte während der einzigartigen ›Goldenen Jahre‹ des Kapitalismus (E. Hobsbawm) zwischen 1950 und 1973. Gerade in Westdeutschland befördert nach der verheerenden – mit 1918 nicht zu vergleichenden – Niederlage dieses ›Wirtschaftswunder‹ zugleich die Akzeptanz der parlamentarischen Demokratie, des Kapitalismus (in Gestalt der ›sozialen Marktwirtschaft‹) und der kulturellen Westbindung. Nach 1945 herrscht

---

64 Christoph Kleßmann, Ein stolzes Schiff und krächzende Möwen. Die Geschichte der Bundesrepublik und ihre Kritiker, in: Geschichte und Gesellschaft 11 (1985), S. 476ff.
65 Wehler, Deutsche Gesellschaftsgeschichte 1914-1949 (Anm. 63), S. 974.

kein müdes Kopistentum. Es beginnt aber auch keine neue kulturelle Blüte wie nach 1918. Das eigentlich Neue liegt nicht in der Kunst, sondern in der Funktion der Kunst, nämlich in dem Tatbestand, daß die internationale kulturelle Moderne zunehmend akzeptiert wird. Man empfindet sie nicht mehr als Bedrohung des ›deutschen Geistes‹ oder der ›deutschen Kultur‹. Auch das trägt zur Stabilität des politischen Systems bei.[66]

Ob man die Nachkriegsentwicklung einer nun beginnenden Erfolgsgeschichte zurechnet oder nicht, das hängt auch vom Standort des Historikers ab. Jeder Geschichtsschreiber bringt »seine Kategorien mit und sieht durch sie das Vorhandene«, heißt es bei Hegel.[67] Geschichtsschreibung ist immer eine *Re*konstruktion von einem Standort aus, und sie bleibt doch dem Vetorecht der Quellen verpflichtet. Jede geschichtliche Erkenntnis ist relativ, und doch gibt es im Vollzug der Geschichtsschreibung zutreffende Erkenntnisse. In diesem Sinne ist es aufschlußreich, daß sich der Befund »restaurative Tendenzen« auch bei denen findet, die diese Tendenzen völlig anders beurteilen als die Kritiker der Restauration. Während Hans Werner Richter, Walter Dirks oder Eugen Kogon auf die Gefahren der Restauration verweisen, sieht z.b. Helmut Schelsky in der »allerorten zu beobachtende[n] restaurative[n] Tendenz« eine berechtigte, stabilisierende Reaktion auf eine »Gefährdung des Menschen« angesichts der gesellschaftlichen Dynamik.[68] Schelsky orientiert sich an der sozialen Stabilität und dem Modell einer nivellierten Mittelstandsgesellschaft, auf dessen Nähe zur nationalsozialistischen Volksgemeinschaft schon Ralf Dahrendorf hingewiesen hat.[69] Hingegen sehen die Kritiker des Restaurationsprozesses gerade die Gefahr einer Wiederkehr des Nationalsozialismus.

Man sollte die Begriffe Restauration und Modernisierung nicht gegeneinander in Stellung bringen. Nützlicher ist es, die jeweiligen Verwendungsgeschichten des Begriffs Restauration zu entmischen und die eigene Forschungsperspektive näher zu bestimmen. Restauration kursiert zunächst als

---

66 Vgl. dazu Georg Bollenbeck, Kulturelle Westbindung. Fünf Thesen, in: Sigrid Hofer (Hg.), Entfesselte Form. Fünfzig Jahre Quadriga. (Städelsches Kunstinstitut und Städtische Galerie Frankfurt/M. 1. Oktober 2002 – 5. Januar 2003), Frankfurt/M. 2002, S. 23-32.

67 Georg Wilhelm Friedrich Hegel, Werke in 20 Bdn., auf der Grundlage der Werke von 1832-1845 neu ed. Ausg., hrsg. v. Eva Modelhauer u. Karl Markus Michel, Bd. 12: Vorlesungen über die Philosophie der Geschichte, Frankfurt/M. 1970, S. 23.

68 Helmut Schelsky, Über das Restaurative in unserer Zeit. [1955], in: ders., Auf der Suche nach der Wirklichkeit. Gesammelte Aufsätze, Düsseldorf, Köln 1965, S. 405ff.

69 Ralf Dahrendorf, Demokratie und Sozialstruktur in Deutschland, in: ders., Gesellschaft und Freiheit. Zur soziologischen Analyse der Gegenwart, München 1961, S. 268f. Vgl. auch Gerhard Schäfer, Die nivellierte Mittelstandsgesellschaft – Strategien der Soziologie in den 50er Jahren, in: Georg Bollenbeck, Gerhard Kaiser (Hg.), Die janusköpfigen 50er Jahre. Kulturelle Moderne und bildungsbürgerliche Semantik III, Wiesbaden 2000, S. 115-142.

ein polemisch-publizistischer Begriff. Und erst später rückt er in die Literatur-
wissenschaften ein, so u.a. in Ralf Schnells *Geschichte der deutschsprachigen
Literatur seit 1945*, in Hans Albert Walters *Deutsche Exilliteratur 1933-1950*
oder in Peter Mertz *Und das wurde nicht ihr Staat*.[70] Zu unterscheiden sind
auch die verschiedenen Forschungsperspektiven, etwa ob man den Gebrauch
des Ausdrucks in der zeitgenössischen Publizistik untersucht, oder ob man
Restauration als universalen Richtungsbegriff operativ benutzt:[71] Was für
den Diskurshistoriker ein aufschlußreicher Gegenstand ist, das kann sich für
den Historiker als eine blinde Kategorie erweisen. Der Begriff Restauration
eignet sich weder als universaler Richtungsbegriff noch als literaturhistorischer
Epochenbegriff. Auch er ist wie fast alle geisteswissenschaftlichen Begriffe,
die in alltagssprachlich-publizistischen und wissenschaftlichen Varianten
kursieren, notorisch unterbestimmt. Dennoch hat er (ähnlich wie Bieder-
meier, Vormärz oder Gründerzeit) als literaturgeschichtliche Kontextualisierungskategorie einen sach- und aspektaufschließenden Charakter: nämlich für
die Zustände im literarischen Feld, für den Ermöglichungszusammenhang
der literarischen Produktion und auch für die Interpretation einzelner literarischer Werke; etwa für Wolfgang Koeppens *Das Treibhaus* (1953) und *Tod in
Rom* (1954), Heinrich Bölls *Billard um halb zehn* (1959) oder Heinz von Cra-
mers *Die Kunstfigur* (1958). So ist es verständlich und künstlerisch durchaus
produktiv, wenn zeitgenössische Autoren von einer Restauration sprechen.[72]

Ohne diesen Begriff kann man schwerlich eine Literaturgeschichte der
Nachkriegszeit und der ersten Dekade der Bundesrepublik schreiben. Denn es
gibt im westlichen Nachkriegsdeutschland machtvolle restaurative Tendenzen, wie gerade neuere Forschungsarbeiten dokumentieren. Auch wenn über
die Verantwortung Einzelner weiter gestritten wird,[73] so herrscht inzwischen
doch eine gewisse Übereinstimmung, daß die Machtübernahme der Nationalsozialisten 1933 erst durch das Bündnis zwischen den alten Eliten und dem
neuen Rechtsradikalismus ermöglicht wurde, und daß nach 1945 letztlich eine

---

70 Schnell, Geschichte der deutschsprachigen Literatur (Anm. 24), S. 68, 119, 123. Walter, Deutsche Exilliteratur 1933-1950, Bd. 1 (Anm. 10), S. 13. Mertz, Und das wurde
   nicht ihr Staat (Anm. 17), S. 204, 208, 209. Benutzt wird der Ausdruck (allerdings
   ohne nähere Bestimmung) in Hans Wilfried Barner (Hg.), Geschichte der deutschen
   Literatur von 1945 bis zur Gegenwart, München 1994, S. 3ff.
71 Zum etablierten Konventionsbegriff ›Restauration‹ vgl. Panajotis Kondylis: Reaktion,
   Restauration, in: Geschichtliche Grundbegriffe. Historisches Lexikon zur politisch-
   sozialen Sprache in Deutschland. Bd. 5, hrsg. v. Otto Brunner, Werner Conze, Rein-
   hart Koselleck, Stuttgart 1984, S. 179-230.
72 Unter der Überschrift »Wiederkehr des Alten Wahren« sind verschiedene Stellungnahmen aufgelistet in: Vaterland, Muttersprache (Anm. 28), S. 87ff.
73 So etwa auf dem 42. Deutschen Historikertag 1998 in Frankfurt/M. Vgl. Winfried
   Schulze, Otto Gerhard Oexle (Hg.): Deutsche Historiker im Nationalsozialismus.
   Unter Mitarbeit von Gerd Helm u. Thomas Ott, Frankfurt/M. 1999.

Elitenkontinuität herrscht.[74] Aber die Vorstellung einer Restauration oder, vorsichtiger, die Feststellung restaurativer Tendenzen hat ihren Erfahrungsgehalt nicht nur in der ›Wiederkehr der alten Eliten‹ (etwa im Gefolge des »Straffreiheitsgesetzes« 1949 und des »131er-Gesetzes« 1951), sondern auch in bestimmten mentalen Kontinuitäten und kulturellen Verhältnissen.

Rassistische, antisemitische oder autoritäre Vorstellungen finden sich nicht nur bei einer parteipolitisch immer wieder marginalisierten radikalen Rechten oder bei zunehmend einflußlosen Rechtsintellektuellen. Der Wind wehe kräftig zugunsten derer, die es mit den Nazis gehalten hatten, während die anderen, nach allem, was er hörte, Unannehmlichkeiten hätten, schreibt Thomas Mann enttäuscht über die Entwicklung in Deutschland.[75] Der Großschriftsteller weiß, wovon er spricht. Als er 1949 im ›ostzonalen‹ Weimar eine Rede zum zweihundertsten Geburtstag von Goethe hält, gilt er in der Bundesrepublik als Kommunistenfreund. Zahlreiche Buchhändler verkaufen seine Bücher nur noch unter der Ladentheke. Das Mißtrauen oder gar die Diffamierung gegenüber der antifaschistischen deutschen Emigration bekommt auch der Nobelpreisträger zu spüren. Hingegen herrscht an einer publikumswirksamen Rechtfertigungsliteratur kein Mangel. Dazu zählen nicht nur die Arbeiten solch Unverbesserlicher wie Hans Blunck, Hans Grimm oder Erwin Guido Kolbenheyer. Ernst Jüngers *Strahlungen* (1949), Gottfried Benns *Doppelleben* (1950), Hans Carossas *Ungleiche Welten* (1951) oder Ernst von Salomons *Der Fragebogen* (1951) dienen einer verharmlosenden Selbstdarstellung, in der lediglich die Distanz, aber nicht die Nähe zum Nationalsozialismus herausgestellt wird.

Die jungen Autoren der Gruppe 47 oder das einsetzende Interesse an der klassischen Moderne, an der frühexpressionistischen Lyrik, an Kafka, Broch oder Musil, an der amerikanischen short-story oder am französischen Existentialismus – all dies sollte uns nicht täuschen. In Schullesebüchern, Anthologien und Literaturgeschichten behaupten die Vertreter einer traditionalistischen Ästhetik, Meister der Innerlichkeit, der Weltflucht und der metaphysischen Überhöhung das Feld.[76] Im Vorwort zu seiner populären Lyrikanthologie schreibt Ludwig Reiners (natürlich unter Berufung auf Goethe) in einer durchaus typischen Mischung von banalisierter Kulturkritik und vulgäridealistischem Trost:

»Denn der Mensch bedarf des Verses, wie er des Waldes und des Weines bedarf. Eingezwängt in das zweckvolle Gehäuse der Alltagsarbeit, die ihn erregt und ermattet, aber nicht erfüllt und beglückt, strebt er zu anderen Ufern, zu denen ihn nur Kräfte tragen können, die ihn in der Tiefe seines Wesens erfassen [...].«

74 Ulrich Herbert, Deutsche Eliten nach Hitler, in: Mittelweg 36, 1999, 3, S. 66-82.
75 Vgl. Donald Prater, Thomas Mann. Deutscher und Weltbürger. Eine Biographie, München, Wien 1995.
76 Schnell, Geschichte der deutschsprachigen Literatur (Anm. 24), S. 94.

Das Gedicht »belehrt nicht: es erhellt. Es zerstreut nicht: es entrückt. Es läßt uns teilhaben an Welten, die allen anderen Schritten unerreichbar sind. Es überwindet die Not des Daseins, indem es große Sinnbilder beschwört und an ihrer Hand uns in das Reich des Ewigen hebt.«[77] Restaurative Mentalitäten herrschen bei einem nicht unmaßgeblichen Teil der kulturellen Eliten. Man kann sie nicht als ein marginales Schwundphänomen abtun. Sie befördern die Beharrungsmacht einer Geistigkeit, die sich nun nicht mehr auf Volk oder gar Rasse, sondern auf Europa oder das Abendland beruft. All dies erschwert den Traditionsbezug zur demokratischen Kultur der Weimarer Republik. Aber nicht nur das. Auch die junge Generation will im Zeichen von »Stunde Null«, »Trümmerliteratur«, »Kahlschlag« und »Generationsbruch«[78] wenig mit der Literatur der Emigranten und Remigranten zu tun haben. Dabei geht es freilich auch um Positionskämpfe und Marktzugänge. Nur so läßt sich das verzerrte Urteil von Hans Werner Richter über die Verleger des Jahres 1951 verstehen, die Bölls Texte nicht veröffentlichen wollen: »Sie hielten unsere Bemühungen zwar für ehrenwert, doch für hoffnungslos, sie waren rückwärtsorientiert. Ihr Interesse galt der ausländischen Literatur und der emigrierten deutschen Literatur der zwanziger Jahre.«[79] Gerade die Kritik der Remigranten an unheilvollen Kontinuitäten trägt dazu bei, daß sich diese Kontinuitäten im Westen nicht zu einem erfolgreichen Restaurationsprozeß verfestigen. Die Kritiker der Restaurationsthese urteilen aus der sinnstiftenden Perspektive einer geglückten Modernisierung. Ihre Darstellung von Geschichte will ›Restauration‹ als erlebte Geschichte nicht gelten lassen. So verkennen sie den paradoxen Effekt von zutreffender Diagnose und unzutreffender Prognose, von Marginalisierung und subkutaner Wirkungsmacht. Während die Remigranten im literarischen Feld in eine Position der (durchaus respektierten) Randständigkeit geraten, gewinnen ihre kritischen Einwände gegen restaurative Trends im Gefolge jener bisher unbeachteten Resonanzkonstellation nahezu eine diskursive Hegemonie. So partizipieren sie am Erfolg der Gruppe 47, die sich rasch von einer unbekannten Gruppe jüngerer Autoren zur anerkannten Gruppierung schon bekannter Nachwuchsautoren entwickelt. Die raschen Positionsgewinne hat Reinhard Lettau auf eine anschauliche Formel gebracht: »Bis in die Mitte der Fünfziger Jahre brauchte die Gruppe

---

77 Ludwig Reiners (Hg.), Der ewige Brunnen. Ein Hausbuch der deutschen Dichtung [1955], München 2000, S. 6f. Im Insel-Almanach des Jahres 1956, der sich übrigens vom Insel-Almanach des Jahres 1940 nicht markant unterscheidet, finden wir neben anderen Autoren Reinhold Schneider, Hans Carossa, Gertrud von le Fort, Ernst Bertram, Karl Heinrich Waggerl. Er beginnt mit einem Innerlichkeitsmotto von Novalis: »Wichtig kann uns/ der Raum einer Nußschale werden/ wenn wir selbst/ Fülle des Daseins/ mitbringen«.

78 Hans Werner Richter, Im Etablissement der Schmetterlinge. Einundzwanzig Portraits aus der Gruppe 47, München, Wien 1986, S. 269.

79 Ebd. S. 65f.

die Verleger, seither brauchen die Verleger die Gruppe [...].«[80] 1958 behauptet Marcel Reich-Ranicki, es habe sich längst herumgesprochen,»daß die interessantesten Talente der jungen Generation hier debütieren.«[81] Und 1963 finden wir in dem Band *Schriftsteller der Gegenwart* unter 53 vorgestellten Autoren 33 der Gruppe 47.[82] Mit dem Erfolg der Gruppe 47 debütiert auch ein neuer Kritikertypus, der wie Hans Mayer, Marcel Reich-Ranicki oder Fritz J. Raddatz für eine zeitkritische Literatur eintritt. Diese Kritiker wollen sich nicht mehr wie Günter Blöcker oder Friedrich Sieburg in politischer Abstinenz dem großen Werk dienend nähern.[83]

Diese erfolgreiche jüngere Generation geht gegenüber der älteren Generation des Exils und der Remigration auf Distanz, indem sie sich auf eine neue Einfachheit beruft,»schönes« Schreiben ablehnt und keine Traditionsbezüge gelten lassen will:»So wollte man weg von jeder Art deutscher Vergangenheit, wollte aus der Romantisierung der Wirklichkeit heraus und ein neues Verhältnis zur Realität gewinnen [...].«[84] Und doch gibt es untergründige habituelle Gemeinsamkeiten zwischen den ›Jungen‹ und den ›Alten‹: Eine, so wie das damalige Modewort hieß, Bereitschaft zum ›Engagement‹, eine forcierte Zeitgenossenschaft, ein Anspruch auf Realitätssinn und Realismus.[85] Aus dieser Konstellation erklärt sich die subkutane Wirkungsmacht der Remigranten. So wirkungslos ihre Literatur zunächst auch sein mag, die Remigranten verkörpern einen Autorentypus, der sich protestbereit, politikinteressiert und öffentlichkeitsadressiert vom älteren Typus des weltabgewandten Dichters, der für Trost und Erhebung zuständig sein soll, abhebt und der nun für die jüngere Generation charakteristisch wird.[86] Exemplarisch für diesen Typenwechsel ist die Reaktion von Hans Werner Richter auf einen

---

80 Reinhard Lettau (Hg.), Die Gruppe 47. Ein Handbuch. Bericht. Kritik. Polemik, Neuwied und Berlin, 1967, S. 14.

81 Zit. ebd. S. 140.

82 Klaus Nonnemann (Hg.), Schriftsteller der Gegenwart. Deutsche Literatur. 53 Porträts, Olten, Freiburg, 1963.

83 Vgl. Bernhard Zimmermann, Entwicklung der deutschen Literaturkritik von 1933 bis zur Gegenwart, in: Peter Uwe Hohendahl (Hg.), Geschichte der deutschen Literaturkritik, Stuttgart 1986, S. 300-321.

84 Hans Werner Richter, Zwischen Freiheit und Quarantäne, in: ders. (Hg.), Bestandsaufnahme: eine deutsche Bilanz 1962, München, Wien, Basel 1962, S. 21.

85 Vgl. gegen die These von der ›unpolitischen Gruppe 47‹ Helmut Peitsch, Hartmut Reith, Keine»innere Emigration« in die»Gefilde« der Literatur. Die literarisch-politische Publizistik der»Gruppe 47« zwischen 1947 und 1949, in: Jost Hermand, Helmut Peitsch, Klaus R. Scherpe (Hg.), Nachkriegsliteratur in Westdeutschland. Bd. 2, Autoren, Sprache, Traditionen, Berlin 1983, S. 129-162.

86 Zur neuartigen Protestbereitschaft der ›jungen Generation‹ vgl. Vaterland, Muttersprache (Anm. 28). Vgl. auch die Auflistung bei Lettau (Hg.), Die Gruppe 47 (Anm. 80), S. 446ff. So schreibt Wolfgang Weyrauch:»Kritik zu üben, leidenschaftliche, sich selbst preisgebende Kritik, gehört zum Schriftsteller wie der Buchstabe [...] Schriftsteller, die nicht gegen den Stachel löcken, verzichten auf sich selbst, verraten

Vortrag Rudolf Alexander Schröders vor Schriftstellern der ›jungen Generation‹ 1947. Darin bemüht Schröder das abgestandene Vokabular literaturästhetischer Innerlichkeit, wenn er behauptet, das »innerste Wesen aller Kunst« sei »Trost über die Vergänglichkeit des Daseins« und »Sein und Ziel« aller Kunst sei »die Erhebung aus dem Vergänglichen« und dem Dichter käme ein »Trostamt« zu. Interessant nun die Reaktion Richters:

»Nein, es bestand kein Verständnis für Dichterlesungen bei weihevoller Stille und Kerzenschein. Man wünschte sich etwas anderes: Kritik, Auseinandersetzungen, Unruhe. Und die Sprache, diese gebeutelte und verdorbene Sprache, es war keine ›Dichtersprache‹ mehr.«[87]

»Man will mitwirken; es fallen Worte wie Fernwirkung, Breitenwirkung, Massenwirkung. Von Literatur ist da kaum noch die Rede«, klagt 1962 in *Die Zeit* der Kritiker Günter Blöcker, nicht ohne zu bekennen, »der Schriftsteller als der große einzelne, der durch sein Wort Gemeinschaft stiftet – das ist für mich geradezu eine archetypische Vorstellung.«[88] Ohne die Begriffe wie Dichtung oder Dichter zu bemühen, reformuliert Blöcker hier nochmals die überstrapazierte Vorstellung vom autonomen Wortschöpfer und seiner gemeinschaftsstiftenden Aufgabe. Aber das sind Rückzugsgefechte im Feuilleton.[89] Denn zugespitzt formuliert: in der bundesrepublikanischen Literatur beginnt sich der ›Zivilisationsliterat‹ durchzusetzen – und diese Kontinuität wird durch die Remigranten verkörpert. Insofern wirken die im literarischen Feld marginalisierten Rückkehrer, gerade indem sie die Restauration kritisieren, als erfolgreiche Akteure der kulturellen Westbindung. Und damit – sie wissen es nicht, aber sie tun es – bereiten sie ihre spätere Rehabilitation vor.

---

die Wahrheit und schänden ihre Ehre.« Ders., (Hg.), Ich lebe in der Bundesrepublik. Fünfzehn Deutsche über Deutschland, München 1961, S. 8f. In dem Punkt der Kritikbereitschaft trifft sich Weyrauch mit einer anderen Bilanz, die für die Bundesrepublik weniger freundlich ausfällt: Kesten (Hg.), Ich lebe nicht in der Bundesrepublik (Anm. 3).

87 Zit. bei Schnell, Geschichte der deutschsprachigen Literatur (Anm. 24), S. 124.

88 Zit. nach Lettau (Hg.), Gruppe 47 (Anm. 80), S. 357f.

89 Vgl. Gerhard Kaiser, Vom allmählichen Abhandenkommen des Platzierungssinns: Denkstil und Resonanzkalkül in ›verteilersprachlichen‹ Texten Emil Staigers, in: Georg Bollenbeck, Clemens Knobloch, Semantischer Umbau der Geisteswissenschaften nach 1933 und 1945, Heidelberg 2001, S. 132-157.

HERMANN HAARMANN

Wiedersehen in Berlin.

Erster Deutscher Schriftstellerkongreß, Berlin
4. bis 8. Oktober 1947

»Zum ersten Mal seit der Überwindung der Barbarei in Deutschland haben sich in Berlin Schriftsteller aus allen Teilen des Landes in Freiheit versammelt. Es sind Schriftsteller, die, sei es in der Heimat, sei es in der Emigration, die Reinheit und Würde der deutschen Literatur bewahrt haben.«[1] So beginnt das Manifest, das der Geschäftsführende Präsident des Ersten Deutschen Schriftstellerkongresses Günther Weisenborn am Schlußtag des internationalen Zusammentreffens von Autoren aus dem In- und Ausland zur Abstimmung stellt. Einstimmig angenommen, formuliert es als Aufgabe aller »freiheitsliebenden und friedensliebenden Deutschen«, das »Bewußtsein der moralischen Verantwortung für Schäden und Leiden wachzuhalten, die das Hitlerregime den Völkern der Welt zugefügt hat«.[2] Nicht ohne Pathos und mit einer Ernsthaftigkeit, die – wie mir scheint – einer späten Einsicht in die Wirkungslosigkeit einer untereinander zerstrittenen Intelligenz in der Endphase der Weimarer Republik geschuldet ist, rückt man nun zusammen. »Wir deutschen Schriftsteller geloben, mit unserem Wort und unserer Person für den Frieden zu wirken – für den Frieden in unserem Lande und für den Frieden in der Welt.«[3] Die Erfahrungen mit dem Aufkommen des Nationalsozialismus und den Jahren faschistischer Diktatur zwingen jene, die trotz alledem und weiterhin auf die Kraft, die aufklärende, warnende und ermutigende Kraft der Sprache setzen, zu einer eindeutigen Stellungnahme für den Frieden, da allenthalben Spannungen zwischen Ost und West zu beobachten sind. Die Hoffnungen auf ein Neubeginnen ohne Ansehung ökonomischer, sozialer und ideologischer Widersprüchlichkeiten verfliegen jedoch, ehe sie auf ihren Realitätsgehalt hätten geprüft werden können. Alfred Kantorowicz, aus dem amerikanischen Exil nach Berlin zurückgekehrt, geht

---

1   Manifest des Ersten Deutschen Schriftstellerkongresses, in: Ursula Reinhold, Dieter Schlenstedt u. Horst Tanneberger (Hg.), Erster Deutscher Schriftstellerkongreß 4.-8. Oktober 1947, Berlin 1997, S. 439.
2   Ebd., S. 440.
3   Ebd.

im Editorial seiner drei Monate vor dem Schriftstellerkongreß erstmals erschienenen Zeitschrift *Ost und West* auf diesen Tatbestand nicht nur ein, sondern er begründet mit ihm die Herausgabe der im Untertitel versprochenen »Beiträge zu kulturellen und politischen Fragen der Zeit«. Sie sollen zu erkennen geben, »daß hier nicht an Verschleierung der Probleme gedacht wird – im Gegenteil: an die Bekanntmachung mit ihnen«.[4] Daß ein Presseorgan, dessen Akzent »auf dem UND« liegen soll, auf dem unvoreingenommenen Austausch zwischen Ost und West, keine Zukunft hat in der SBZ, belegt das schnelle Ende schon 1949. Übrigens versucht von Westberliner Seite aus Erik Reger, Lizenzträger und Mitbegründer des *Tagesspiegel*, den Unterschied zwischen den Systemen in einen offenen Konkurrenzkampf um das bessere umzudeuten. Schon bald jedoch wird sich das stalinistische Gesicht des großen sozialistischen Bruders und der aus Moskau zurückgekehrten Gruppe Ulbricht zeigen und die gesellschaftliche Alternative zur Rekonstruktion des Kapitalismus in den Westzonen ein für allemal diskreditieren. So kurz nach dem Kriege jedoch huldigen Intellektuelle, die, die in der Heimat zurückgeblieben waren und nun für sich den Status als verdeckte Widerständler reklamieren, und die, die im Exil ihren Überlebenskampf mit dem offenen Kampf gegen Hitler zu verbinden suchten, ihrer vermeintlichen Stärke als Wortführer eines anderen, besseren Deutschland.

In der Stunde Null, die keine Stunde Null war, wie wir heute wissen, schlägt jede Aktivität positiv zu Buche, die endlich nach den Jahren der faschistischen Unterdrückung die Freiheit des Wortes, die Freiheit des Denkens einfordert. Der Rückgriff auf Gedenktage aus der Exilgeschichte hilft bei der demokratischen Selbstvergewisserung. Die Bücherverbrennung am 10. Mai 1933 hatte nach innen und außen, vor den Augen der Weltöffentlichkeit, den Kern nationalsozialistischer ›Kulturpolitik‹ dokumentiert: Die Ausrottung eines aufklärerischen, kritischen Geistes wurde in einem brutalen Akt faschistischer Theatralität zelebriert. Goebbels, von der Schädlichkeit dieser Aktion für das weltweite Image Deutschlands überzeugt, versuchte übrigens vergeblich, die Studentenschaft, die mit blindem Eifer und vorauseilendem Gehorsam dem neuen Regime sich andienen wollte, davon abzubringen, das sogenannte ›undeutsche Schrifttum‹ zu verbrennen. Allein die Vorbereitungen in Absprache mit Innenminister Bernhard Rust schienen zu weit gediehen, als daß die Autodafés in den Universitätsstädten, mit Berlin an der Spitze, hätten abgesagt werden können. Und so entschloß sich Goebbels erst am Vorabend des 10. Mai, seine Teilnahme zuzusagen und die berühmt-berüchtigte »Feuerrede« auf dem Berliner Opernplatz zu halten. Daß Goebbels mit seiner Einschätzung über die ausländische Aufmerksamkeit Recht behalten sollte, bestätigt Thomas Mann, eingedenk des 10. Jahrestags 1943:

---

4 Alfred Kantorowicz, Einführung, in: Ost und West 1, Juli 1947, S. 5.

»Es ist merkwürdig genug, daß unter allen Schandtaten des Nationalsozialismus, die sich in so langer, blutiger Kette daranreihten, diese blödsinnige Feierlichkeit der Welt am meisten Eindruck gemacht hat und wahrscheinlich am allerlängsten im Gedächtnis der Menschen fortleben wird.«[5]

Während des Exils ist es Alfred Kantorowicz, der zuerst in Paris mit der Bibliothèque des livres brûlées und dann in New York zum 10. Jahrestag der Bücherverbrennung das Gedenken an diese Form faschistischer Kulturbarbarei zur Manifestation des freien deutschen Geistes zu nutzen versteht. Darüber hinaus sprechen insbesondere die exilierten Schriftsteller auf den Kongressen des Exils nicht nur gegenüber den ausländischen Kollegen von dem besseren, anderen Deutschland, das sie in den großen Dichtern und Denkern, im humanistischen Erbe begründet sehen. Sie sprechen gleichsam auch zu sich selbst, um sich der eigenen Bedeutsamkeit zu versichern. Ob auf dem Ersten Allunionskongreß der Sowjetschriftsteller 1934 oder auf dem Kongreß zur Verteidigung der Kultur in Paris 1935 – immer steht das aufklärerische Wort im Mittelpunkt und wird dessen Überzeugungskraft beschworen. Hier artikuliert sich Widerstand, hier wird die Tradition der Aufklärung beschworen, hier wird die Zuversicht auf die letztendliche Überwindung des deutschen Nationalsozialismus ein ums andere Mal neu entfacht. Solche Formen öffentlicher Präsenz in den Emigrationszentren schreiben sich ein in die Geschichte intellektueller Verantwortlichkeit für die Würde und Integrität des menschlichen Geistes. Gerade in den finsteren Zeiten der faschistischen Bedrohung für Europa und die Welt stärkt das Bekenntnis zur Menschlichkeit aus den Reihen der vertriebenen und verfolgten Schriftsteller die Rolle der Intelligenz als Warner und Mahner.

Jetzt, mit seiner Rückkehr nach Berlin organisiert Alfred Kantorowicz die erste Gedenkfeier nach Kriegsende. Der Tag des deutschen Buches am 10. Mai 1947 versammelt vor der Berliner Universität Vertreter der inneren und äußeren Emigration: Anna Seghers, Peter Suhrkamp, Günther Weisenborn und eben Kantorowicz. Schon für das folgende Jahr kann Alfred Kantorowicz jedoch nurmehr zu einer kleinen Feierstunde einladen. Die großen Bekundungen für die Freiheit des Geistes werden rar.

Um so notwendiger und hoffnungsfroher die Einberufung zum Ersten Deutschen Schriftstellerkongreß in Berlin im Oktober 1947 unter der hochgestimmten Losung »Das Parlament des Geistes« (Weisenborn). Ein theater- und kulturpolitisch bedeutsames Ereignis jedoch stellt sich vorab in den Weg: die Inszenierung von Konstantin Simonows Drama *Die russische Frage* durch Wolfgang Langhoff am Deutschen Theater in der Schumannstraße. Friedrich Luft, ein junger und bald im Westen Berlins der bekannteste Theaterkritiker,

5 Thomas Mann, Deutsche Hörer! 25. Mai 1943, in: ders., Deutsche Hörer. Fünfundzwanzig Radiosendungen nach Deutschland, Leipzig 1970, S. 97.

entdeckt völlig zu Recht den Ausbruch des Kalten Krieges auf den Brettern, die die Welt bedeuten.[6] Langhoff exekutierte das antiamerikanische Propagandastück als

»glattes Tendenzstück mit allen rabiaten Mitteln des Schwarz-Weiß [...]. Mit Whiskytrinken, mit allgemeinen Räkeleien, mit dem komischen Unvermögen, eine schlenkrige, legere Atmosphäre zu geben, die auch dem kleinsten Moritz nicht mehr in das Bild des Amerikaners paßt, wurde hier die beste Zeit vertan.«[7]

Warum erwähne ich diesen Theaterabend im Zusammenhang meines Themas? Weil in thesenhafter Überzeichnung des fiktiven Amerikaners jene ideologischen Stereotypen präludiert werden, die bei der Beschreibung und Bewertung des realen Amerikaners Melvin Lasky auf dem Podium des Schriftstellerkongresses tatsächlich zur Anwendung kommen werden. Was also wie ein zufälliges Vorspiel daherkommt, hat Methode. Man vergewissere sich kurz der historischen Situation, in der sich Berlin, die ehemalige Reichshauptstadt, zwei Jahre nach Beendigung des Zweiten Weltkriegs und der Befreiung vom Nationalsozialismus befindet: eine zerstörte, moralisch daniederliegende Metropole, aufgeteilt in die vier Sektoren der Siegermächte. Schon zeigt die sogenannte Anti-Hitler-Koalition Risse, Vorboten eines gleichsam naturnotwendigen Prozesses, den gestandene Historiker und Politiker mit Ende des Krieges in Europa als unausweichlich prognostiziert hatten. Denn kaum ist der gemeinsame Gegner, d.i. Hitlerdeutschland, niedergerungen, taucht der ursprüngliche Antagonismus zwischen den so unterschiedlichen sozialen Systemen der USA und der Sowjetunion unversöhnlich wieder auf. Die Kraftprobe zwischen Kapitalismus und Sozialismus erhält in und mit Berlin einen realen Ort zur Wiederauflage alt-neuer ideologischer Klassenkämpfe. Mehr noch: Berlin, wie Sebastian Haffner als Zeitzeuge festhält,[8] gerät durch seine geopolitische Lage ins Gravitationsfeld der Sowjetunion, die durch ihr Verdienst, die Bastion Berlin, das Herrschaftszentrum des nationalsozialistischen Regimes, Straße für Straße freigekämpft zu haben, wenigstens zeitweise politische Vorherrschaft erlangt. Was bedeutet, daß die Sowjetunion vorerst die »Initiative an sich gerissen [hat]. Bei Worten läßt

---

6   Vgl. Friedrich Luft, Neue Zeitung vom 18. Januar 1949 und die kontroverse Diskussion durch Jürgen Baumgarten, Volksfrontpolitik auf dem Theater. Zur kulturpolitischen Strategie in der antifaschistisch-demokratischen Ordnung, Gaiganz 1975 und Henning Müller, Theater der Restauration. Westberliner Bühnen, Kultur und Politik im Kalten Krieg, Berlin (Ost) 1981.

7   Friedrich Luft, Konstantin Simonow ›Die russische Frage‹, Deutsches Theater [6. Mai 1947], in: ders., Berliner Theater 1945-1961, hrsg. v. Henning Rischbieter, Hannover 1961, S. 21.

8   Vgl. dazu Sebastian Haffner, Berlin und Wien: Die Wahl [8. September 1946], in: ders., Schreiben für die Freiheit, hrsg. v. Rainer Nitsche, Berlin 2001, S. 134ff.

Eröffnung des Ersten Deutschen Schriftstellerkongresses, Kammerspiele des Deutschen Theaters.

man es außerdem nicht bewenden. Das ganze letzte Jahr haben die Russen emsig daran gearbeitet, ihre Zone als kommunistischen Staat nach osteuropäischem Modell aufzubauen.«[9] Der Kommentator aus London, selbst Exilant wenn auch später Stunde, sieht mit großer Hellsichtigkeit die durchaus problematische Rolle, die Berlin im Verhältnis der Siegenmächte untereinander zu spielen hat. Am 8. September 1946 können die Leser des *Observer* Sebastian Haffners Einschätzung dazu lesen:

9   Ebd., S. 137.

»Der in der Russischen Besatzungszone wachsende Sowjetstaat ist noch nicht voll ausgebildet, es fehlt ihm ein wesentliches Organ – eine Hauptstadt. Doch durch die Präsenz der Westalliierten ist Berlin nicht Teil der Russischen Zone und besitzt weiterhin eine gewisse Entscheidungsfreiheit.«[10]

Genau diese Entscheidungsfreiheit gilt es auszuloten, als die Initiatoren des Schriftstellertreffens nach Berlin einladen. In-der-Heimat-gebliebene und zurückgekehrte Literaten und ausländische Gäste wollen gemeinsam und an mehreren Tagen, nämlich vom 4. bis 8. Oktober 1947, über »Literatur und Gewalt«, »Literatur und Gesellschaft«, »Aktuelle Probleme der deutschen Literaturentwicklung« und schließlich, gleichsam berufsfeldbezogen, zu »Wirtschaftlichen und rechtlichen Fragen« diskutieren. Die Treffpunkte sind über die Stadt verteilt. Die Begrüßung findet statt im Club der Kulturschaffenden in der Jägerstraße. Das Hebbel-Theater ist Ort für eine öffentliche Gedenkfeier der zu beklagenden Toten. Der eigentliche Kongreß wird dann in den Kammerspielen des Deutschen Theaters eröffnet. Empfänge durch die Sowjetische Militäradministration, durch britisch und amerikanisch lizenzierte Verleger Berlins und durch den Kulturbund zur demokratischen Erneuerung Deutschlands sind an verschiedenen Orten den Abenden vorbehalten.

Die Seele des Kongresses, wenn man so sagen darf, ist Günther Weisenborn. Durch seine Integrität während der Jahre der faschistischen Diktatur, Weisenborn wird 1942 verhaftet und wegen Vorbereitung zum Hochverrat zum Tode verurteilt, und als Freund aus der Weimarer Zeit und ehemaliger Mitstreiter Brechts von allen sehr geachtet, ist er die ideale Besetzung für die Präsidentschaft; die große alte Dame der deutschen Literatur, Ricarda Huch, wird ihm als Ehrenpräsidentin zur Seite gestellt. Es war Weisenborns Idee, nach Berlin einzuladen. Unterstützung findet er sogleich beim Kulturbund, dessen »Kommission Literatur« Weisenborn vorsteht, Alexander Abusch und Johannes R. Becher ermuntern ihn zu einer entsprechenden Vorlage. Daß der Schutzverband Deutscher Autoren Mitverantwortung für Organisation und Durchführung übernehmen soll, versteht sich fast von selbst. Er tritt als Gastgeber und Einladender auf. Der Magistrat von Groß-Berlin signalisiert schon im Juli, »dass er diese Veranstaltung unterstützt, und bittet die Besatzungsmächte und die deutschen Behörden, den Kongressbesuchern in jeder Hinsicht behilflich zu sein«.[11]

Alles also zum Besten? Was auf den ersten Blick als überparteiische und ausgewogene Vorbereitung aussieht, erscheint auf einen zweiten, genaueren nicht ganz so eindeutig. Denn mehrere Briefe Johannes R. Bechers zeigen

10 Ebd., S. 138.
11 Schutzverband Deutscher Autoren, Einladungsschreiben an Rudolf Leonhard vom 18. Juli 1947, Rudolf-Leonhard-Archiv, Stiftung Archiv der Akademie der Künste, Berlin.

Günther Weisenborn

sein Bemühen, den Kongreß zu verschieben, weil nämlich »der Kongress ganz und gar sowohl organisatorisch wie auch ideologisch ungenügend vorbereitet« sei.[12] Wo Becher die Schwachstellen sieht, zeigt sein Gegenvorschlag zum Programm, der dem zitierten Brief vom 24. August beiliegt. Die Themen und die in Aussicht genommenen Referenten zeugen von einer deutlichen Orientierung auf einen dezediert politischen Antifaschismus. So möge es vorrangig um »die Literatur im Kampf gegen den Faschismus«, die »Denazifizierung der Sprache« und um »die Aufgaben der Literatur im Kampf gegen Reaktion und für den Frieden« gehen.[13] Wenn von Becher zum ersten Punkt beispielsweise als Referenten und Diskussionsredner neben den Exilanten Willi Bredel, Rudolf Leonhard und Alfred Kantorowicz nur zwei eher blasse Vertreter einer Literatur der inneren Emigration wie Günther Birkenfeld und Greta Kuckhoff eingeplant sind, von den weiterhin vorgese-

12 Johannes R. Becher, Brief an den Vorstand des Schutzverbandes Deutscher Autoren vom 24. August 1947, Anlage: Vorschlag zur Durchführung des deutschen Schriftstellerkongresses (2 Bl.), Johannes-R.-Becher-Archiv, Stiftung Archiv der Akademie der Künste, Berlin.
13 Johannes R. Becher, Vorschlag zur Durchführung des deutschen Schriftstellerkongresses 1947 in der Zeit vom 19.-22. Oktober in Berlin, s. Anm. 12.

henen Sprechern und Diskutanten wie Anna Seghers, Erich Weinert, Ludwig Renn, Theodor Plievier und Fritz Erpenbeck zu schweigen, offenbart sich der heimliche Umbau der gesamtdeutschen zu einer linkspolitischen Veranstaltung, der ganz offensichtlich noch in letzter Minute unternommen werden soll. Aber warum scheitert Becher mit seinem Vorschlag? Es sind offensichtlich die bereits herausgegangenen Einladungsschreiben und die daraufhin erfolgten Zusagen, die eine Verschiebung und derart politisch-ideologische Pointierung des Kongresses unmöglich machen. Außerdem läuft die Vorberichterstattung in der Presse bereits auf Hochtouren. Der Verlauf der Veranstaltung wird übrigens in der Öffentlichkeit mit großer Aufmerksamkeit verfolgt. Im *Neuen Deutschland* vom 4. Oktober 1947 erscheint als Auftakt ein Aufsatz von Friedrich Wolf zum Thema »Schriftsteller und Nation«. Wolf wird als Diskussionsleiter auf der Bühne sitzen, wenn es um das Verhältnis von Literatur und Gesellschaft gehen soll.

Die überaus spannungsreiche und politisch brisante Beziehung zwischen Innerer Emigration und Exil steht als erster Tagesordnungspunkt auf dem Programm. Elisabeth Langgässers die Sitzung eröffnenden Ausführungen über *Schriftsteller unter der Hitlerdiktatur* kommen sehr verhalten daher und vergleichen, wenn auch sehr zögerlich, so doch expressis verbis, die gegenseitigen, wechselseitigen Leiden. Doch glaubt sie wirklich an ihre Worte, daß »weder die Dichter der äußeren noch der inneren Emigration ›ausgewandert‹« seien, denn »wohin hätten sie auch als Dichter auswandern sollen, wenn nicht immer tiefer in den Raum ihrer Sprache hinein«?[14] Im Nachhinein ist man fast geneigt, bei Langgässer von einer großen Naivität des Gemüts zu sprechen, so kindlich einfältig reklamiert sie Heimat, Sprach-Heimat als Ort letzter künstlerischer Gemeinschaftlichkeit. Eigentümlich defensiv antwortet darauf ein Remigrant der ersten Stunde, der schon erwähnte Kantorowicz. »Der Emigration nach innen, in die Innerlichkeit« setzt er die prosaische Realität entgegen, die tagtägliche »Not des Exils, diese hierzulande noch nahezu unbekannte drangvolle seelische und materielle Not«.[15] Doch selbst der Tatbestand des faktisch erlittenen Exils ist nicht unumstritten. »Die Emigranten draußen haben Schweres mitgemacht. Wer Schwereres mitgemacht hat – sie oder die, die im Lande blieben –, das ist ja auch schwer zu sagen«,[16] wird Kantorowicz sogleich belehrt. Es ist schon erstaunlich, daß niemand interveniert. Von heute aus betrachtet, lassen diese problematischen (Selbst-)Einschätzungen erklärlich werden, warum so wenige Deut-

---

14 Elisabeth Langgässer, Schriftsteller unter der Hitlerdiktatur, in: Erster Deutscher Schriftstellerkongreß (Anm. 1), S. 137.

15 Alfred Kantorowicz, Schriftsteller in der Emigration, in: ebd., S. 142.

16 Heinrich von Holtum, [Redebeitrag, 6. Oktober 1947], in: ebd., S. 235.

Elisabeth Langgässer

sche die Rückkehr Thomas Manns ersehnten, wie eine Umfrage in Süddeutschland belegt.[17] Und die große Kontroverse zwischen Walter von Molo, Frank Thieß und Thomas Mann[18] ist unter diesem Blickwinkel nur die folgerichtige Konsequenz eines zurückeroberten falschen Selbstbewußtseins von der Gleichwertigkeit oder gar Vorrangigkeit der im faschistischen Deutschland durchgemachten Qualen: »Wir waren eben dauernd verfolgt.«[19] Es

17 Vgl. dazu Jost Hermand u. Wigand Lange, »Wollt ihr Thomas Mann wiederhaben?«
      Deutschland und die Emigranten, Hamburg 1999.
18 Die Debatte ist dokumentiert in: Johannes Franz Gottlieb Grosser (Hg.), Die große
      Kontroverse. Ein Briefwechsel um Deutschland, Hamburg 1963.
19 Von Holtum (Anm. 16), S. 236.

bleibt der salbadernden Rede Johannes R. Bechers vorbehalten, unter dem Deckmantel allgemeiner und durchaus nicht zu denunzierender Friedenssehnsucht die Mauern zwischen innerer und äußeren Emigration endgültig einzureißen. Es sei »verwerflich«, so Becher, »nach wie vor immer wieder den Unterschied zu betonen zwischen den Schriftstellern, die im Lande geblieben sind, und den Emigranten oder gar noch einen neuen unterscheidenden und trennenden Begriff einzuführen wie ›Remigranten‹«.[20] Becher schließt mit dem Schlußwort »Laßt Friede sein!« unmittelbar an seinen Leitartikel *Tod und Auferstehung* vom 5. Januar 1947 an, in dem er die Leidensgeschichte Jesu bemüht, um die Einheit Deutschlands über alle Lager hinweg zu postulieren: »Laßt deutscher Passionszeit endlich, endlich ein deutsches Ostern, einen deutschen Auferstehungstag folgen!«[21] Brechts bissiger Kommentar zu dieser Form politischer Camouflage: »der rattenfänger von hameln muß aber zumindest pfeiffen gekonnt haben.«[22]

Wie kann ob solcher Art flächendeckenden Wohlwollens noch ein Exilant im Bewußtsein seiner durch das Exil legitimierten Besonderung auftreten und sprechen? Nicht nur Verfolgung, Flucht, Überlebenskampf und Gefährdung an Leib und Seele werden relativiert, selbst der moralische Anspruch auf eine durch das Erfahrene beglaubigte geistige Führungskompetenz wird geschmälert. Es scheint, daß sich die Geschichte in grotesker Weise wiederholt. Schon die große Hoffnung (nicht nur) des literarischen Exils, trotz aller aus Weimar mitgenommener Unterschiedlichkeiten dem gemeinsamen Schicksal eine Gemeinsamkeit im Kampf gegen Hitler abringen zu können, gründete auf einer Mystifizierung: die beständige Anrufung des anderen, besseren Deutschland, das Deutschland der Dichter und Denker, das übrigens auch Friedrich Wolf in dem oben angemerkten Aufsatz in der Feder hatte. Jetzt wieder ein Mythos: Deutschland auch in Zeiten der faschistischen Diktatur ein Volk heimlicher Widerständler und Leidtragender. Die anschließenden Wortmeldungen stimmen ein in den vorgegebenen, zurückhaltenden Tenor. Einzig der junge Wolfgang Harich streut Salz in die gerade verheilende Wunde: Was immer der im faschistischen Deutschland Zurückgebliebene tat, er diente »der Toleranzfassade des Dritten Reichs«.[23]

20 Johannes R. Becher, Wie kämpft der Schriftsteller für den Frieden?, in: Erster Deutscher Schriftstellerkongreß (Anm. 1), S. 365. Bechers Redebeitrag vom 7. Oktober erschien schon am nächsten Tag in der Täglichen Rundschau.

21 Johannes R. Becher, Tod und Auferstehung, in: ders., Publizistik 2, 1939-1945, Gesammelte Werke Bd. 16, Berlin u. Weimar 1978, S. 652-656, hier S. 656.

22 Bertolt Brecht, Eintragung vom 20. Februar 1947, in: ders., Arbeitsjournal, Bd. 2, 1942 bis 1955, hrsg. v. Werner Hecht, Frankfurt/M. 1973, S. 771.

23 Wolfgang Harich, in: Erster Deutscher Schriftstellerkongreß (Anm. 1), S. 159.

Johannes R. Becher

Einig sind sich Referenten und Auditorium bei der Einschätzung der Sprachverwilderung und -verluderung im Nationalsozialismus. Was Langgässer an-
deutete, führt Rudolf Leonhard weiter aus. »Unsere Sprache hat sich nicht
hinüberretten lassen, wenigstens nicht anders als in größter Verwahrlosung.
Denn zu den tragischsten Opfern des Nationalsozialismus gehört gerade die
deutsche Sprache.«[24] Der Kampf um die Sprache, um die Wiedergewinnung
einer reinen Sprache, um »die Sprache des Unmenschen«[25] zu überwinden,
stehe auf der Tagesordnung. Denn »Wer falsch spricht, denkt falsch!«[26]

In einer weiteren Arbeitssitzung wird das indirekt schon seit Beginn des Tref-
fens immer mit angesprochene Beziehungsgeflecht zwischen Literatur und
Gesellschaft auf die persönliche Verantwortlichkeit des Schriftstellers fokus-
siert. Denn sollte »der Nazismus in der Literatur noch virulent«[27] sein, welche Aufgabe hätte dann der Schriftsteller, ob aus dem Exil oder der Inneren
Emigration sei dahin gestellt, zu übernehmen? »Mit aller Behutsamkeit« zu

24 Rudolf Leonhard, Über die Sprachverwilderung, in: ebd., S. 256.
25 Wilhelm E. Süskind, [Redebeitrag, 6. Oktober 1947], in: ebd., S. 267.
26 Leonhard, Sprachverwilderung (Anm. 24), S. 257.
27 Vgl. dazu Axel Eggebrecht, Ist der Nazismus in der Literatur noch virulent?, in: Erster
    Deutscher Schriftstellerkongreß (Anm. 1), S. 198.

Werke zu gehen, um zu prüfen, »ob Strömungen, Richtungen, Personen, Werke, Dichter, die heute mit dem Anspruch hervortreten, uns zu führen und uns Wege zu weisen, vielleicht von dieser spätromantischen Spaltung der Lebenssphären ergriffen und angekränkelt sind«.[28] Wie leichtfertig wird der Romantik, der Spätromantik zumal, wegen der von ihr vertretenen Betonung der Poesie die Abkehr vom Leben und damit die Entlastung von Politik vorgehalten. Ein Nebensatz von Axel Eggebrecht hätte stärkere Aufmerksamkeit verdient, spricht er doch aus, daß dem deutschen Volk die neue Freiheit, die Freiheit nach Niederwerfung des Nationalsozialismus »nicht durch eine Revolution oder eine sonstige Form der eigenen Entscheidung, sondern von außen her, durch den Sieg einer auswärtigen Macht geschenkt«[29] wurde. Eggebrecht thematisiert, wovor andere die Augen und Ohren verschließen. Bertolt Brecht allerdings sieht in dieser Besonderheit, daß nämlich die Rote Armee für die Ostzone die sozialistische Revolution gleichsam nach Deutschland importierte, eine große Behinderung bei der Herausbildung demokratischer Gesellschaftsstrukturen, denn »wieder erschwindelt sich diese nation eine revolution durch angleichung.«[30] Welche Spätfolgen aus dieser Spezifik für den Aufbau des Sozialismus in der SBZ resultieren, zeigen die Entwicklung und das Ende der DDR aufs Schlagendste.

Daß nicht jeder bereit ist, den Mantel des Wohlwollens über gesellschaftliche Realitäten zu legen, sondern die Konfrontation sucht, dafür steht der 27jährige amerikanische Journalist und Schriftsteller Melvin Lasky. Seiner Meinung nach ist der Schriftsteller einzig und allein »der Wahrheit gegenüber verantwortlich, wie er sie sieht«.[31] Daß damit dem Schriftsteller tendenziell Ungemach droht, wenn er die Wahrheit spricht, lehrt ein Blick in die Welt. Lasky hebt zu einem Systemvergleich zwischen der UdSSR und den USA an. Was sieht Lasky in der Sowjetunion? »Eine wenig anziehende totalitäre Diktatur.«[32] Nun sei in Amerika beileibe auch nicht alles zum Besten. Jahrelang habe man z.B. ankämpfen müssen »gegen engstirnige Moralisten«, die den *Ulysses* von James Joyce den amerikanischen Lesern vorenthalten wollten. Mit Erfolg. Weil der Amerikaner ein Rebell sei. Aus diesen Worten spricht nicht Überheblichkeit, sondern das Vertrauen auf die kulturelle Freiheit. »Wir in Amerika haben eine lange, ununterbrochene Tradition wachsender Freiheit und sich stetig erweiternder bürgerlicher Rechte.«[33] Stephan Hermlin wird wenig später diese Selbstsicherheit relativieren, wenn er als seinen

28 Ebd., S. 200.
29 Ebd.
30 Brecht, Arbeitsjournal (Anm. 22), S. 813.
31 Melvin Lasky, [Redebeitrag, 7. Oktober 1947], in: Erster Deutscher Schriftstellerkongreß (Anm. 1), S. 298.
32 Ebd.
33 Ebd., S. 296.

Melvin Lasky mit Ricarda Huch

Wunsch formuliert, daß »es bei uns gegenüber unseren Geistesarbeitern, unseren Dichtern niemals ›Komitees für undeutsche Aktivitäten‹ geben« möge. Starker Beifall und Bravo-Rufe deuten auf breites Verstehen dieser Anspielung auf das Komitee für unamerikanische Aktivitäten unter McCarthy, dessen Aktivitäten viele Exilanten aus den USA vertrieben. Mit erstaunlicher Offenheit und nicht ohne ironischen Unterton geißelt Lasky die schwankende sowjetische Außenpolitik gegenüber Hitlerdeutschland. Wie war das doch gleich in den Jahren des Exils?

»Im Jahre 38 zum Beispiel wurden die Männer des Kreml auf Grund ihrer Nichtteilnahme an der Münchener Konferenz als die strahlenden Helden der Weltpolitik dargestellt. Im Jahre 40 waren dieselben Männer wegen ihres Freundschaftspakts mit Ribbentrop und dafür, daß sie Hitler zu seinem Geburtstag beglückwünschten, wegen der Teilung Polens und der Inbesitznahme der baltischen Staaten Teufel und Unholde. Im Jahr 43 waren dieselben Männer des Kreml wieder standhafte Verteidiger der Zivilisation.«[34]

Mag diese Wankelmütigkeit noch strategischem Kalkül entsprungen sein, innenpolitisch kann für Lasky kein Zweifel an der Unzulässigkeit von politischem Druck und Zensur sowjetischen Kollegen gegenüber bestehen. Deshalb fühle er sich solidarisch und fordere die Solidarität »mit den Schriftstel-

---

34 Ebd., S. 299.

lern und Künstlern Sowjetrußlands«.[35] Mit bewundernswerter rhetorischer Raffinesse antwortet am Nachmittag der Schriftsteller Valentin Katajew aus der sowjetischen Delegation, ohne allerdings den Generalvorwurf wirklich entkräften zu können. Er, Katajew, kenne den »sogenannten Schriftsteller Lasky« überhaupt nicht, und er zögere, »soviel Aufmerksamkeit dem unbekannten Lasky« zu widmen. »Unter allen bekannten sowjetischen Schriftstellern und Kunstschaffenden, die von dem unbekannten Lasky genannt wurden, wurde selbstverständlich auch Soschtschenko erwähnt und wurde erwähnt absolut vergeblich und umsonst, wie auch alle anderen.«[36] Daß es bei diesen Verbalinjurien nicht ohne persönliche Angriffe abgeht, kann nicht verwundern. Die Herabwürdigung von Lasky zu einem »lebendigen Kriegsbrandstifter« jedoch – eine Formulierung, die die Presse aus Ost und West begierig, allerdings mit jeweils unterschiedlicher ideologischer Kommentierung aufnimmt – bestätigt einmal mehr den Beginn des Kalten Kriegs unter den ehemaligen Verbündeten. Daß die westlichen Alliierten das Ihre dazu tun, belegt das während des Kongresses angedrohte Verbot des Kulturbundes, das dann im November exekutiert wird.

Angesichts dieses mißglückten Höhepunkts einer Streitkultur, der auf dem Kongreß selbst noch unter Kontrolle gehalten wird, kann der Nachgeborene seine Irritation in einem anderen politisch brisanten Fall kaum verhehlen. Mrs. Brailsford, Ehefrau des Schriftstellers und Pazifisten Henry Noël Brailsford, ist es zu verdanken, daß publik wird, was bislang geheimgehalten wurde. Am 27. März nämlich verhaftete die sowjetische Militärbehörde Studenten der Berliner Universität wegen angeblich faschistischer Umtriebe, ein Vorwurf, der herhalten sollte, um unliebsame, weil politisch sich anders Orientierende aus dem Verkehr zu ziehen. Drei von ihnen werden bis 1956 im Zuchthaus Bautzen festgehalten.

»Ich habe von dem Verschwinden von Studenten gehört aus der Berliner Universität im Frühjahr, und ich habe die Studenten gefragt: Ja, Kinderchen, wie stellt Ihr euch das [vor]? Ich verstehe das gar nicht. Nachdem die Nazis zersprengt und zerschlagen worden sind, können wieder Menschen aus eurer Gemeinschaft verschwinden? Ihr wißt nicht warum? Ich habe nur Stumme um mich herum gehabt.«[37]

Die Fragen von Mrs. Brailsford bleiben unbeantwortet. Keine Reaktion im Publikum oder auf dem Podium. Dies ist die Geburtsstunde der Freien Universität Berlin. Denn die von der Universität relegierten Studenten ziehen nach Dahlem in die Boltzmannstraße, wo der Gründungsakt der Westuniversität seinen Anfang nimmt.

35 Ebd., S. 300.
36 Valentin Katajew, [Redebeitrag, 7. Oktober 1947], in: ebd., S. 336.
37 Eva-Maria Brailsford, [Redebeitrag, 6. Oktober 1947], in: ebd., S. 270.

Valentin Katajew

Von der Verantwortung des Schriftstellers der Gesellschaft gegenüber zu reden, sie aber nicht zu praktizieren, dieses Verhalten konterkariert auf eigentümliche Weise die Forderung nach Zeitnähe, über die mit Nachdruck referiert wird. Wie es scheint, verlängert sich hier in dialektischer Umkehrung die Exil-Debatte um den historischen Roman in die unmittelbare Gegenwart Nachkriegsdeutschlands. Erich Weinert und Friedrich Wolf sind dabei die entscheidenden Stimmen. Für Weinert ist Dichtung zeitnah, »wenn sie Ausdruck und Widerhall von Gefühlen, Gedanken, Wünschen und Forderungen des politisch bewußten Teils unseres Volkes unter dem Aspekt der Gegenwart ist«.[38] Hinter der kryptischen Beschreibung vom »politisch bewußten Teil unseres Volkes« verbergen sich, unschwer zu erkennen, wenn man die Auseinandersetzungen um die Volksfront noch in Erinnerung hat, für Eingeweihte das Proletariat und dessen Avantgarde, die Partei. Die von Weinert reaktivierte Sprachregelung aus Zeiten des Exils zielt auf die Beförderung einer breiten Bündnisbereitschaft, denn wer hätte zur Mitarbeit sich erklärt, wenn

---

38   Erich Weinert, Über die Forderung der Zeitnähe, in: ebd., S. 311f.

unumwunden der Führungsanspruch der Kommunisten verbalisiert worden wäre. Auch nach dem Krieg scheinen solche Umschreibungen weiterhin nötig, um niemanden, besonders aber nicht das bürgerliche Lager zu verschrecken. Eindeutiger ist da die Maxime zeitnaher Kunst: Die »treue Position an der Seite des arbeitenden Volks« sei unabdingbare Voraussetzung für Zeitnähe der Kunst. Die Betonung des Klassenstandpunkts jedoch verbürgt nicht schon gute Literatur, und nicht jede Form des l'art pour l'art ist nur interessantes Gewölk.[39] Diese Zuschreibungen verweisen auf jene wohlbekannten Anwürfe gegen vermeintlich unpolitische, weil eine Parteinahme verweigernde Literatur aus der Weimarer Republik. Wortführer war damals und ist auch heute Friedrich Wolf, für den Kunst seit jenen Tagen Waffe zu sein hat. Um nicht mißverstanden zu werden: Eine Position wie die von Wolf hat historische Berechtigung, verdankt sie sich doch einer Epoche, da das Elend eines aggressiven Kapitalismus zum Greifen nahe ist und jedes Drumherumreden in den Augen der politisch engagierten Schriftsteller Heuchelei gewesen wäre. Aber kann man so ohne weiteres von einer ungebrochenen Kontinuität einer politischen Strategie ausgehen, die gestern schon nicht überzeugend war. Friedrich Wolf verteidigt sein literarisches Konzept der permanenten Entscheidung. Das Modell des Spielers und Gegenspielers ist nach wie vor Wolfs dramaturgisches Rezept. »Wir müssen uns entscheiden entweder für das Gute oder für das Böse.«[40] Wenn doch die Welt, die nachfaschistische Welt so eindeutig einzuteilen wäre! Politische Dichtung garantiert nicht schon gute Dichtung.

So unterschiedlich die vorgetragenen Meinungen und Standpunkte, die Diskussionsbeiträge waren, immer wieder gelingt es den Verantwortlichen, Entschließungen mit großer Mehrheit, wenn nicht einstimmig zu verabschieden, so daß die Öffentlichkeit den Eindruck eines erfolgreichen Verlaufs bekommt. Der Erste Deutsche Schriftstellerkongreß nimmt sehr eindeutig Stellung gegen den immer noch virulenten Antisemitismus, einen entsprechenden Text hatte Hermann Duncker eingebracht. Die versammelten Schriftsteller sähen sich, so heißt es dort, in der Pflicht, »vor aller Welt einmütig zu bekunden, daß der Antisemitismus eine der furchtbarsten Schandlehren des nazistischen Deutschland war«.[41] Wiewohl das offizielle Protokoll wie der Rundfunkmitschnitt keine Hinweise auf eine Abstimmung geben, kann von einer Zustimmung ausgegangen werden. Das betrifft sicherlich auch das schon erwähnte »Manifest« wie die »Resolution des Schriftstellerkongresses«. Nach den grundsätzlichen Beratungen zu »Fragen der deutschen Sprache und der deutschen Kultur« sei man von der einheitsstiftenden Kraft »unserer Sprache und

39 Vgl. ebd., S. 315.
40 Friedrich Wolf, [Redebeitrag, 7. Oktober 1947], in: ebd., S. 343.
41 Resolution gegen den Antisemitismus, in: ebd., S. 496.

Friedrich Wolf (rechts) mit Hermann Duncker

unserer Kultur [...] über alle Zonengrenzen und Parteiungen hinweg« überzeugt. »Inmitten des Trümmerfeldes von Berlin erkennen wir deutschen
Schriftsteller, daß unser Volk nur in einem dauerhaften und aufrichtigen Frieden mit anderen Völkern der Erde gesunden kann.«[42] Über allen Beteuerungen
und Selbstverpflichtungen steht der immer wieder fast beschwörend vor-
gebrachte Wunsch nach Überwindung der sich historisch abzeichnenden
Spaltung Deutschlands. Gerade »eingedenk des Unheils, das das nazistische
Regime über die Welt gebracht hat, ist es unser Wunsch, unseren Beitrag zu
einer Aussöhnung zwischen Ost und West zu leisten.«[43]

Die Geschichte hat auf diese Absichtserklärung und die statthabenden Versuche von Schriftstellern und Intellektuellen zu einer Aussöhnung keine Rück-

42 Manifest des Ersten Deutschen Schriftstellerkongresses, in: ebd. S. 497.
43 Ebd., S. 498.

sicht genommen. Die Konfrontation zwischen den großen Blöcken USA und Sowjetunion und ihrer Einflußsphären wird sehr bald an der innerdeutschen Grenze auf das Sinnfälligste erfahren. Zwei deutsche Staaten standen sich gegenüber, die vereinzelten Appelle an die eine Nation deutscher Sprache verhallten ungehört, verschluckt im Weltgetriebe zwischen Ost und West.

LEONORE KRENZLIN

Geschichte des Scheiterns – Geschichte des Lernens?

Überlegungen zur Lage während und nach der
›Großen Kontroverse‹ und zur Motivation ihrer Akteure

Schaut man aus dem Abstand von inzwischen sechs Jahrzehnten auf die erste
Nachkriegszeit, dann fällt auf: Die exilierten Schriftsteller hegten hohe Erwartungen und ein starkes Pflichtgefühl in bezug auf ihre zukünftige Rolle im befreiten Deutschland. Gleichgültig, wo sie sich geographisch befanden und zu
welchem politischen Fahnenzeichen sie sich bekannten: Mehrheitlich waren sie
davon überzeugt, daß sie mit ihrem Werk und mit ihrem Handeln gebraucht
würden, wenn es darum ging, den Nationalsozialismus nicht nur militärisch
niederzuwerfen, sondern ihn auch geistig und moralisch zu besiegen und einer
von Humanität geprägten Gesellschaft zum Durchbruch zu verhelfen.

Die Forschung in der Bundesrepublik Deutschland hat dieses Streben nach
Mitwirkung am Aufbau der deutschen Nachkriegsgesellschaft weitgehend als
einen Prozeß des Scheiterns nachgezeichnet. Im Gegensatz dazu hat die Literaturwissenschaft der DDR – mit Hinweis auf die Rolle, die die remigrierten
Schriftsteller in diesem Teil Deutschlands politisch und literarisch spielten –
diesen Anspruch gern als gänzlich eingelöst beschrieben und nach Defiziten
nicht gefragt. Beide Standpunkte verfestigten sich schnell zu Axiomen, die
den literaturhistorischen Darstellungen auf beiden Seiten nahezu automatisch zugrunde gelegt wurden. Im letzten Jahrzehnt hat sich noch ein drittes
Deutungsmuster für diese Phase der deutschen Literatur etabliert: Das Streben
der Schriftsteller nach Teilhabe an der Neugestaltung der Gesellschaft wird als
ein platter Illusionismus eingestuft und ihnen Anmaßung und Selbstüberschätzung vorgeworfen. So heißt es beispielsweise in einem Rückblick auf den Ersten Deutschen Schriftstellerkongreß, der im Oktober 1947 zum ersten und
zum letzten Male die heimgekehrten Exilanten mit den Vertretern der ›Inneren
Emigration‹ zu einer gemeinsamen Willenskundgebung zusammenführte:
Die Kongreßteilnehmer seien von »hypermoralischen Motiven« angetrieben
worden und hätten »sentimentale Bekenntnisse zum unteilbaren deutschen
Geist« abgelegt, anstatt ihre Wunschbilder von »nationaler Harmonie« und
»universeller Humanität« aufzugeben und sich der unausweichlichen »übergeordneten weltpolitischen Dynamik« zu überlassen.[1] Jede dieser Auffassungen

---

1   Richard Herzinger, Kinder, so kommen wir nicht weiter, in: Die Zeit, Hamburg,
     28. November 1997, Nr. 49, S. 67.

kann Argumente für sich reklamieren – doch einseitig sind sie alle. Ich plädiere dafür, tiefer in das inzwischen zugänglich gewordene Material einzusteigen und die Beweggründe der Schriftsteller ebenso wie die historischen Konstellationen, in denen sie handelten, detaillierter zu untersuchen und sich mit Pauschalurteilen eher zurückzuhalten. Gibt es nicht auch ein Lernen im und aus dem Scheitern – und ein Versagen auch im Siegen? Zu reden wäre bei einem solchen Vorgehen freilich nicht nur von den bewußten Motiven der Schriftsteller und den ausformulierten Programmen ihrer Gremien, sondern auch von verdeckten, aber dennoch stark wirkenden Antrieben; und zu beachten wären auch die politischen Handlungszwänge, in denen die Akteure standen – und die politischen Kräfte, die sich bemühten, das literarische Feld für ihre Zwecke zu gebrauchen oder auch zu mißbrauchen. Zu gewinnen wäre dabei vielleicht ein unverstellterer Blick auf die Möglichkeiten dieser Phase – und damit auf Alternativen, die unverwirklicht blieben.

Die sogenannte ›Große Kontroverse‹ betrachte ich als einen solchen Fall, der lange zu vordergründig und stets unter dem Aspekt des Scheiterns betrachtet worden ist. Unter dieser recht hochtrabenden Bezeichnung, die dem Vorgang erst nachträglich – achtzehn Jahre später – verliehen wurde,[2] ist jener Schriftstellerstreit in die Literaturgeschichte eingegangen, der im Sommer 1945 durch einen offenen Brief Walter von Molos ausgelöst worden war. Der an Thomas Mann gerichtete Brief erschien Anfang August[3] in einigen lokalen Blättern, die der Schriftsteller-Emigrant Hans Habe im Auftrag der amerikanischen Armeeführung für die deutsche Zivilbevölkerung herausgab[4] – Presseorgane unter deutscher Trägerschaft gab es in dem gerade erst besiegten Land noch nicht. Molo forderte in diesem Schreiben Thomas Mann auf, so schnell wie möglich nach Deutschland zurückzukehren. Es handelte sich dabei, so lautet die in der Literaturwissenschaft tradierte Lesart, um eine gutgemeinte Initiative Molos – um den Wunsch, den lang entbehrten Schriftsteller in der Heimat willkommen zu heißen und sich seiner Hilfe beim demokratischen Umbau Deutschlands zu versichern. Doch Thomas Mann habe den

2 Die Zeitgenossen haben den Ausdruck ›Große Kontroverse‹ für den Schriftstellerstreit nie benutzt. Die Benennung stammt von Johannes Franz Gottlieb Grosser, dem Herausgeber der Broschüre: Die große Kontroverse. Ein Briefwechsel um Deutschland, Hamburg, Genf, Paris 1963. – Die verstreut publizierten Texte der Diskutanten zitiere ich nach dieser Dokumentation.
3 Zuerst am 3. August in der *Stuttgarter Stimme* und in den folgenden Tagen in der *Münchner Zeitung*, der *Hessischen Post* und der Berliner *Allgemeinen Zeitung*. – Weil Grosser als erstes Erscheinungsdatum irrtümlich den 13. August 1945 angegeben hat, schleppt sich das falsche Datum seither durch die Sekundärliteratur.
4 Vgl. Hans Habe, Im Jahre Null. Ein Beitrag zur Geschichte der deutschen Presse, München 1966, S. 53ff. – Die sachliche Richtigkeit der Darlegungen Habes wird bestätigt durch Harold Hurwitz, Die Stunde Null der deutschen Presse. Die amerikanische Pressepolitik in Deutschland 1945-1949, Köln 1972.

Brief mißverstanden und sich zu Unrecht provoziert gefühlt[5] – ein Zeichen dafür, wie stark die Entfremdung zwischen den Emigranten und den Daheimgebliebenen nach zwölf Jahren fortgeschritten war.[6] Doch eine solche Auslegung vereinfacht nicht nur die Konstellation, sie hat auch den Blick für Fakten verstellt, von denen viele schon länger zugänglich sind. Bereits eine genauere Betrachtung des Moloschen Textes läßt erkennen, daß Provokationen reichlich darin enthalten waren und daß Thomas Manns harsche Reaktion nicht grundlos war. Es steht durchaus mehr in diesem Brief als nur die Bitte um Rückkehr und um Beistand. Bereits die Formulierungen hätten stutzig machen sollen: Nachdrücklich wird Thomas Mann darauf hingewiesen, daß er mit eigenen Augen das »unsagbare Leid« in Deutschland sehen müsse. Doch nicht entlassene KZ-Insassen sind mit den Leidenden gemeint, sondern jene Menschen, »die nicht die Glorifizierung unserer Schattenseiten mitgemacht haben«.[7] Molo stuft also jene, die einfach nur geschwiegen haben, als die gegenwärtig Hauptleidtragenden ein. Daß er dabei als Umschreibung für den Nationalsozialismus den Ausdruck »unsere Schattenseiten« benutzt, läuft auf eine Verharmlosung dessen hinaus, was in Deutschland und durch Deutschland zwölf Jahre lang geschehen war. Und daß die »Missetaten und Verbrechen« der aktiven Täter als die »furchtbaren Verirrungen Kranker« bezeichnet werden, schiebt ein gesellschaftliches Problem in den Bereich des Pathologischen – und also nicht zu Verantwortenden – ab. Hinzu kommt aber, daß – verhüllt unter wortreich vorgetragenen Besorgnissen – auch Forderungen zumindest angedeutet werden: Dem deutschen Volk, das bereits seit 1914 so viel Schweres durchgemacht habe, solle man jetzt keine weiteren »Demütigungen und Enttäuschungen« zumuten, meint Molo mit dezentem Hinweis auf den Versailler Vertrag, der den Aufstieg des Nationalsozialismus in Deutschland begünstigt hatte. Und: die Ausrottung von »Haß, Brutalität und Verbrechen« dürfe nicht durch »neuen, in Leidenschaft verallgemeinernden Haß« erfolgen. Solche Sätze zielten auf die Unannehmlichkeiten, die für die Deutschen durch die einsetzenden Entnazifizierungsmaßnahmen entstanden – und mit ihnen wird Thomas Mann die Aufgabe unterbreitet, mäßigend auf die amerikanische Besatzungspolitik einzuwirken.

5   Vgl. Herbert Wiesner, Innere Emigration. Die innerdeutsche Literatur im Widerstand, in: Hermann Kunisch, Handbuch der deutschen Gegenwartsliteratur, München 1963, S. 695f.

6   Die Entfremdung als Ursache für die Auseinandersetzungen betont noch Michael Philipp, Distanz und Anpassung. Sozialgeschichtliche Aspekte der Inneren Emigration, in: Exilforschung. Ein Internationales Jahrbuch, Bd. 12, Aspekte der künstlerischen Inneren Emigration 1933-1945, München 1994, vgl. S. 11.

7   Grosser, Kontroverse (Anm. 2), S. 19.

Entsprach das alles in allem Walter von Molos Meinung und seiner Einschätzung der Lage? Ganz gewiß.[8] Und hielt er selber es für angebracht, das öffentlich zu äußern? Nein. Er konnte Situationen einschätzen und hatte sich in der Weimarer Republik – als Vorsitzender der Sektion Dichtkunst der Preußischen Akademie der Künste – ausreichend darin geübt, diplomatisch vorzugehen. Von sich aus suchte er nicht die Konfrontation mit Thomas Mann, sondern er wollte seine Interessen – und die seiner in Deutschland verbliebenen Berufskollegen – auf dem Verhandlungswege vertreten. Sein ursprüngliches Anliegen geht aus einem anderen Brief hervor, den er acht Wochen vor dem offenen Brief verfaßt und auch abgeschickt hat[9] – anläßlich von Thomas Manns 70. Geburtstag. Denn Molo gratuliert in diesem Brief nicht nur, er sondiert auch die Lage. Keineswegs fordert er Thomas Mann zur Rückkehr auf, sondern er bietet ihm vielmehr klärende Gespräche auf dem Umweg über amerikanische Mittelsleute an.

Es scheint mir nötig, diese aktive und protokollarisch geschickte Kontaktaufnahme Walter von Molos mit dem bedeutendsten Repräsentanten des Exils zu einem so frühen Zeitpunkt – dem 6. Juni 1945 – in ihrer Zweckgerichtetheit ausreichend zu beachten und entsprechend zu gewichten. Denn nach der Kapitulation begann sich ein deutlicher Interessenkonflikt unter Deutschlands Autoren herauszubilden: Es entstand die Frage, welchem der beiden Schriftsteller-Lager – den Exilanten oder den Daheimgebliebenen – künftig die Meinungsführerschaft im besetzten Deutschland zukommen sollte. Die Rückkehr der exilierten Schriftsteller stand bevor, und es war klar, daß sie versuchen würden, einen neuen Zugang zu ihrem früheren deutschen Publikum zu finden. Und das bedeutete: Sie gerieten nun in die Rolle von Konkurrenten auf dem zukünftigen deutschen Buchmarkt.

Die Mehrzahl der namhaften Exilschriftsteller – auch die jüdischer Herkunft – waren vor allem wegen ihrer politischen Gesinnung aus Deutschland vertrieben worden. Sie wollten jetzt erreichen, daß die im Exil auf Vorrat geschriebenen Werke endlich ihre antifaschistische Wirkung im deutschen Vaterland entfalten konnten. Die Aussichten dafür waren gut: Unbestreitbar zählten viele von ihnen zu den bedeutendsten Autoren deutscher Sprache, und sie waren außerhalb der deutschen Grenzen inzwischen als die eigentlichen Repräsentanten deutscher Gegenwartsliteratur anerkannt. Auffälligstes Merkmal dafür war, daß der Internationale PEN-Club längst die PEN-Gruppe des

8 Zur politischen Haltung Walter von Molos vgl. Leonore Krenzlin, Erziehung hinter Stacheldraht. Wert und Dilemma von Ernst Wiecherts konservativer Opposition, in: Das Dritte Weimar. Klassik und Kultur im Nationalsozialismus, hrsg. v. Lothar Ehrlich, Jürgen John u. Justus H. Ulbricht, Köln, Weimar, Wien 1999, S. 149-161, vgl. bes. S. 154-155.
9 Walter von Molo an Thomas Mann, 6. Juni 1945, in: Thomas Mann, Briefwechsel mit Autoren, hrsg. v. Hans Wysling, Frankfurt/M. 1988, S. 363.

nationalsozialistischen Deutschland ausgeschlossen und statt dessen eine deutsche Gruppe aus Exilschriftstellern zugelassen hatte. Hinzu kam, daß die öffentliche politische Weltmeinung auf Seiten der Exilschriftsteller stand – ihr Hauptvertreter Thomas Mann war durch seine Radio-Reden für den Sender BBC während des Krieges sogar Teilhaber an der meinungsbildenden Propaganda der Westmächte geworden. Diesen Status beanspruchten die exiliierten Schriftsteller ganz selbstverständlich – doch war ihnen wohl kaum bewußt, in welchem Grade er eine Konkurrenzsituation präformierte und Abwehrreaktionen programmierte.

Die Schriftsteller in Deutschland dagegen, soweit sie sich nicht offensichtlich an das nationalsozialistische System gebunden hatten und dadurch fürs erste hoffnungslos ins Abseits geraten waren, mußten ihrerseits ein Interesse daran haben, ihr Image als Hitlerknechte zu durchbrechen und ein neues aufzubauen. Ob sie sich im klaren darüber waren oder nicht: Sie gingen unwillkürlich davon aus, daß sie zwar politisch-moralisch im Nachteil, in einem Punkt jedoch im Vorteil waren: Die Leser im Lande kannten die Namen der Exilschriftsteller und ihre Bücher kaum noch, doch ihre eigenen Namen und Werke waren – auch wenn bisher auch nur geduldet – bekannt, und der Buchmarkt gehörte zunächst noch ihnen. Faktisch waren sie in Deutschland im Moment der Niederwerfung des Nationalsozialismus in die Rolle künftiger kultureller Meinungsführer aufgerückt. Aus dieser Position wollten sie sich nicht gern verdrängen lassen – nicht durch die Besatzungsmächte, die ein System von Zensurmaßnahmen und Lizenzvergaben installierten, und auch nicht durch die zu erwartenden Exilschriftsteller. Es ging in beiden Gruppen auch um Geld. Das sollte man weder ignorieren noch kleinreden. Schriftsteller beziehen kein Gehalt, sie sind nun einmal auf die Einkünfte aus dem Verkauf ihrer Bücher angewiesen.

So lagen nach der Kapitulation, im Juni 1945, die Interessen innerhalb des Literaturbetriebes. Eine solche Konstellation mußte zwar zu ernsthaften Rangeleien führen, für sich genommen barg sie jedoch kaum Ansätze für Sensationen – der erste, nicht-öffentliche Brief Molos ist ein Ausdruck und Beleg dafür. Man darf vermuten, daß er nach seinem Eingang von Thomas Mann mit hinhaltender Höflichkeit beantwortet worden wäre. Letzterer hatte ja schon im Herbst 1944 damit begonnen, seine rigide Vorwurfshaltung zu korrigieren und sich mit der Arbeit an seiner Rede *Deutschland und die Deutschen* im Guten und im Bösen zu Deutschland zu bekennen. Für Entscheidungen und Zuspitzungen im Rahmen des Literaturbetriebes war es noch viel zu früh.

Aufgeregtheit stellte sich jedoch ein, als politisch motivierte Akteure, die Zugang zu den – von den militärischen Behörden streng zensierten – Medien hatten, die innerliterarische Konstellation zu einem Disputierstück für die Öffentlichkeit aufrücken ließen. Sobald man in das Hintergrundmaterial einsteigt, stellt sich heraus: Walter von Molo handelte dabei nicht aus eigenem

Antrieb. Es war Johann Franz Gottlieb Grosser, der spätere Erfinder des Ausdrucks ›Große Kontroverse‹, der den Widerstrebenden veranlaßte, einen zweiten Brief zu schreiben.[10] Beleg dafür ist nicht nur Grossers eigene Schilderung der Szene, wie er Molo überredet hat, sich mit dem offenen Brief an Thomas Mann zu wenden.[11] Beglaubigt wird seine Darstellung durch einen Brief Molos aus dem Jahre 1955: »Dringendst brauche ich den Text der Erwiderung Thomas Manns auf meinen bezw Ihren offenen Brief«,[12] bedrängt er Grosser. Denn indem er seine Memoiren schreibt, hat Molo die Unvollständigkeit seiner Unterlagen entdeckt. Seine Worte klingen im Kontext durchaus ironisch – sie können kaum bedeuten, daß der Wortlaut seines berühmten Briefes von Grosser stammte, sondern sie spielen wohl eher auf Grossers Anspruch an, geistiger Urheber des Unternehmens gewesen zu sein. Molo wollte seine Autorschaft auch öffentlich nicht infrage stellen – in seinem Erinnerungsbuch geht er auf die Umstände der Entstehung seines Briefes gar nicht ein.[13] Doch einen maßgeblichen Anteil an dessen Zustandekommen hat er mit der Formulierung in seinem Brief jedenfalls intern bestätigt.

Als hoher Presseoffizier der deutschen Wehrmacht[14] und auf wundersame Weise der amerikanischen Kriegsgefangenschaft entronnen,[15] waren Grossers politische Ambitionen im Juli 1945 weiter gespannt als die von Molo. Sein Anliegen war es, die nationalen Interessen Deutschlands gegen die Dominanzansprüche der Besatzungsmächte zu verteidigen – und unter seinem Einfluß geriet diese Fragestellung und der offensive Tonfall in Molos Brieftext. Grosser dürfte klar gewesen sein, daß sich mit der Person Thomas Manns mehr erreichen ließ als nur die Anerkennung einiger noch ausgegrenzter deutscher Schriftsteller und Bücher: Kam Thomas Mann auf den Ruf Molos hin schnell nach Deutschland zurück, mußte er unter dem Druck der Umstände bald zum Sprecher deutscher Interessen gegen die Maßnahmen der Besatzungsmächte mutieren; blieb er draußen, hatte er beim deutschen Publikum verspielt und seine potentielle Meinungsführerschaft verschenkt – und das Lager der antifaschistischen Umerzieher war um einen wesentlichen Faktor geschwächt worden.

---

10 Vgl. Leonore Krenzlin, Große Kontroverse oder kleiner Dialog? Gesprächsversuche und Kontaktbruchstellen zwischen äußeren und inneren literarischen Emigranten, in: Galerie. Revue culturelle et pedagogique, Luxembourg, 15 (1997) 1, S. 7-25. – Das Material, auf das ich meine Thesen stütze, ist in diesem Aufsatz ausführlich dargestellt.

11 Vgl. Grosser, Kontroverse (Anm. 2), S. 12-17.

12 Walter von Molo an Johann Franz Gottlieb Grosser, 2. Februar 1955, Stiftung Archiv der Akademie der Künste, Berlin, Molo-Nachlaß, Korrespondenz Grosser, 43/73/812.

13 Walter von Molo, So wunderbar ist das Leben. Erinnerungen und Begegnungen, Stuttgart 1959.

14 Zu Einzelheiten der Biographie Grossers vgl. Krenzlin, Große Kontroverse (Anm. 10), S. 12-14.

15 Vgl. Grosser, Kontroverse (Anm. 2), S. 10-12.

Die Rolle von Hans Habe bei diesem Unternehmen läßt sich schwerer einschätzen, sie ist changierend, und sie wird, wenn überhaupt, wohl nur aus amerikanischen Militär- oder Geheimdienstakten abzuklären sein. Er selber hat zu Protokoll gegeben, daß er bei Kriegsende »in einem Schullager der amerikanischen Abwehr« damit betraut war, eine Kompanie »für die Frontabwehr, die sogenannte Combat intelligence, sowie für psychologische Kriegsführung auszubilden«, und im Februar 1944 den Auftrag erhielt, in den noch zu besetzenden Gebieten Deutschlands eine neue deutsche Presse aufzubauen.[16] Manche seiner Entscheidungen als Pressechef erwecken den Eindruck, daß er faktisch jenen Kräften in den USA zuarbeitete, die eine Wende der amerikanischen Deutschlandpolitik herbeizuführen suchten und an die Stelle antinazistischer Umerziehungsmaßnahmen ein deutsch-amerikanisches Bündnis in Frontstellung gegen die Sowjetunion anvisierten.[17] Der Abdruck von Molos Schreiben ist ein Fall, der in eine solche Linie paßt: Der Brief artikulierte und bündelte den Unmut von Millionen Deutschen, die sich durch die Besatzungsmächte und ihre einsetzenden Entnazifizierungsmaßnahmen drangsaliert fühlten – und es ist schlecht vorstellbar, daß Hans Habe das nicht überblickte. Ob ihm die anrüchige Identität des Überbringers bekannt war – Grosser will den Brief persönlich in der Redaktion der *Münchner Zeitung* abgegeben haben[18] – ist ungewiß, Habe selber hat sich nie dazu geäußert. Jedenfalls machte er den Text publik, und er tat das nicht im Auftrag, sondern entgegen der Intention seiner unmittelbaren militärischen Vorgesetzten – doch wohl kaum ohne Rückendeckung durch andere Behörden.

Durch diese Aktivitäten hinter den Kulissen erst kam ins Rollen, was später ›Große Kontroverse‹ heißen sollte: Einer großen Zahl der frustrierten Deutschen hatte Molo aus dem Herzen gesprochen, und schnell erhielt er Schützenhilfe: Schon vierzehn Tage später meldete sich Frank Thieß zu Wort. Ob er aus eigener Initiative handelte oder ob Grosser oder Habe mit ihm Verbindung aufgenommen hatten, läßt sich vorläufig nicht feststellen.[19] Sicher ist nur, daß sein Artikel *Die innere Emigration* ebenfalls in Hans Habes *Münchner Zeitung* erschien.[20] Thieß schließt sich Molos Standpunkt nicht nur an, er spitzt ihn noch beträchtlich zu. Die Aufforderung zur Rückkehr dehnt er auf alle Schriftsteller-Emigranten aus, »die sich heute noch als

16 Habe, Im Jahre Null (Anm. 4), S. 7 u. 9.
17 Vgl. Krenzlin, Große Kontroverse (Anm. 10), S. 14-19. Zu den Widersprüchen der amerikanischen Deutschlandpolitik vgl. Wolfgang Schivelbusch, Vor dem Vorhang. Das geistige Berlin 1945-1948, Frankfurt/M. 1995, S. 54-55.
18 Vgl. Grosser, Kontroverse (Anm. 2), S. 17.
19 Die Teile des Nachlasses von Frank Thieß, die Aufschluß geben könnten, befinden sich in Privathand und sind für die wissenschaftliche Nutzung gesperrt.
20 Frank Thieß, Innere Emigration, in: Münchner Zeitung, 18. August 1945. Dokumentiert in: Grosser, Kontroverse (Anm. 2), S. 22-27.

Deutsche fühlen«.[21] Mit dieser Formulierung wirft er das Licht des Zweifels auf das Deutschtum der Emigranten, und er erhebt eine schnelle Rückkehr zum Kriterium ihrer Anerkennung als Deutsche. Vor allem aber stellt er ihnen – anknüpfend an einen schon in den ersten Exiljahren geprägten Begriff – die ›Innere Emigration‹,[22] also die Front der Schweigenden entgegen, die das Vaterland nicht im Stich gelassen hatten und daher als die eigentlichen Helden dastehen.

Die Konfrontation hat sich damit über die Personen Molo und Mann hinaus zu einer Frontstellung zwischen den Exilierten und der ›Inneren Emigration‹ ausgeweitet, was Thomas Mann zunächst noch gar nicht wahrnahm. Aus dem Ton seiner Eintragungen im Tagebuch geht hervor, daß er die Entschlossenheit des Angriffs lange unterschätzt hat. Und zugleich überschätzte er die Sicherheit seiner eigenen Stellung. Schulterzuckend beginnt er, »da eine Äußerung fällig« sei, mit einem Antwortschreiben an Molo – unschlüssig noch, ob es »offen oder privat« ausfallen solle.[23] Doch die Vorstöße häuften sich, Briefe ähnlichen Inhalts gingen bei ihm ein, und so nahm er schließlich den Fehdehandschuh auf. Zunehmender Unmut trieb ihn zu einer grundsätzlichen Darstellung seiner Position, die nach mancherlei Korrekturen unter dem Titel *Warum ich nicht nach Deutschland zurückgehe* am 28. September 1945 im New Yorker *Aufbau* erschien und anschließend – meist tendenziös gekürzt – in deutschen Zeitungen verbreitet wurde. Er ließ sich darin zu dem vielzitierten Satz hinreißen, daß »Bücher, die von 1933-1945 in Deutschland überhaupt gedruckt werden konnten, weniger als wertlos« seien und »eingestampft werden« sollten.[24] Anscheinend hatte er vergessen, daß die ersten beiden Bände seiner *Josephs*-Trilogie noch in Nazideutschland erschienen waren – und daß er selber bis 1936 gehofft hatte, sich seine Publikationsmöglichkeiten dort zu erhalten.

Die Medien leisteten in der Folge ihren Teil, um Thomas Mann immer tiefer in die Verhärtung seiner Position zu treiben. Längst ging es nicht mehr um die Frage seiner Rückkehr – der Konflikt der Schriftsteller wurde zur Gelegenheit, um über den Grad der deutschen Schuld zu streiten und den Anteil der Eliten an ihr klein zu reden. Als Thomas Mann zum Jahresende 1945 vom Sender BBC aufgefordert wurde, noch einmal in einer Rundfunkansprache an die Deutschen seine Haltung zu begründen, hatte er endlich begriffen, welche Rolle ihm in Deutschland zugedacht war: »Soll ich [...] gegen die Leiden Deutschlands protestieren, den Besatzungsmächten die Fehler ver-

21 Grosser, Kontroverse (Anm. 2), S. 12.
22 Vgl. Gisela Berglund, Einige Anmerkungen zum Begriff der ›Inneren Emigration‹, Stockholm 1974.
23 Vgl. Thomas Mann, Tagebücher 1944-1946, hrsg. v. Inge Jens, Frankfurt/M. 1986, S. 248.
24 Grosser, Kontroverse (Anm. 2), S. 31.

weisen, die sie in der Behandlung oder Verwaltung des Landes begehen?«fragt er, und versichert:»Nein, gerade das kann ich nicht, [...] eben als Deutscher kann ich mir nicht erlauben, an der Politik der Sieger eine Kritik zu üben, die immer nur im Sinne eines egozentrischen Patriotismus [...] gedeutet werden würde«.[25] Es war von vornherein dafür gesorgt, daß Thomas Mann mit seiner Stellungnahme nicht das letzte Wort behielt: Unmittelbar nach der Sendung durfte Frank Thieß über den Nordwestdeutschen Rundfunk eine ausführliche Erwiderung sprechen. Angeblich war seine Reaktion spontan – er behauptet, daß ihm für die Vorbereitung seiner Antwort nur siebenundsechzig Minuten Zeit zur Verfügung standen.[26] So richtig glauben kann man ihm das nicht – Thieß bezieht sich in solchem Grade auf den Wortlaut von Thomas Manns Rede, daß der Verdacht aufkommt, er habe – auf welchem Weg auch immer – das Manuskript erhalten und vorab lesen können.

Das Ergebnis dieses Schriftstellerstreits scheint auf der Hand zu liegen: Thomas Manns Ansehen in Deutschland wurde erheblich beschädigt, und mit ihm auch das der Emigranten. Sein Rang als Schriftsteller blieb freilich unbestritten – aber seine Aura als Meinungsführer hatte er verloren. Eine im Sommer 1947 in Bayern gestartete Interview-Aktion der amerikanischen Besatzungsbehörde – *Umfrage über Thomas Mann und andere* genannt – belegt, daß sich große Teile der Befragten gegen eine Rückkehr der Emigranten aussprachen, denen Verständnis für die deutsche Situation nicht zugestanden wurde.[27] Aber auch Walter von Molo hatte nichts dazugewonnen: Seinem pathetischen Ruf war kein Erfolg beschieden gewesen, seine Beziehung zu Thomas Mann ließ sich nicht wieder kitten, und die faktische Abwertung von Thomas Manns Reputation machte nachträglich das ganze Unternehmen beinahe lächerlich.[28] Die politisch motivierten Akteure dagegen konnten zufrieden sein. Der Streit trug dazu bei, die Stellung der Deutschen gegenüber den Besatzungsmächten praktisch zu stärken; eine weitgehende Relativierung der Schuldfrage öffentlich annehmbar zu machen; und – zusammen mit den Emigranten – deren antifaschistische Ambitionen, welche häufig mit linken Konzepten verbunden waren, an den Rand zu drängen. Die geringen Chancen, welche die Remigranten in den Westzonen und der späteren Bundesrepublik erhielten, hatten in dem Streit ihre Stimmungsbasis.

25 Ebd., S. 79.
26 Thomas Mann, Frank Thieß, Walter von Molo, Ein Streitgespräch über die äußere und die innere Emigration, Dortmund o.J. [1946], vgl. die Anmerkung von Frank Thieß, S. 6, die in späteren Veröffentlichungen weggefallen ist.
27 Jost Hermand, Wigand Lange, »Wollt ihr Thomas Mann wiederhaben?« Deutschland und die Emigranten, Hamburg 1999, vgl. S. 36-42.
28 Das kommt beispielsweise zum Ausdruck im ironischen Kommentar Erich Kästners unter dem Titel Betrachtungen eines Unpolitischen, in: Die Neue Zeitung, München, 14. Januar 1946, Beilage.

Unter diesen Aspekten stellt sich die ›Große Kontroverse‹ zweifellos als eine Geschichte des Scheiterns der Kommunikation zwischen den Exilierten und den Vertretern der ›Inneren Emigration‹ dar. Und dennoch meine ich, daß eine solche Einschätzung nicht alles sagt, und daß ihre Verabsolutierung dazu führt, die Varianten und Alternativen zu übersehen, die es im historischen Prozeß dennoch gegeben hat – und die nicht nur dadurch gleichgültig werden, daß sie nicht zum Tragen kamen. Denn den gereizten Stimmungen der Öffentlichkeit zum Trotz waren die Fronten zwischen den Hauptbeteiligten noch keineswegs verhärtet, und Verständigungsversuche trafen immer noch auf eine gewisse Bereitschaft zum Gespräch. So waren die bereits im Sommer 1945 einsetzenden Bemühungen Johannes R. Bechers, persönlich oder schriftlich Kontakt mit Schriftstellern der ›Inneren Emigration‹ aufzunehmen, im Jahre 1946 über einen gewissen Zeitraum hin erfolgreich. Mit Frank Thieß kam – ebenso wie mit dem öffentlich geächteten Hans Carossa[29] – ein regelrechter Briefwechsel in Gang.[30] Bechers Vorschlag gegenüber Thieß, »mit der Unterscheidung äußerer Emigrant und innerer Emigrant« Schluß zu machen und statt aufputschender offener Briefe eine unmittelbare und vernünftige Aussprache zu führen,[31] wurde von Thieß nicht spornstreichs abgewiesen, aber auch nicht einfach angenommen – sondern unter dem Gestus der Zustimmung beträchtlich abgeändert: Thieß bat Becher um die Erlaubnis, dessen Brief zusammen mit den anderen, bereits veröffentlichten Briefen abdrucken zu dürfen –»in einer kleinen Broschüre, die der Verlag Grosser in Berchtesgaden herausgeben möchte«.[32] Durch die Aufnahme von Bechers Brief soll, argumentiert er, eine »einseitige Behandlung« der aufgeworfenen Fragen vermieden werden – ein Kompromißvorschlag, dem Becher letztlich zugestimmt hat. Von seiner ursprünglichen Position rückte Thieß deshalb allerdings noch lange nicht ab, im Gegenteil, er arbeitete sie aus: Er legte seinem Brief ein gesondertes Schreiben bei, das für die geplante Veröffentlichung als sein eigener Beitrag vorgesehen war. In diesem wird erläutert, daß es ihm eigentlich nie um die körperliche Rückkehr Thomas

---

29 Hans Carossa war – ohne seine Zustimmung – 1941 zum Vorsitzenden der »Europäischen Schriftsteller-Union« erklärt worden, die das Propaganda-Ministerium – als Gegenstück zum Internationalen PEN-Club – für die von Deutschland besetzten Länder ins Leben gerufen hatte. Vgl. Hans Carossa, Leben und Werk in Bildern und Texten, hrsg. v. Eva Campmann-Carossa, Frankfurt/M., Leipzig 1993, S. 195.

30 Vgl. Leonore Krenzlin, Johannes R. Bechers Suche nach Bündnismöglichkeiten mit konservativ-humanistischen Autoren nach 1945, in: Zum Verhältnis von Geist und Macht im Werk Johannes R. Bechers, hrsg. v. Kulturbund der DDR, Zentraler Arbeitskreis Johannes R. Becher, Berlin 1984, S. 126-129.

31 Johannes R. Becher an Frank Thieß, 26. Januar 1946 u. 27. Februar 1946; Schloß- und Landesbibliothek Darmstadt, Thieß-Nachlaß; vgl. Grosser, Kontroverse (Anm. 2), S. 96-102.

32 Frank Thieß an Johannes R. Becher, 27. Februar 1946, Thieß-Nachlaß (Anm. 31).

Manns, sondern vielmehr um die Schuldfrage gegangen sei. Und diese schlüsselte Thieß in eine juristische, eine politische, eine psychologische und in eine religiöse Schuldfrage mit jeweils unterschiedlichen Zuständigkeiten auf, bis schließlich von einer deutschen Schuld kaum etwas übrig blieb.[33] Immerhin erhielt Becher damit eine Antwort, und gemessen an der Lage war es sogar eine sachliche. Für kurze Zeit kam so ein Dialog über die sich bereits abzeichnenden Spaltungslinien hinweg in Gang. Eine treibende Kraft war dabei wieder Grosser – die Namensgleichheit mit dem interessierten Verlag in Berchtesgaden war kein Zufall. Grosser meldete sich bei Becher mit dem Vorschlag, aus den offenen und privaten Briefen ein Projekt zu machen, eine »Unterhaltung« nannte er es, zwischen den inneren und äußeren Emigranten, und er lud Becher ein, sich für die Herausgabe zur Verfügung zu stellen.[34] Die Publikation sollte den Titel tragen: *Wo ist Deutschland?* Becher willigte ein. Hatte er eine Vorstellung davon, wer der »junge Buchhändler und Schriftsteller aus Frankfurt« war, wie Grosser sich damals gern bezeichnen ließ?[35] Wahrscheinlich nicht, doch was er selber wollte, wußte Becher ganz genau – nämlich eine Erweiterung des Kreises der Gesprächspartner. Man könne noch an Alfred Döblin herantreten, schlug er vor, und auch an Ernst Wiechert.[36] Offenbar schwebte ihm eine öffentliche Debatte vor, die als Modell für sich anbahnende Verständigungsversuche dienen konnte.

Ein zähes, in der Öffentlichkeit nicht wahrnehmbares Ringen begann – um die Durchsetzung der jeweils eigenen Positionen und Interessen, jedoch offenkundig in der Überzeugung, daß ein Konsens gefunden werden könne, weil man letztlich aufeinander angewiesen war. Über die Zusatzvorschläge Bechers verständigten sich Grosser und Molo freilich erst einmal untereinander[37] – mit Döblin waren sie einverstanden, aber eine Beteiligung Wiecherts lehnten sie ab. Ernst Wiechert hatte sich bei ihnen unbeliebt gemacht, weil er im Herbst 1945 in seiner vielbeachteten *Rede an die Jugend* offen von einer deutschen Schuld gesprochen hatte.[38] Angesichts der KZ-Haft, die in Nazideutschland für sein kritisches Auftreten über ihn verhängt worden war, hatten seine Worte besonderes Gewicht. Man konnte ihn schlecht mit der Behauptung

---

33 Vgl. Frank Thieß an Johannes R. Becher, 20. März 1946, in: Grosser, Kontroverse (Anm. 2), S. 102-108.

34 Johann Franz Gottlieb Grosser an Johannes R. Becher, 24. April 1946, Akademie der Künste, Berlin, Becher-Nachlaß, 306.

35 Vgl. J. F. G. Grosser: Denkschrift. Goethegabe des deutschen Volkes. Badische Landesbibliothek Karlsruhe, Reinhold-Schneider-Nachlaß, RS 3363 M, S. 5.

36 Dieser Brief ist nicht erhalten, sein Inhalt geht aber hervor aus der Antwort von Frank Thieß am 16. April 1946, Akademie der Künste, Berlin, Becher-Nachlaß, 670/1.

37 Johann Franz Gottlieb Grosser an Walter von Molo, 3. Mai 1946 u. Walter von Molo an Johann Franz Gottlieb Grosser, 20. Mai 1946, Akademie der Künste, Berlin, Molo-Nachlaß, 43/73/809.

38 Vgl. Ernst Wiechert, Rede an die Jugend, Berlin 1947.

abfertigen, er habe die Schwierigkeiten des Lebens unter Hitler nicht kennengelernt – ein Argument, das man den Emigranten so gern entgegenzuhalten pflegte. So beschlossen Grosser und Molo eine Ausrede. Wiechert werde nicht mitmachen, wollten sie an Becher schreiben. Er habe ja gerade in seinem Artikel *Abschied von der Zeit* erklärt, daß ihn die Öffentlichkeit nicht mehr interessiere und er in die Schweiz auswandern wolle.[39] Das traf jedoch in dieser Art nicht zu – in Wirklichkeit war Wiechert einer Pressekampagne ausgesetzt, bei der es offenkundig darum ging, die Stimme dieses unermüdlichen Mahners auszuschalten.[40]

Doch Becher wollte aus demselben Grunde nicht auf Wiechert verzichten, aus dem er von Molo und Grosser abgelehnt wurde: Das öffentliche Schuldbekenntnis eines Konservativen und national Gesinnten war Becher als Gegengewicht zu den Positionen von Molo und Thieß willkommen. Er beharrte auf Wiecherts Mitwirkung und traf Anstalten zu einer Reise, bei der er Döblin und Wiechert treffen und über ihre eventuelle Beteiligung sprechen wollte.[41] Thieß hatte ja auch schon seufzend zugestanden, daß das Projekt nicht an Wiechert scheitern sollte.[42] Und tatsächlich ist es an keinem der Beteiligten gescheitert – es versandete lautlos, als die Schützengräben des Kalten Krieges ausgehoben wurden.

Die Redlichkeit von Bechers Bemühen, die ›innere‹ und die ›äußere‹ Emigration einander näherzubringen, ist bisweilen mit dem Hinweis bezweifelt worden, Becher habe sich 1947 auf dem Ersten Deutschen Schriftstellerkongreß – dem Paradestück einer versuchten Einigung – bevorzugt mit zweitrangigen Autoren umgeben und die Hauptvertreter der ›Inneren Emigration‹ außen vor gelassen. Einmal abgesehen davon, daß eine solche Klassifizierung auf Namen wie Ricarda Huch und Elisabeth Langgässer nicht zutrifft: Aus dem Kongreßmaterial geht hervor, daß sowohl Frank Thieß als auch Walter von Molo eingeladen worden waren.[43] Das zeugt von einer beträchtlichen Risikobereitschaft der Organisatoren – die Gefahr bestand, daß der alte Streit, und sei es durch die Presse, aufs neue angeheizt wurde. Andererseits

---

39 Johann Franz Gottlieb Grosser an Walter von Molo, 3. Mai 1946 u. Walter von Molo an Johann Franz Gottlieb Grosser, 20. Mai 1946, Akademie der Künste, Berlin, Molo-Nachlaß, 43/73/809.

40 Vgl. Leonore Krenzlin, Zwischen allen Stühlen. Ernst Wiechert in der politischen Öffentlichkeit 1933-1947, in: Spurensuche. Deutsch-polnisch-tschechische Begegnungen mit einer vergessenen Klassik der Moderne, Hamburg 2000, S. 21-36.

41 Johannes R. Becher an Frank Thieß, 29. April 1946, Schloß- und Landesbibliothek Darmstadt, Thieß-Nachlaß.

42 Becher blieb in dieser Sache bei Wiechert erfolglos, aber er versuchte weiter mit ihm Kontakt zu halten und kann ihn auch im Frühjahr 1947 noch für seine Projekte interessieren. Vgl. Krenzlin, Bechers Suche (Anm. 30), S. 127.

43 Vgl. Erster Deutscher Schriftstellerkongreß. Protokoll und Dokumente, hrsg. v. Ursula Reinhold, Dieter Schlenstedt u. Horst Tanneberger, Berlin 1997, S. 25.

aber wären auch Punkte gewonnen worden, wenn Frank Thieß oder Walter von Molo sich als Gäste gezeigt hätten. Bekannt als Wortführer der öffentlich ausgetragenen Auseinandersetzung zwischen ›äußeren‹ und ›inneren‹ Emigranten, hätte schon ihre bloße Anwesenheit Signale gesetzt und ein wenigstens noch nicht erlahmtes Interesse an der Gegenseite bezeugt. Doch beide folgten – unabhängig voneinander – der Einladung nicht.

Walter von Molo scheint sich auf die Kongreßeinladung hin nicht gerührt zu haben,[44] obwohl er sichtlich auf eine Zusammenarbeit mit Becher setzte: Im Februar 1946 interessierte er sich heftig für die Zusammensetzung des Präsidiums von Bechers Kulturbund und deutete an, daß er gern aufgefordert würde, im Berliner Literaturbetrieb wieder eine Rolle zu spielen: »Ich selbst sitze hier jetzt ein wenig abseits und mag mit München mich nicht liieren bevor ich nicht weiß, ob ich nicht wieder früher oder später zu Euch zurückkehre«, so schreibt er – »wenn ich auch nicht sagen kann daß das Benehmen der Berliner mir gegenüber mich bisher besonders verwöhnt hat. So hat mich der Kulturbund hier noch nicht einmal zu finden gewußt.«[45] Daß eine fortdauernde Konfrontation mit Thomas Mann seinem angestrebten Neuaufstieg im Verbandsleben hinderlich sein mußte, war ihm ganz sicher klar, und offensichtlich wollte er die Polemik auf keinen Fall fortsetzen. Grosser erwähnt ausdrücklich das auf den offenen Brief folgende »geflissentliche Schweigen Walter von Molos«.[46] Möglicherweise wünschte Molo auch 1947 noch nicht, durch seine Anwesenheit auf dem Kongreß die Öffentlichkeit an seine Rolle zu erinnern.

Bei Frank Thieß liegen zumindest die äußeren Gründe für sein Fernbleiben auf der Hand: Er erwartete eine seit langem beantragte Ausreisegenehmigung nach Österreich, wo sich seine Ehefrau befand, und sagte deshalb seine Teilnahme bereits im Vorfeld ab – die Reise hatte bei ihm Vorrang vor jeglichem Kongreß.[47] Jedoch: Daß er zugesagt hätte, wenn sich die Termine nicht überschnitten hätten, kann daraus nicht ohne weiteres geschlossen werden. »Berlin und die ganze Ostzone entfernen sich von uns mit einer kosmischen Geschwindigkeit und nach Gesetzen, die vom Verstande nicht aufzuhalten sind«, hatte er ein paar Wochen vorher in deutlicher Distanzhaltung an Erich Ebermayer geschrieben.[48] Andererseits verfolgte er das Geschehen in Berlin desungeachtet weiter mit Aufmerksamkeit: Er wehrte sich vehement, als er

---

44 In dem umfangreichen Briefwechsel Molos habe ich keinerlei Stellungnahme zum Schriftstellerkongreß gefunden.

45 Walter von Molo an Theodor Bohner, 26. Februar 1946, Akademie der Künste, Berlin, Molo-Nachlaß, 43/73/284-287.

46 Grosser, Kontroverse (Anm. 2), S. 88.

47 Werner Grüttefien an Erich Ebermayer, 22. August 1947, Schloß- und Landesbibliothek Darmstadt, Thieß-Nachlaß.

48 Frank Thieß an Erich Ebermayer, 20. Juni 1947, ebd.

entdeckte,[49] daß Alexander Abusch ihn und Molo in einem Artikel über *Die innere und die äußere Emigration* scharf angegriffen und der Nähe zum Nationalsozialismus bezichtigt hatte.[50] Abusch bezog sich dabei auf eine Interview-Äußerung von Thieß vom Juni 1933, in der dieser die Machtergreifung Hitlers als »Durchbruch in ein neues Zeitalter« bezeichnet hatte.[51] Ähnliches hätte sich allerdings auch bei manch anderem Schriftsteller finden lassen – auch die Interviewäußerungen von Ernst Wiechert hatten bis ins Jahr 1934 hinein ihre heiklen Seiten.[52] Doch ein Wort von 1933 sagte noch nichts über die Haltung eines Autors einige Jahre später, und weder Thieß noch Molo waren in ihrer Weltanschauung und politischen Gesinnung Nationalsozialisten, sie hatten sich angepaßt. In dem Bestreben, weiterhin in Deutschland auf dem Buchmarkt zu bleiben und schriftstellerisch ihr Brot zu verdienen, hatten sie ihren Kotau vor den neuen Machthabern vollzogen und damit erreicht, daß sie als Autoren eben noch geduldet wurden.

So berechtigt Abuschs Skrupel waren, den Begriff der ›Inneren Emigration‹ einer politischen Beliebigkeit zu überlassen und ihn auch auf faktische Nutznießer oder Fürsprecher des nationalsozialistischen Regimes auszudehnen, so sicher war es auch, daß ein verständnisförderndes Gespräch und selbstkritische Entwicklungen nicht Raum greifen konnten, solange sie in einer Atmosphäre vorschneller Vorwürfe oder schlechtgeprüfter Unterstellungen stattfanden. Und die Absicht, sich schützend vor Thomas Mann zu stellen, der im Juni 1947 durch einen Artikel Manfred Hausmanns erneut zur Zielscheibe von Angriffen geworden war,[53] machte keine Neueröffnung der Polemik mit Thieß und Molo nötig. Abuschs Artikel wirkt, als habe er Bechers nun schon zwei Jahre währende Bemühungen um die Auflösung der Konflikte durchkreuzen wollen – seine Motive dafür lassen sich aus dem zugänglichen Material jedoch vorläufig nicht erkennen.

49 Frank Thieß an Johannes R. Becher, 27. Januar 1948, Johannes R. Becher an Frank Thieß, 5. Februar 1948, ebd.

50 Alexander Abusch, Die Begegnung. Die innere und die äußere Emigration in der deutschen Literatur, in: Aufbau, 3 (1947) 10, S. 223-226.

51 Hitlers Werk – eine erlösende Tat, in: Hannoversches Tageblatt, 29. Juni 1933.

52 Vgl. Leonore Krenzlin, Autobiografie als Standortbestimmung. Ernst Wiecherts *Wälder und Menschen* im Kontext seiner Entstehungszeit, in: Zuspruch und Tröstung. Beiträge über Ernst Wiechert und sein Werk, hrsg. v. Hans-Martin Pleßke (Schriften der Internationalen Ernst-Wiechert-Gesellschaft, Bd. 2), Frankfurt/M. 1999, S. 133-148.

53 Vgl. Schriftstellerkongreß (Anm. 43), S. 99f.

ERNST FISCHER

»…kaum ein Verlag, der nicht auf der Wiederentdeckungswelle der Verschollenen mitreitet.«

Zur Reintegration der Exilliteratur in den deutschen Buchmarkt nach 1945

Der Prozeß der Eingliederung der deutschen Exilliteratur in den literarischen Kanon nach 1945 wurde von der Exilforschung immer wieder als problematisch oder sogar mißlungen beschrieben; nicht selten wurde in diesem Zusammenhang auch mangelndes Interesse, ein Versagen der Verleger diagnostiziert.[1] Umso bemerkenswerter erscheinen im Rückblick die Befunde, die Ende der 1970er und am Beginn der 1980er Jahre zu einem ganz gegenteiligen Ergebnis gekommen waren: »[…] kaum ein Verlag, der nicht auf der Wiederentdeckungswelle der Verschollenen mitreitet«, befand 1979 einer der besten Kenner der Materie, Alexander Stephan, in seiner weit verbreiteten Überblicksdarstellung *Die deutsche Exilliteratur 1933-1945*,[2] und noch polemischer trat Uwe Naumann 1981 in einem Beitrag *Märker machen. Der plötzliche Boom der Exilliteratur* dem »bitteren Verdikt« Hans-Albert Walters aus dem Jahr 1970 entgegen, die Exilliteratur sei »draußen vor der Tür« geblieben.[3] Inzwischen, zehn Jahre später, könne vielmehr ein »wahrer Boom von Neuausgaben, Nachauflagen und Reprints der Exilliteratur« auf dem bundesdeutschen Buchmarkt beobachtet werden, wobei die Entdeckung dieser Literatur zuallererst ökonomischem Kalkül folge: »Mit Exilautoren kann man Geschäfte

---

1   Vgl. Frithjof Trapp, Logen- und Parterreplätze. Was behinderte die Rezeption der Exilliteratur? In: Ulrich Walberer (Hg.), 10. Mai 1933. Bücherverbrennung in Deutschland und die Folgen, Frankfurt/M. 1983, S. 240- 259; ferner Donald G. Daviau u. Ludwig M. Fischer (Hg.), Das Exilerlebnis. Verhandlungen des vierten Symposium über deutsche und österreichische Exilliteratur, Columbia, South Carolina 1982, bes. den Beitrag von Ehrhard Bahr, Das zweite Exil: Zur Rezeption der Exilliteratur in den westlichen Besatzungszonen und in der Bundesrepublik Deutschland von 1945 bis 1959 (S. 353-366); ein differenzierteres Bild ergab sich auf Konferenzen der 1990er Jahre, vgl. Dieter Sevin (Hg.), Die Resonanz des Exils. Gelungene und mißlungene Rezeption deutschsprachiger Exilautoren (=Amsterdamer Publikationen zur Sprache und Literatur, Bd. 99), Amsterdam, Atlanta 1992.
2   Alexander Stephan, Die deutsche Exilliteratur 1933-1945. Eine Einführung, München 1979, S. 12.
3   Erschienen im Oktober 1981 in: Jahrbuch für antifaschistische Literatur und Kunst *Sammlung*, Bd. 4; Vorabdruck am 19. September 1981 in der Westberliner Zeitung *Die Neue*.

machen, anno 1981 in der Bundesrepublik Deutschland.« Als Beleg dienten Naumann der Sensationalismus, der das Erscheinen von Klaus Manns *Mephisto*-Roman begleitete, und die dabei zutage tretende »Geschäftstüchtigkeit der Rowohlt-Leute«: »Im Klartext: mit kulturpolitischem Engagement für Exilliteratur hat Rowohlts Wiederentdeckung Klaus Manns nichts zu tun. Hier geht es darum, daß die Kasse klingelt. Andere Verlage stehen solcher kapitalistischen Cleverness nicht nach.« Anstelle einer Vermarktung des literarischen Exils forderte Naumann ein Engagement »jenseits von Profitdenken« ein, »um eine politisch verfemte Literatur endlich wieder einzubürgern in die Bundesrepublik.« Überlegenswerter als die vulgäridealistische Unterscheidung zwischen Vermarktung und Engagement erscheint die von Naumann gestellte Frage, ob der flutartigen Publikation von Exilwerken auch eine adäquate Rezeption entspreche:

> »Haben wir Grund, uns zufrieden zurückzulehnen und die Exilliteratur als endlich heimgekehrt, als re-integriert zu feiern? Wenn viele Exilwerke auf dem Buchmarkt zugänglich sind, wer garantiert dann, daß sie auch in die Köpfe und Herzen der Menschen gelangen? Oder gibt es jetzt schon die Gefahr, die Leser mit dem Angebot an Exilliteratur so zu überfüttern, daß sie die Orientierung oder gar die Lust verlieren?«

Wie abwegig die These von der Rezeptionsverweigerung aufgrund einer Überfütterung des Lesers auch erscheinen mag: Sie verweist auf einen Klärungsbedarf hinsichtlich des tatsächlichen Umfangs und des Verlaufs der Reintegration der Werke deutscher Exilautoren in das Bücherangebot nach 1945. Im folgenden soll dieser Frage auf zweifache Weise nachgegangen werden: zum einen in einem fünfteiligen Phasenmodell, das den zeitlichen Hergang der Reintegrationsbemühungen um die Exilliteratur verdeutlicht, zum anderen in einer (ebenfalls fünfteiligen) Typologie jener Editionsmodelle, die in diesen Bemühungen eine herausragende Rolle gespielt haben.

I. Die Marktpräsenz der deutschen Exilliteratur nach 1945 – ein Phasenmodell

1945 bis 1950 – objektive Hindernisse für Buchimport und Buchproduktion

Unmittelbar nach Ende des Zweiten Weltkriegs fehlte es nicht an Überlegungen, wie man der deutschen Bevölkerung die im literarischen Exil entstandenen Werke zugänglich machen könnte. Es ist bekannt, daß in dieser Frage die Entwicklung in den Westzonen und der sowjetisch besetzten Zone einen völlig unterschiedlichen Verlauf genommen hat. In der SBZ wurde die Publikation von Exilwerken vor allem im 1945 gegründeten Aufbau-Verlag systematisch in Angriff genommen, wobei nicht allein Werke kommunistischer Autoren, sondern auch ›bürgerlicher‹ Autoren gedruckt wurden.[4] Obwohl es sich erklärtermaßen nicht um einen ›Emigrantenverlag‹ handeln sollte, entstand so in den nachfolgenden zwei Jahrzehnten ein umfangreicher Exil-Programmschwerpunkt; einzelne Titel wurden im Rahmen planwirtschaftlicher Publikationsstrategien in zehntausenden oder sogar hunderttausenden Exemplaren herausgebracht.[5] Durch Übernahme der New Yorker Aurora-Bücherei, auch durch Einbeziehung von aus Mexiko zurückkehrenden Verlagsexperten wie Walter Janka und Paul Mayer (von El libro libre) oder Rückkehrern aus der Sowjetunion entstand vielfach ein direktes verlegerisches Kontinuum zu den Verlagen des Exils.[6] Die relative Hochschätzung der Exilliteratur in der DDR[7] dürfte sich vor allem dann in den fünfziger und sechziger Jahren, in einer vom Kalten Krieg geprägten Atmosphäre, auf die Reintegrationsbestrebungen in der Bundesrepublik negativ ausgewirkt haben. Der DDR war es gelungen, dieses Thema zu besetzen, indem sie das ›antifaschistische Exil‹ und die Exilliteratur in das eigene kulturelle Erbe eingemeindet hatte, und viele westdeutsche Verleger zogen es vor, von dieser DDR-Domäne Abstand zu halten.

In den Westzonen waren völlig andere Rahmenbedingungen gegeben: Der Wiederaufbau des Buchhandels- und Verlagswesens erfolgte hier auf rein privatwirtschaftlicher Basis, die Verleger, denen Lizenzen erteilt wurden, hatten die Zeit vor 1945 im nationalsozialistischen Deutschland zugebracht und in aller Regel wenig oder gar keine Kenntnis von der Literatur des Exils – ein Informationsdefizit, das nur sehr allmählich abgebaut werden konnte. Die

4 Vgl. Carsten Wurm, Der frühe Aufbau-Verlag. Konzepte und Kontroversen (=Veröffentlichungen des Leipziger Arbeitskreises zur Geschichte des Buchwesens, Bd. 8), Wiesbaden 1996, bes. S. 33ff. Vgl. ferner ders., Jeden Tag ein Buch: 50 Jahre Aufbau-Verlag 1945-1995, Berlin 1995.

5 Vgl. Sonderprospekt Exilliteratur im Aufbau-Verlag, o.O., o.J. (im Besitz des Verf.) – Flankiert wurde das Aufbau-Exilprogramm durch andere einschlägige SBZ/DDR-Verlage wie dem Greifen-Verlag in Rudolstadt, JWH Dietz Nachf., Bruno Henschel und Sohn, Volk und Welt, Kiepenheuer, Rütten & Loening. – Vgl. auch Klaus Schöfflings Einschätzung:»Unbestreitbar ist, daß [in der SBZ/DDR] der Exilliteratur, wie der 1933 verbrannten Literatur, breitester Raum gegeben wurde. Natürlich mit Vorrang der sozialistischen Literatur. Aber man war in den Anfängen nicht wählerisch, hatte noch keinen eigenen Literaturbegriff gebildet (bis Bitterfeld war noch ein weiter Weg) und druckte Buch um Buch, zum Teil in gigantischen Auflagen, die dennoch sofort vergriffen waren. Es ist heute fast unvorstellbar, wie diese Bücher auf die Deutschen gewirkt haben mußten.« (Klaus Schöffling, »Als ein völlig Unbekannter verweile ich hier«, in: Börsenblatt für den deutschen Buchhandel (Frankf. Ausg.), Nr. 36 v. 28. April 1982).

6 Vgl. Ernst Fischer, Keine Heimkehr aus dem Exil. Die (Nicht-)Remigration deutscher Buchhändler und Verleger nach 1945, in: Börsenblatt für den deutschen Buchhandel, 162. Jg., Nr. 37 v. 9. Mai 1995, S. 16-20.

7 Vgl. hierzu auch Frank Trommler, Die ›wahren‹ und die wahren Deutschen: Zur Nicht-Rezeption der Exilliteratur, in: Das Exilerlebnis (Anm. 1), S. 367-375.

Verleger des literarischen Exils wie Gottfried Bermann Fischer und Fritz H. Landshoff wiederum konnten ihren Startvorteil (v.a. ihre Bücherlager und die Autorenrechte) aufgrund zeitbedingter Hindernisse nicht nutzen.

Bermann Fischer hatte für die Zeit nach Beendigung des Kriegs durchaus klare Vorstellungen und Pläne entwickelt. An Hermann Broch, den er (vergeblich) für seinen Verlag gewinnen wollte, schrieb er bereits im März 1944:

> »Ich habe [...] beschlossen, mit dem Wiederaufbau in grossem Umfange schon jetzt zu beginnen und die Herausgabe der wichtigsten Werke in deutscher Sprache sowie der bedeutendsten Werke des Auslandes, soweit sie zerstoert oder noch nicht erschienen sind, schon jetzt vorzubereiten.«[8]

Er konnte nicht ahnen, daß er erst 1947, nach Überwindung beträchtlicher bürokratischer Hindernisse, das erste Mal in Nachkriegsdeutschland einreisen durfte und daß es weitere drei Jahre dauern würde, bis er – dem als amerikanischem Staatsbürger geschäftliche Unternehmungen in Deutschland verboten waren – 1950 seine verlegerische Tätigkeit regulär wieder aufnehmen konnte. In seinem 1994 erschienenen Erinnerungsbuch *Wanderer durch ein Jahrhundert* berichtete Bermann Fischer zur unmittelbaren Nachkriegssituation:

> »Wie dringend meine Rückkehr notwendig war, zeigte die Forderung der ›Re-Education‹-Behörden der amerikanischen Besatzungsarmee, unsere wichtigsten im Exil publizierten Bücher ihnen zur Verfügung zu stellen, damit sie deutschen Verlegern, die die Verlagslizenz erhalten hatten, übertragen werden könnten. Einen amerikanischen Verlegerkollegen, der für diese Behörde tätig war, fragte ich, ob *er* das tun würde. ›Glauben Sie wirklich, dass wir zehn Jahre lang unter widrigsten und gefährlichen Umständen das Werk unserer großen Autoren zusammenhielten, um sie nach Deutschland, das sie vertrieben, das ihre Bücher verbrannt hatte, zu verschenken?‹ Er sah ein, daß er Unmögliches verlangte.«[9]

Das Zustandekommen eines großen, von den Besatzungsbehörden realisierten Publikationsprogramms hätte für die Reintegration der Exilliteratur in Westdeutschland bzw. der Bundesrepublik wohl deutlich andere Voraussetzungen geschaffen. Allerdings, das Interesse Bermann Fischers an einer Eigenverwertung seiner Verlagssubstanzen ist durchaus nachvollziehbar; auch verband es sich mit dem Bewußtsein, in dieser historischen Situation eine besondere Verantwortung zu tragen. Nach der Rückkehr von seiner ersten Deutschland-

---

8   Brief Bermann Fischer an H. Broch v. 27. März 1944, abgedruckt in: S. Fischer Verlag. Von der Gründung bis zur Rückkehr aus dem Exil (= Marbacher Katalog 40), 2., durchges. Aufl., Marbach/N. 1986, S. 640.
9   Gottfried Bermann Fischer, Wanderer durch ein Jahrhundert, Frankfurt/M. 1994, S.199f.

reise nach dem Krieg im Mai 1947 betonte er in einem Interview mit dem New Yorker *Aufbau*:

> »Mein Hauptziel ist, die deutsche Exil-Literatur an das deutsche Lesepublikum in grossen Auflagen heranzubringen. Es ist eine Tatsache, dass man in Deutschland nach den Werken von Thomas Mann, Franz Werfel, Hugo von Hofmannsthal, Stefan Zweig, Carl Zuckmayer, Lion Feuchtwanger, Alfred Döblin u. s. w., und zwar sowohl nach den alten wie den in der Emigration geschriebenen, dringend verlangt.«[10]

Immerhin war es Bermann Fischer im Zuge seines Deutschland-Aufenthalts gelungen, mit der Re-Education-Behörde eine Vereinbarung zu erzielen, derzufolge er Lizenzrechte an Exilwerken Thomas Manns (*Lotte in Weimar*, *Doktor Faustus*), Franz Werfels (*Das Lied von Bernadette*), Stefan Zweigs (*Die Welt von Gestern*) und Carl Zuckmayers (*Des Teufels General*) an den von Peter Suhrkamp treuhänderisch verwalteten, im Inland verbliebenen Verlagszweig in Berlin (seit 1947 in Frankfurt) vergeben konnte,[11] wo diese Bücher 1948/49 tatsächlich auch erschienen:

> »Mit meiner ganzen Energie ging ich daran, den Suhrkamp Verlag vorm. S. Fischer durch Zuführung meiner Verlagswerke zu reaktivieren. Ich gab dem Suhrkamp Verlag an Lizenzausgaben, was nur immer möglich war. So entstand 1948, nachdem ich auch noch das nötige Papier beschafft hatte, ›S. Fischers Bibliothek‹, eine billige Buchreihe mit den glanzvollsten Autoren und den attraktivsten Titeln. Diese Bände waren kartoniert, die Erstauflagen schwankten zwischen 30 000 und 45 000 Exemplaren, die Ladenpreise lagen zwischen Mark 2,80 und 4,00.«[12]

Auf die Umschlagklappen ließ der Verleger einen Vermerk aufdrucken, der das ideelle Motiv dieser Vorgangsweise unterstrich:

> »Die Autoren des Bermann Fischer Verlages und der Verlag selbst haben diese Reihe durch weitgehenden Verzicht auf materiellen Ertrag ermöglicht, um die Kontinuität der deutschen Literatur wiederherzustellen.«[13]

---

10 Aufbau vom 28. November 1947, S. 14f., zit. n. Irene Nawrocka, Verlagssitz: Wien, Stockholm, New York, Amsterdam. Der Bermann-Fischer Verlag im Exil (1933-1950). Ein Abschnitt aus der Geschichte des S. Fischer-Verlages, in: Archiv für Geschichte des Buchwesens 53 (2000), S. 1-216, hier S. 180.

11 Vgl. Nawrocka, Der Bermann-Fischer Verlag im Exil (Anm. 10), S. 178.

12 Bermann Fischer, Wanderer durch ein Jahrhundert (Anm. 9), S. 200f. – Nach Angaben Irene Nawrockas sind damals »die bedeutendsten Werke der emigrierten Autoren in Auflagen von 80 000 bis 150 000 zu erschwinglichen Preisen und in annehmbarer Ausstattung in drei Zonen Deutschlands, ausgenommen der russischen, auf den Buchmarkt gebracht worden, wobei Peter Suhrkamp das Alleinrecht für die Veröffentlichungen erhielt.« (Nawrocka, Der Bermann-Fischer Verlag im Exil (Anm. 10), S. 180).

13 Zit. n. Bermann Fischer, Wanderer durch ein Jahrhundert (Anm. 9), S. 201.

Mit der Lizenzproduktion reagierte Gottfried Bermann Fischer auf die fakti-
sche Unmöglichkeit einer Einfuhr von Büchern nach Deutschland. Der Verleger hätte sowohl von Stockholm aus wie auch aus Amsterdam, wo er nach der
Trennung vom schwedischen Bonnier-Konzern (1948) bis 1950 den Verlagssitz genommen hatte, sowie auch aus der wieder errichteten Niederlassung in
Wien[14] den deutschen Markt mit einem kompletten Programm erstrangiger
Exilliteratur[15] beliefern können, mußte aber feststellen, daß in den ersten
Nachkriegsjahren eine Rückführung von Exilwerken nach Deutschland aufgrund von Importverboten der alliierten Militärregierungen, vor allem wegen
strenger Devisenbeschränkungen, nicht bewerkstelligt werden konnte. Gleiches galt für den Amsterdamer Querido-Verlag, dessen Leitung 1945 wieder
von Fritz H. Landshoff übernommen worden war, bis er 1948 im Bermann-
Fischer-Verlag aufging. Landshoff berichtet in seinen Erinnerungen hierzu:

»Im Herbst [1945] kehrte Bermann-Fischer nach Stockholm zurück und
ich nach Amsterdam. Freilich mußten wir – Bermann-Fischer in Schweden
und ich in Holland – schnell erkennen, dass die von Verlegern und Autoren seit 1933 mit größten Hoffnungen erwartete Öffnung des deutschen
Marktes für die Exilliteratur vorläufig ausblieb und wir erneut einer qual-
vollen, zeitlich unabsehbaren Periode des Wartens ausgesetzt waren.«[16]

Der Querido-Verlag, der nennenswerte Absatzerfolge nur innerhalb der Nie-
derlande erzielen konnte, hatte damals eine außerordentlich breite Palette
von Werken deutscher Exilschriftsteller anzubieten, von Heinrich Mann,

---

14 In der in Wien 1947 interimistisch errichteten Zweigstelle kam bis 1951 eine Anzahl
    von Titeln heraus (1948: 16, 1949: 12 Titel), darunter die Wiener Ausgabe von Thomas
    Manns *Doktor Faustus* und das von Friedrich Torberg redigierte *Zehnjahrbuch*, ein Al-
    manach, der Rechenschaft über die in den Jahren 1938 bis 1948 in den Verlagen Ber-
    mann Fischers publizierten Bücher gab. Von Wien aus konnte noch am ehesten nach
    Deutschland geliefert werden, vgl. Nawrocka, Der Bermann-Fischer Verlag im Exil
    (Anm. 10), S. 183.

15 Zu den in Schweden vorhandenen Beständen kamen nach Kriegsende die überra-
    schenderweise unversehrt gebliebenen Bücherlager in den Niederlanden; es handelte
    sich um beträchtliche Mengen Rohbogen, die nur aufgebunden werden mußten. In
    den Jahren 1945 bis 1950 wurden darüber hinaus in Stockholm und Amsterdam zahl-
    reiche Werke neu aufgelegt, u.a. von Thomas Mann, Franz Werfel, Stefan Zweig, Carl
    Zuckmayer, Joseph Roth, Bruno Frank, Joachim Maass, Friedrich Torberg. Vgl. Na-
    wrocka, Der Bermann-Fischer Verlag im Exil (Anm. 10), S. 168.

16 Fritz H. Landshoff, Amsterdam, Keizersgracht 333, Querido Verlag. Erinnerungen eines
    Verlegers, Berlin, Weimar ²1991, S. 165. – Vgl. hierzu auch Hans Albert Walter u.
    Günter Ochs (Hg.), Ich hatte einst ein schönes Vaterland. Deutsche Literatur im Exil
    1933-1945. Eine Auswahlbibliographie mit einer Einführung, Gütersloh, Aachen 1985,
    S. 276: »Die Einfuhr der in Amsterdam, in Zürich oder Stockholm gedruckten Werke
    der Exilliteratur ist an der Devisenhürde freilich völlig gescheitert. Parallel zum Aus-
    fuhrverbot für Honorare bestand ein Einfuhrverbot für kommerzielle Druckerzeugnisse.
    Ausnahmen wurden nur zugelassen, wenn ein Buch ins Umerziehungsprogramm der
    amerikanischen Militärregierung paßte.«

Anna Seghers, Joseph Roth und Leonhard Frank über Robert Neumann, Hermann Kesten, Lion Feuchtwanger und Annette Kolb bis zu Emil Ludwig, Vicky Baum, Bruno Frank, Martin Gumpert; 1947 erschien in dem Verlag auch Max Horkheimers und Theodor W. Adornos *Dialektik der Aufklärung*. Werke bedeutender Exilautoren standen für eine Einfuhr nach Deutschland auch in Max Taus Neuem Verlag[17] in Stockholm oder in Zürich bei Oprecht bereit. In diesen Fällen scheiterte der Import größerer Mengen ebenfalls an den Devisenbestimmungen der alliierten Militärregierungen.

Die Auswirkungen dieser Einfuhrbehinderungen waren umso einschneidender, als im Land selbst alle verlegerischen Aktivitäten aufgrund der Papierknappheit starken Einschränkungen unterlagen; generell konnte die enorme Nachfrage nach Büchern im Nachkriegsdeutschland mit den fast durchgehend in kleinen Auflagen erscheinenden Titeln nicht gestillt werden.[18] Werke des literarischen Exils in das Verlagsprogramm aufzunehmen bot sich umso weniger an, als dieses Phänomen vorerst weder von den Verlegern selbst noch vom Publikum überblickt werden konnte; erst mit bilanzierenden Veröffentlichungen wie Drews/Kantorowicz' *Verboten und verbrannt* (1947) verbreitete sich die Kenntnis über Umfang und Bedeutung der zwischen 1933 und 1945 außerhalb des nationalsozialistischen Deutschlands entstandenen Literatur.[19] Zudem verhinderten die strengen Devisenbestimmungen eine Überweisung von Honoraren ins Ausland, so daß mit nicht remigrierten Autoren (dies war die große Überzahl) keine Verträge abgeschlossen werden konnten; verschiedentlich traten Copyrightprobleme hinzu. Nicht zuletzt ergaben sich fallweise weitere Restriktionen aus der rigiden Indizierungspraxis der westalliierten Besatzungsbehörden, die sich in Verfolgung ihrer Umerziehungsmaßnahmen immer stärker auch gegen linksorientierte Schriftsteller richtete.

17 Vgl. Irene Nawrocka, Kooperationen im deutschsprachigen Exilverlagswesen, in: Exilforschung. Ein internationales Jahrbuch 22 (Bücher, Verlage, Medien), München 2004, S. 60-83, hier S. 75-79. Im Rahmen seines 27 Titel umfassenden Programms waren u.a. Werke von Johannes R. Becher (*Deutschland ruft. Gedichte*, 1944), Heinrich Mann (*Ein Zeitalter wird besichtigt*, 1946), Arnold Zweig (*Das Beil von Wandsbek*, 1947), Lion Feuchtwanger (*Simone*, 1945; *Jud Süß*, 1950), Th. Th. Heine (*Ich warte auf ein Wunder*, 1945), Alfred Neumann (*Es waren ihrer sechs*, 1945; *Der Teufel*, 1946; *Der Pakt*, 1949; *Neuer Cäsar*, 1950) erschienen. Weitere Titel waren geplant, wegen der Einfuhrsperre nach Deutschland mußte Max Tau jedoch die Verlagstätigkeit 1950/51 einstellen.

18 Vgl. Ernst Umlauff, Der Wiederaufbau des Buchhandels. Beiträge zur Geschichte des Büchermarktes in Westdeutschland nach 1945, Frankfurt/M. 1978.

19 Richard Drews u. Alfred Kantorowicz (Hg.), Verboten und verbrannt. Deutsche Literatur – 12 Jahre unterdrückt, Berlin, München 1947. Auch die von Kantorowicz 1947-1949 hrsg. Zeitschrift *Ost und West* suchte den Blick auf die Emigrationsliteratur zu lenken.

Allen Hindernissen zum Trotz brachten jedoch auch die Verleger in den Westzonen eine nicht geringe Zahl von Exilwerken heraus, von Ernst Rowohlt (Alfred Polgar, Theodor Plievier) über Willi Weismann (z.B. Alexander Granach, Ernst Waldinger) bis zum Rhein-Verlag (mit Hermann Broch); Anna Seghers' *Transit* erschien 1948 bei Weller in Konstanz, mehrere Exilwerke von Alfred Döblin kamen bei Keppler in Baden-Baden heraus, sein autobiographisches Werk *Schicksalsreise* im Verlag in der Carolus-Druckerei in Frankfurt a.M., *D-Zug dritter Klasse* (1946) sowie *Bilder und Gedichte aus der Emigration* (1947) von Irmgard Keun erschienen in Köln im Epoche-Verlag, Bücher von Gustav Regler bei Behrendt in Stuttgart oder im Saar-Verlag in Saarbrücken, um einige Beispiele zu nennen. Im Verlag Kurt Desch sind zwischen 1945 und 1950 erschienen Eduard Claudius' *Grüne Oliven und nackte Berge* (1945), Oskar Maria Grafs *Das Leben meiner Mutter* (1946) und *Die Eroberung der Welt* (1949), Theodor Plieviers *Stalingrad* (1948), Anna Seghers' *Das siebte Kreuz* (1947), Wolfgang Langhoffs *Die Moorsoldaten* (1946) sowie Werke von Johannes R. Becher, Max Brod, Oskar Maria Graf, Hermann Kesten, Alfred Neumann, Robert Neumann, Arnold Zweig und noch anderen Exilautoren.[20] Aus diesen Beobachtungen ergibt sich ein doppelter Befund: Zum einen fällt auf, daß sich die Publikationen exilliterarischer Werke auf viele kleinere und für eine Durchsetzung und nachhaltige Pflege dieses Bereichs kaum vorbereitete Verlage verteilte; viele von ihnen verschwanden denn auch bald nach der Währungsreform 1948 wieder von der Bildfläche, ihre Namen sind heute vergessen. Zum anderen aber erscheint es im Blick auf die genannten Beispiele nicht angemessen, für die ersten Nachkriegsjahre von einer prinzipiellen Nichtzugänglichkeit von Exilliteratur und einer totalen Nichtbeachtung der emigrierten Schriftsteller seitens der Verleger auszugehen. Zu ausgeprägt waren aber, sowohl im Publikum wie auch unter den Exponenten der literarischen Öffentlichkeit, die Vorbehalte gegenüber den ins Exil Geflüchteten und den (wenigen) Rückkehrern, als daß eine adäquate Rezeption der Bücher möglich gewesen wäre. Diese ungünstige Stimmungslage hat sich nach der Errichtung der beiden deutschen Staaten und der manifest gewordenen weltpolitischen Ost-West-Spannungen keineswegs verbessert.

1950 bis 1968 – Verleugnung des Exils

Wenn das restaurative kulturelle Klima der 1950er Jahre, der Antikommunismus der Adenauerzeit, die Nachwirkungen der ressentimentgeladenen Emigrantendebatten einer Rezeption von Exilliteratur absolut nicht förderlich waren, so gehörten die Verleger sicherlich zu den ersten, die diese Zeitstimmung registrierten und daraus ihre Konsequenzen zogen. Wie hätte sich der

---

20 Vgl. Verlag Kurt Desch 1945-1970. Die Bibliographie, München 1970.

Exilliteratur ein produktives verlegerisches Umfeld schaffen lassen in einer Zeit, in der die Remigranten Deutschland ein zweites Mal verließen? 1953 schrieb Alfred Döblin an den Bundespräsidenten Theodor Heuss:

>»Ich kann nach den sieben Jahren, jetzt, wo ich mein Domizil in Deutschland wieder aufgebe, nur resümieren: Es war ein lehrreicher Besuch, aber ich bin in diesem Lande, in dem ich und meine Eltern geboren wurden, überflüssig.«[21]

Hans-Albert Walter hat die Situation dieses erneuerten, zweifachen Exils auf den Punkt gebracht:

>»Vollends war das Kapitel Reintegration fürs erste abgeschlossen, wenigstens, was die Bundesrepublik anging. Der Exilierte, in sein Heimatland zurückgekehrt, nun, er tat gut daran, stille zu sein, und seine Erlebnisse ›draußen‹, ja selbst die Tatsache für sich zu behalten, daß er ›draußen‹ gewesen ist. Fast zwei Jahrzehnte blieb das so, und auch der Großteil der im Exil entstandenen Literatur blieb draußen vor der Tür.«[22]

Allerdings sind auch im Laufe der 1950er und 1960er Jahre Werke der Exilliteratur in durchaus nennenswerter Zahl ediert worden; in Anbetracht der Zeitstimmung verzichteten die Verlage jedoch auf eine allzu deutliche Deklarierung dieser Werke als Exilwerke. Ein eklatantes Beispiel dafür lieferte der bereits erwähnte Münchner Verleger Kurt Desch, der sich, unter Vertuschung seiner nationalsozialistischen Vergangenheit, noch 1945 eine Verlagslizenz sichern und im Rahmen seiner schwunghaften Tätigkeit auch eine Reihe prominenter Exilschriftsteller an seinen Verlag binden konnte.[23] Als 1956 ein Jubiläumsbändchen mit dem vereinnahmenden Titel *Unsere Freunde die Autoren* erschien, wurden dort mit Porträtbild und Kurzbiographie unter anderen Ulrich Becher, O. M. Graf, Hermann Kesten, Kurt Kläber, Arthur Koestler, Joachim Maass, Robert Neumann, Theodor Plievier, Erich Maria Remarque, aber auch Bertolt Brecht und Anna Seghers aufgeführt, sogar Thomas Mann, obwohl dieser nur einmal ein Vorwort für ein Buch des Kurt Desch-Verlags geliefert hatte. Bezeichnenderweise wurde in den meisten Kurzbiographien die Exilzeit teils heruntergespielt, teils komplett verschwiegen. 1970 erschien erneut eine Jubilä-

21 Zit. n. Landshoff, Amsterdam, Keizersgracht (Anm. 16), S. 172. Vgl. zu der Problematik auch Peter Mertz, Und das wurde nicht ihr Staat. Erfahrungen emigrierter Schriftsteller mit Westdeutschland, München 1985.

22 Hans-Albert Walter, »Als ich wiederkam, da – kam ich nicht wieder.« Vorläufige Bemerkungen zu Rückkehr und Reintegration von Exilierten 1945-1949, in: Hans-Albert Walter u. Günter Ochs (Hg.), Ich hatte einst ein schönes Vaterland (Anm. 16), Gütersloh, Aachen 1985, S. 259-279, hier S. 278f.

23 Vgl. Bernd R. Gruschka, Der gelenkte Buchmarkt. Die amerikanische Kommunikationspolitik in Bayern und der Aufstieg des Verlages Kurt Desch 1945 bis 1950, in: Archiv für Geschichte des Buchwesens 44 (1995), S. 1-186, bes. S. 110ff.

umsschrift für Kurt Desch, begleitet von einer Verlagsbibliographie, die für die 25 Bestandsjahre (des damals wohl produktivsten deutschen Verlages überhaupt) rund 4000 Titel nachwies, unter ihnen eine beträchtliche Anzahl von Publikationen ehemaliger Exilautoren.[24] Neben den bereits oben erwähnten waren dies – um wieder nur einige prominentere Beispiele zu nennen – Frank Arnau, Hans Habe (8 Titel), Joachim Maass (5), Robert Neumann (16), Erich Maria Remarque (4); in seinem Theaterverlag führte er u.a. Bertolt Brechts Stück *Herr Puntila und sein Knecht Matti*. Fast ein Programmschwerpunkt hatte sich im Bereich der Autobiographien herausgebildet, mit Oskar Maria Graf (*Gelächter von außen*, 1966), Arthur Koestler (*Pfeil ins Blaue*, 1953; *Die Geheimschrift*, 1955), Hans Habe (*Ich stelle mich*, 1954) und Robert Neumann (*Ein leichtes Leben*, 1963). Nicht wenige Exilwerke sind außerdem in den 1950er Jahren im Rahmen der von Desch errichteten Buchgemeinschaft »Welt im Buch« als Hauptvorschlagsbände ausgewählt worden (z.T. mehrfach Remarque, Plievier, Kesten, Vicki Baum, Robert Neumann, Joe Lederer, Maass, Habe). Alle Veröffentlichungen der früheren Emigranten erscheinen jedoch unterschiedslos eingereiht in den großen Strom der Verlagsproduktion; an keiner Stelle wird der Exilaspekt hervorgekehrt. Daß Desch darauf wenig Wert legte, läßt im Jubiläumsalmanach 1970 auf exemplarische Weise auch der Beitrag Hermann Kestens erkennen, einer Apotheose der Freundschaft mit »seinem« Verleger, in der er aber die Themen Emigration bzw. Nichtremigration sorgfältig zu vermeiden wußte.[25] Vieles deutet darauf hin, daß Kurt Desch, der unterschiedslos auch einen Hans Hellmut Kirst als Hausautor betreute, im Rahmen seines enormen verlegerischen Expansionsdrangs den Autorenmarkt ›leerzukaufen‹ suchte; die Pflege eines Programmschwerpunkts Exil war ihm keinesfalls ein Anliegen.

Die offenbar ›geschäftsstörende‹ Kategorisierung von Autoren als Exilschriftstellern konnte noch auf andere Weise umgangen werden: durch die Veranstaltung von Gesamtausgaben. In der Zusammenstellung von Werken aus verschiedenen Perioden, sei es aus den zwanziger Jahren oder auch mit solchen aus den Jahren nach 1945, verschliffen sich allzu enge Zuordnungen und Etikettierungen von selbst. Allerdings drückt sich in Werkausgaben prinzipiell auch ein besonderes verlegerisches Engagement für einen Autor aus, zumal sie im Regelfall mit beträchtlichem Kapitaleinsatz verbunden sind; vor allem aber sind solche Ausgaben ein wichtiger Schritt in Richtung einer literarischen Kanonisie-

---

24 Vgl. Anm. 20.
25 Vgl. Hermann Kesten, Verleger und Autoren, in: 25 Jahre Verlag Kurt Desch 1945-1970. Ein Almanach, München 1970, S. 12f. (Der Beitrag war auch bereits enthalten in: Kurt Desch. Ein Buch der Freunde 1968, München 1968, S. 180-185). Daß sich der in der Schweiz lebende Kesten mit dieser Problematik damals sehr intensiv auseinandersetzte, belegen u.a. die bei Desch publizierte Briefsammlung *Deutsche Literatur im Exil. Briefe europäischer Autoren* (1964) sowie das von ihm im List-Verlag herausgegebene Buch *Ich lebe nicht in der Bundesrepublik* (1964).

rung. Im Falle der Exilliteratur wurde in den 1950er und 1960er Jahren das Risiko den Verlegern oft schlecht gelohnt. An die mehr als kühle Aufnahme solcher Gesamtausgaben erinnerte sich Fritz H. Landshoff:

»Zum Beispiel fand ein großer Schriftsteller wie Leonhard Frank bald, nachdem ihm die Möglichkeit gegeben wurde, nach Deutschland zurückzukehren, in München einen vortrefflichen Verleger, Berthold Spangenberg, den Leiter der Nymphenburger Verlagsanstalt, der nicht nur sein neues Buch veröffentlichte, sondern auch sein früheres Gesamtwerk, einschließlich der im Exil entstandenen Bücher. Aber weder beim Publikum noch bei der Presse stellte sich der erwartete Erfolg für ihn in den Westzonen, wo er nun lebte, ein. Auch einige andere Verlage der Bundesrepublik brachten einzelne Bücher von Exilautoren – so der Verlag Kiepenheuer & Witsch, der mich in den frühen fünfziger Jahren in die Verlagsleitung aufnehmen wollte und eine Gesamtausgabe der Werke von Joseph Roth und René Schickele zu veröffentlichen begann.«[26]

Hieran ließen sich noch weitere, ähnlich gelagerte Beispiele anfügen. Der Claassen-Verlag etwa machte in den sechziger Jahren mit der in Lizenz herausgegebenen Ausgabe der *Gesammelten Werke in Einzelausgaben* von Heinrich Mann oder der seit 1965 erscheinenden Werksammlung von Albert Drach keine besseren Erfahrungen als Spangenberg.

1968 bis 1977 – Wiederentdeckung der Exilliteratur im Zeichen gesellschaftskritischer Positionen

Eine folgenreiche Änderung der Rahmenbedingungen ergab sich erst in den ausgehenden 1960er Jahren mit der Entstehung einer kritischen Öffentlichkeit im Zeichen der Studentenbewegung und der symbolkräftigen Übernahme der Kanzlerschaft durch den ehemaligen politischen Emigranten Willy Brandt. Zwar waren es vorzugsweise die Bereiche der Soziologie oder der Gesellschaftsphilosophie, in denen die Reintegration des intellektuellen Exils auf spektakuläre Weise gelang; dafür steht vor allem die bekannte Formel von der ›Suhrkamp-Kultur‹, deren Entstehung sich in der Hauptsache den Werken Max Horkheimers, Theodor W. Adornos, Herbert Marcuses, Walter Benjamins, Ernst Blochs oder Siegfried Kracauers verdankt. Nicht im gleichen Maße erfolgte der Durchbruch im Bereich der Exilliteratur. Natürlich war Brecht in aller Munde. Den revoltierenden Studenten ging es jedoch in erster Linie um den Antifaschismus, der aus den literarischen Werken des Exils destilliert werden konnte. Wilfried F. Schoeller formulierte diese politische Aktualisierungstendenz stellvertretend für eine ganze Generation:

---

26 Landshoff, Amsterdam, Keizersgracht (Anm. 16), S. 169.

»1967/68 wurde für uns die Exilliteratur der Tresor auch für oppositionelle Haltungen mit der Entdeckung und Rekonstruktion der verlorenen, vergessenen, verbrannten sozialistischen Bibliothek.«[27]

Um die Situation aber nicht zu einseitig darzustellen: Bei Suhrkamp/Insel erschienen nun auch Werkausgaben von Ödön von Horváth (1972) oder Hermann Broch (*Kommentierte Werkausgabe*, seit 1976).

Entscheidend für diesen Wandel war, daß in den ausgehenden sechziger Jahren eine organisierte Exilforschung entstand und daß Exilliteratur nun auch in den Seminaren der Universitäten, die sich bis dahin – bedingt auch durch fatale personelle Kontinuitäten aus der Zeit des Nationalsozialismus – diesem Bereich weitgehend verschlossen hatten, zum Thema wurde; erst der Generationswechsel machte den Weg hierzu frei.[28] Die Verleger sahen nunmehr eine klar definierte Zielgruppe und wurden mutiger; Reihengründungen, von denen weiter unten noch zu berichten sein wird, dokumentieren die neue Dimension dieses gesteigerten Engagements. Flankiert wurde es von der teilweise verdeckt bzw. auf Umwegen erfolgenden Reintegration von Exilautoren wie zum Beispiel über das neuerwachte Interesse am Expressionismus oder an der Avantgarde der Frühen Moderne (z.b. bei der edition text + kritik). Eine eigene Rezeptionsschiene ergab sich über die DDR-Literatur, wofür die im Luchterhand-Verlag erschienenen Werke von Anna Seghers ein Beispiel liefern. Die Zahl der Verlage, in denen damals Einzelwerke oder auch Werkauswahlen von Exilschriftstellern erschienen sind, war – von Lambert Schneider (Otto Zoff, Paul Kornfeld, Alfred Mombert, Hans Sahl) bis Scriptor (Martin Beradt, Georg Hermann) – nicht mehr ohne weiteres zu überblicken.

1977 bis Ende der achtziger Jahre – »die große Neudruckwelle«

In den ausgehenden 1970er und vor allem in den 1980er Jahren wurde in dem hier zu beschreibenden Prozeß ohne Zweifel eine neue Stufe erreicht, insofern jetzt – in einschlägig deklarierten Reihen bzw. Programmschienen der Verlage – die Rezeption der Exilliteratur *als* Exilliteratur einsetzte.[29] Da-

27 Wilfried F. Schoeller, Nichtidentitäten begreifen! In: Volker Heigenmooser u. Johann P. Tammen (Hg.), Verlegen im Exil. Dokumentation des Bremerhavener P.E.N.-Symposiums 97, Bremerhaven 1997, S. 53.

28 Dieser Aspekt wird hervorgehoben von Ulrich Walberer, Eine unendliche Geschichte. Vom Elend der schleppenden Reintegrierung der deutschsprachigen Exil-Literatur in den allgemeinen Kanon der Literatur, in: Thomas Koebner u. Erwin Rotermund (Hg.), Rückkehr aus dem Exil. Emigranten aus dem Dritten Reich in Deutschland nach 1945. Essays zu Ehren von Ernst Loewy, Marburg 1990, S. 165-169, hier S. 166.

29 Aufschlußreich sind in diesem Zusammenhang die Zusammenstellungen lieferbarer Exilwerke wie: Verbrannte Bücher, verfemte Dichter. Deutsche Literatur: 1933-1945 unterdrückt und verboten, heute lieferbar. Zusammengestellt von Margot Wiesner, Frankfurt/M. 1983. Das Verzeichnis enthielt 1270 Titel.

mit kommt eine Vermarktungsstrategie ins Spiel, für die es bis dahin noch keine Voraussetzungen gegeben hat. Nach Vorschlag des Verlegers Klaus Schöffling läßt sich der Beginn dieser neuen Phase recht präzise mit dem Jahr 1977 datieren.

»*Ein* Datum für den Neubeginn in der Beschäftigung mit Exilliteratur läßt sich festmachen: 1977 erschien im Verlag Beltz & Gelberg die Buchausgabe von Jürgen Serkes Zeitschriftenserie *Die verbrannten Dichter*. [...] Es läßt sich sehr genau verfolgen, daß die große Neudruckwelle erst nach Erscheinen von Serkes Buch begann, und insofern hat er mit seinem Buch den Anstoß für eine Wiederentdeckung gegeben.«[30]

Die Marktgängigkeit der Exilliteratur war jedoch auch mit derartigen, über das bisherige Publikum weit hinausgreifenden Popularisierungen des Themas keineswegs gesichert, wie einmal mehr ein Blick auf den Claassen-Verlag zeigt, der um 1980 neben einer Werkausgabe zu Irmgard Keun auch eine zu Walter Mehring herausbrachte. Bei Mehring dürfte jedoch nur *Die verlorene Bibliothek* mehr als 3000 Mal verkauft worden sein, während die meisten anderen Bände unter tausend blieben.[31] Nicht wie erhofft dürfte auch der Absatz der bei Hanser 1978 erschienenen Ausgabe der Gesammelten Werke von Ernst Toller und der 1982 bei Suhrkamp herausgebrachten Werkausgabe von Ernst Weiß verlaufen sein.

Erstaunlich bleibt aber, wie viele Verlage – und wie unterschiedliche Verlage – sich jetzt auf diesem Feld betätigten: Neben den genannten wie Suhrkamp, Hanser, Claassen waren das Rowohlt oder Kiepenheuer & Witsch, aber auch Verlage wie Langen Müller (mit Feuchtwanger), Bastei Lübbe (Leonhard Frank), Süddeutscher Verlag (O. M. Graf), Ullstein (H. Kesten, W. Mehring, Remarque, Vicki Baum), dtv (u.a. Alfred Döblin), Klett-Cotta (Rudolf Borchardt), Bertelsmann (Stefan Heym), Piper, Europa Verlag (Arthur Koestler), Droemer-Knaur (Vicki Baum), Heyne (Gina Kaus), Kreißelmeier, der Guhl Verlag in Berlin mit der Reihe ›Anpassung und Widerstand‹ (Koestler, Stephan Lackner, Ernst Ottwalt, Gerhart Seger, Walter Schönstedt), Reclam usf. Die Liste ist verlängerbar und scheint fast dem eingangs zitierten Diktum Alexander Stephans Recht zu geben. Berührungsängste der Verlage mit Exilliteratur hat es damals offensichtlich nicht mehr gegeben.[32]

---

30 Schöffling, »Als ein völlig Unbekannter verweile ich hier« (Anm. 5), S. 1082.
31 Vgl. die Angaben von Ernst J. Walberg, der für *Die verlorene Bibliothek* mehr als 3000 Exemplare, für *Müller. Chronik einer Sippe* knapp 3000, für die Gedichte, Novellen, andere Romane unter 1000 verkaufte Exemplare ermittelte; sie »liefen nicht«. Ernst J. Walberg, Wiederentdeckt, verramscht, vergessen? Exilliteratur: Ein Thema im Trend und doch im Abseits, in: Badische Zeitung (Freiburg), 7. Mai 1985.
32 Ein bezeichnendes Detail: Nach Margot Wiesners Liste *Verbrannte Bücher, verfemte Dichter* (Anm. 29) waren 1983 neun Bücher von Friedrich Torberg lieferbar; diese waren in insgesamt sieben Verlagen erschienen, nämlich bei Langen Müller, Goldmann, Medusa, Moewig, Molden, Zsolnay und dtv.

1990 bis zur Gegenwart – schwindendes Interesse?

Zu den fünfzehn Jahren, die seit dem Fall der ›Mauer‹ und des Eisernen Vorhangs vergangen sind, entwickeln wir im Grunde noch zu wenig Distanz, um abschließend beurteilen zu können, ob wir seither eine Phase der Normalisierung im Verhältnis zur Exilliteratur oder schlicht abnehmendes Interesse am Thema beobachten. Mit Sicherheit hat es einiges an Reizstoff verloren, auch macht sich die Auffassung breit, daß literarische und damit auch verlegerische Entdeckungen in diesem Bereich nur noch selten gemacht werden können.[33] Wie wenig zutreffend diese Einschätzung ist, bewiesen in diesem Zeitraum bzw. beweisen bis heute Verlage wie Promedia (Hermynia zur Mühlen) und Picus (in Zusammenarbeit mit der Österreichischen Exilbibliothek) in Österreich oder in der Bundesrepublik der Persona-Verlag, der Verlag zu Klampen (mit der Soma Morgenstern-Werkausgabe) und der Weidle-Verlag. Im Folgenden sollen nun einige modellhafte Konzepte beleuchtet werden, die in den vergangenen 25 Jahren auf je unterschiedliche Weise Maßstäbe gesetzt haben im Versuch, der Exilliteratur öffentliche Aufmerksamkeit und einen Absatzmarkt zu erschließen.

II. Editionsmodelle zur verlegerischen Reintegration von Exilliteratur

Modell 1 –
Die Reihe Exilliteratur *des Gerstenberg Verlags in Hildesheim*

Zwischen 1977 und 1986 erschien im Gerstenberg Verlag in Hildesheim die Reihe *Exilliteratur*, herausgegeben von Hans-Albert Walter und dem Direktor der Deutschen Bibliothek in Frankfurt am Main Werner Berthold, insgesamt 20 Bände mit Werken von Friedrich Alexan, Theodor Balk, Alfred Döblin, Bruno Frei, Alexander Moritz Frey, Hellmut von Gerlach, Martin Gumpert, Werner Hegemann, Heinz Liepman, Rudolf Olden, Gustav Regler, Wilhelm Speyer, Fritz Sternberg u.a.m. Der damals auf Wissenschaftsliteratur spezialisierte Verlag war auf das Angebot der beiden Herausgeber eingegangen, weil er sich u.a. eine positive Außenwirkung versprach; die Reihe sollte eine Art Profilierungsschiene gegenüber der Germanistik werden.[34] Merkantile Überlegungen spielten insofern eine wichtige Rolle, als sich die Reihe an den erfolgreichen Reprintserien orientierte, die – wie Kraus Reprint – mit

---

33 So hat Joachim Kersten in seiner Besprechung den vom Bonner Stefan Weidle-Verlag herausgebrachten Roman von Hermann Borchardt *Die Verschwörung der Zimmerleute* demonstrativ angekündigt als »das letzte große bislang ungedruckte Werk des deutschen Exils« (Die Zeit, 26. Februar 2004).

34 Herrn Wolfgang J. Dietrich, Leiter des Vertriebs im Gerstenberg Verlag, bin ich für vielfältige Hinweise und Hintergrundinformationen zu besonderem Dank verpflichtet.

der Füllung von kriegs- und diktaturbedingten Lücken in den Bibliotheken gute Geschäfte gemacht hatten. In einem Sonderprospekt hieß es:

»Die neue Buchreihe ›Exilliteratur‹ will einen Eindruck von der Weite und Vielfalt der literarischen Produktion des deutschen Exils vermitteln und zugleich Bücher zugänglich machen, die größten Seltenheitswert besitzen und gegenwärtig z. T. antiquarisch Höchstpreise erzielen.«[35]

Das Ausstattungskonzept zielte auf eine eindeutige Identifizierbarkeit der Reihe *Exilliteratur* als eine eigene Marke. Den mit einem einheitlichen, nur farblich variierten Umschlagentwurf ausgestatteten, auf ein einheitliches Format gebrachten photomechanischen Nachdrucken waren Nachworte nur in wenigen Fällen beigegeben; das Reprintverfahren unterstrich den dokumentarischen Charakter des Unternehmens. Hauptzielgruppe waren Bibliotheken und Archive sowie die schmale Schicht eines akademischen Publikums, das mit der Anschaffung dieser Bücher wissenschaftliche Interessen, seltener wohl ein Sammlerinteresse verband; für letzteres war die Ausstattung nicht attraktiv genug. Die Verkaufspreise waren so kalkuliert, daß eine Anschaffung von privater Seite noch in Frage kam; die Bände wurden zu DM 24,– bis 34,–, in einzelnen Fällen zu DM 47,– pro Band angeboten. Die Höhe der Auflage belief sich auf 800 Exemplare bei Titeln, die in erster Linie für Bibliotheken gedacht waren; andere erreichten eine Auflagenhöhe zwischen 2- und 3000. Eine extensiv und zielgruppengenau betriebene Werbung – neben Sonderprospekten Anzeigen vor allem in Fachveröffentlichungen, in wissenschaftlichen und bibliothekarischen Organen – sicherte mindestens eine Zeitlang einen guten Absatz.

Die Gründe für die Einstellung der Reihe waren vielfältiger Art. Zunächst stellte sich heraus, daß nicht für alle vorgesehenen Autoren bzw. Werke die Rechte erworben werden konnten; zum einen Teil lag das an privaten Rechteinhabern, zum anderen daran, daß Verlage Rechte nicht gewähren wollten, weil sie eigene Verwertungsabsichten hatten. Folgerichtig waren die später erschienenen Titel nicht mehr so attraktiv wie die anfänglich erschienenen. Auch stellte sich heraus, daß die Nachfrage nach den reprinteten Titeln nicht so hoch war, wie die Auktions- und Antiquariatspreise der Originale hatten vermuten lassen. Einen schweren Schlag gegen das Reihenunternehmen bedeutete aber vor allem der Disput, der auf der im September 1980 in Bremen abgehaltenen P.E.N.-Jahrestagung entstanden war, die sich die ›Literatur des Exils‹ als Rahmenthema gewählt hatte. Hans-Albert Walter und die von ihm repräsentierte Exilforschung gerieten dort unter den Beschuß derjenigen, die – wie Marcel Reich-Ranicki – eine ästhetische Auseinandersetzung mit den Exilwerken anstelle einer einseitig politisch-gesellschaftlichen

---

35 2. Ausgabe des Sonderprospekts (im Besitz des Verf.).

einforderten.[36] Heftig kritisiert wurde auch die Tendenz, die Exilliteratur als eine spezifische Gattung zu betrachten.[37] Diese Attacken bedeuteten einen schweren Rückschlag für die Ambitionen des Gerstenberg Verlags. Im Zusammenwirken mit einer damals gerade angelaufenen radikalen Umstrukturierung des Programms auf nichtwissenschaftliche Literatur wurde die Reihe *Exilliteratur* in den Folgejahren vom Verlag abgewickelt; die Restbestände wurden einer Ramschverwertung zugeführt.

Modell 2 –
Der KONKRET Literatur Verlag

»Der Konkret Literatur Verlag wurde unter Leitung von Dorothee Gremliza 1978 mit dem Ziel gegründet, die bedeutendsten der vergessen gemachten Werke antifaschistischer deutscher Emigrantinnen und Emigranten 45 Jahre nach der Machtübernahme der Nationalsozialisten der Öffentlichkeit wieder zugänglich zu machen«,

heißt es in der aktuellen Selbstdarstellung des Verlags.[38] Errichtet wurde damals eine *Bibliothek der verbrannten Bücher*, in der Werke von Konrad Merz, Theodor Plievier, Nico Rost, Egon Erwin Kisch, Heinz Liepman, Alfred Kerr, Leonhard Frank, Alfred Kantorowicz, Karl Otten und Adrienne Thomas erschienen. Die Auflage betrug jeweils 5 000 Exemplare, der Verkaufspreis bewegte sich zwischen DM 20,– und 30,–.[39] Die Reihe war zunächst auf dreißig Titel konzipiert, wurde jedoch nach zehn Bänden eingestellt; sie hatte nicht den erwarteten Verkaufserfolg erzielt. Die unverkauften Bände der Reihe landeten, wie üblich, im Ramsch; der Verlag konzentrierte sich danach auf das Sachbuch. Die Verlegerin führt rückblickend den Mißerfolg darauf zurück, daß die Initiative zu früh gekommen und das Publikum noch nicht vorbereitet gewesen sei: »Die Leser hatten an den alten Texten aus den 30ern noch zu wenig Interesse. Das hat unser gesamtes Startkapital gekostet.«[40] Der prononciert linke Verlag konnte also seine Klientel nicht mobilisieren, obwohl das Thema Exilliteratur in den innerhalb dieser Zielgruppen geführten

---

36 Vgl. Bernt Engelmann (Hg.), Literatur des Exils. Eine PEN-Dokumentation, München 1981, bes. S. 212ff.
37 Vgl. ebd., S. 208f. (Kurt Sontheimer: »Für die Erforschung der Exilliteratur kommt es künftig vor allem darauf an, daß sie nicht im Stile eines Sonderforschungsbereichs betrieben, sondern in die allgemeine Geschichts- und Literaturforschung eingeholt wird.«)
38 Homepage des Verlags: http://www.konkret-verlage.de/klv/ (30. September 2004).
39 Vgl. Alexander Stephan, Die deutsche Exilliteratur (Anm. 2), S. 245, Anm. 64.
40 Zit. n. einem im August 2003 in der Zeitschrift *Buchmarkt* erschienenen Artikel, auf der Homepage des Verlags (Anm. 38).

Diskursen gerade einen hohen Stellenwert hatte. Immerhin: Von den erschienenen Titeln konnten Taschenbuchlizenzen an den Fischer Taschenbuch Verlag vergeben werden.

Modell 3 –
Die Bibliothek der verbrannten Bücher *beim Fischer Taschenbuch Verlag*

Bei der Exilreihe des Fischer Taschenbuch Verlags mit der bekannten rotschwarzen Einbandgestaltung handelte es sich eigentlich um eine Doppelreihe: Einmal sind dort 1981-1983 Lizenzausgaben aller zehn Titel des Konkret Literaturverlags unter Beibehaltung des Reihentitels *Bibliothek der verbrannten Bücher* erschienen, im Anschluß daran wurde noch 1983 ein eigener Reihentitel kreiert, *Verboten und verbrannt/Exil*, unter welchem 24 weitere Titel publiziert wurden, von denen wiederum sechs aus dem Gerstenberg Exilprogramm übernommen waren. Die Reihe(n) wurden initiiert und betreut von dem Verlagslektor Ulrich Walberer, dem mit einigen Erstveröffentlichungen oder absoluten Neu- und Wiederentdeckungen eine substantielle Weiterentwicklung des Programms gelang.[41] Hervorzuheben sind in dieser Hinsicht die Bücher von Henry W. Katz (*Die Fischmanns*) und Hans Keilson (3 Titel), auch jene von Hermann Grab, Alice Rühle-Gerstel, Robert Lucas oder Ernst Erich Noth. 1987-89 lief die Reihe *Verboten und verbrannt/Exil* schleichend aus; Exilliteratur wurde danach, ohne besondere Kennzeichnung, im allgemeinen Programm veröffentlicht; diese verstreuten Nachzügler können hier nicht weiter berücksichtigt werden.

Besonderes Interesse verdient die Auflagenentwicklung innerhalb der Doppelreihe, weil sich an ihr das Verhältnis von vermuteten und tatsächlichen Marktchancen der Exilliteratur in den 1980er Jahren ablesen läßt. Aufschlußreich ist zunächst die Tatsache, daß von den insgesamt 34 Titeln 23 nur eine Auflage erlebten, neun Titel eine zweite Auflage, und zwei Titel eine dritte und vierte Auflage.[42] Noch aussagekräftiger ist der Blick auf die Startauflagen, in denen die Einschätzung des potentiellen Verkaufserfolgs konkret zum Ausdruck kommt: Die ersten Titel wurden 1981 sehr optimistisch mit 12 000 bzw. sogar 13 000 Exemplaren gedruckt; 1983/84 sank die Startauflage – offensichtlich aufgrund der bisherigen Absatzerfahrungen – auf 8 000 bis 6 000, danach auf 6 000 bis 4 000 Exemplare. Hinsichtlich der erreichten Auflagenhöhe am erfolgreichsten waren Egon Erwin Kischs *Geschichten aus sieben Ghettos*, die von 1982 bis 1989 auf vier Auflagen, d.h. in diesem Fall bis ins

---

41 Ulrich Walberer bin ich für vielfältige Hinweise und Auskünfte dankbar, die er mir in einem Gespräch im Februar 2004 in Frankfurt/M. erteilt hat.
42 Die im Folgenden genannten Auflagenziffern wurden mir freundlicherweise vom Archiv des Verlags S. Fischer zur Verfügung gestellt.

18. Tausend kletterten, sowie Hans Keilsons *Das Leben geht weiter,* das – 1984 erschienen – im Rahmen von drei Auflagen sogar eine Gesamtauflage von 19 000 Exemplaren erzielte. Von den Titeln, die nur eine zweite Auflage erreichten, waren relativ am erfolgreichsten Heinz Liepmans *Das Vaterland* und Theodor Plieviers *Der Kaiser ging, die Generäle blieben* mit jeweils 13 000, Konrad Merz' *Ein Mensch fällt aus Deutschland* und Alfred Kantorowicz' *Spanisches Kriegstagebuch* mit jeweils 12 000 gedruckten Exemplaren. Die überdurchschnittlich erfolgreichen Titel waren fast alle 1981/82 erschienen,[43] die meisten anderen Titel der Reihe waren über die Deckungsauflage jedoch nicht hinausgekommen.[44] Der Lektor erkannte eine der Ursachen dieses für den Taschenbuchmarkt doch recht enttäuschenden Ergebnisses in der mangelnden Unterstützung durch die Medien, doch selbst dort, wo blendende Rezensionen vorlagen wie etwa bei Felix Pollak (*Vom Nutzen des Zweifels. Gedichte,* 1989), waren »Verdrängungsmechanismen [...] hierzulande offenbar immer noch recht wirksam.«[45] Im Unterschied zu den vorgenannten Unternehmungen des Gerstenberg Verlags und des Konkret Verlags erwies sich die Reihe aber doch als vergleichsweise langlebig; hier wirkte sich die Einbettung in einen Großverlag günstig aus.

Modell 4 –
Die Bibliothek Exilliteratur *der Büchergilde Gutenberg*

Das Konzept der *Bibliothek Exilliteratur* der Büchergilde Gutenberg wurde gegen Mitte der 1980er Jahre von Hans-Albert Walter erstellt, dem als Generalherausgeber auch sonst freie Hand gelassen wurde.[46] Walter hat damit nach dem mäßig erfolgreichen Gerstenberg-Projekt noch einmal die Chance erhalten, eigenverantwortlich ein Exilliteraturprogramm zu realisieren. Geplant waren zwölf (nach anderen Angaben: 14)[47] Titel, jeweils mit ausführlichen Kommentierungen durch den bzw. die Herausgeber. Tatsächlich mußte der Apparat – Werkinterpretation, Lebensabriß des Autors, verschiedenste Beigaben – aufgrund der erreichten Umfänge zuweilen als eigener Band beigegeben werden. Als Textvorlagen wurden »grundsätzlich die Erstausgaben der Exilzeit herangezogen, da es bei dieser Edition um die historische Au-

---

43 Später benötigten die besser gehenden Titel zwei Auflagen, um 7 000 oder 8 000 Gesamtauflage zu erreichen.
44 Vgl. Walberer, Eine unendliche Geschichte (Anm. 28), S. 166.
45 Ebd., S. 169.
46 Für freundlich erteilte Auskünfte zur Reihe, auch zu den Auflagenhöhen, bin ich Mario Früh, Büchergilde Gutenberg, sehr zu Dank verpflichtet.
47 Vgl. Sonderprospekt Bibliothek Exilliteratur. Eine Edition der Büchergilde Gutenberg. Frankfurt/M. o.J. (1989) (im Besitz des Verf.).

thentizität der unter den Bedingungen des Exils entstandenen Literatur geht«.[48] Das Buchdesign wurde besorgt von einem der besten deutschen Buchgestalter überhaupt, von Juergen Seuss.

Tatsächlich erschienen sind zwischen 1985 und 1999 13 Titel, acht davon werden zum gegenwärtigen Zeitpunkt als lieferbar angegeben.[49] Der erste, 1985 erschienene Band, Anna Seghers' *Transit*, hat als einziger bisher eine zweite Auflage und damit eine Gesamtauflagenhöhe von 13 000 Exemplaren erreicht. Am zweiterfolgreichsten waren Lion Feuchtwangers *Waffen für Amerika* mit rund 10 000, es folgen mit 8 000er Auflagen Kischs *Landung in Australien*, Ernst Weiß' *Der Augenzeuge* und Joseph Roths *Tarabas*. In 5 000er Auflagen erschienen Werke von Keun (*Nach Mitternacht*), Regler (*Die Saat*), Alexander Moritz Freys *Hölle und Himmel* und die Autobiographie des Germanisten Egon Schwarz, in je 4 000 Exemplaren Koestlers *Sonnenfinsternis*, die *Erinnerungen und Reflexionen* des österreichischen Kommunisten Ernst Fischer und Alfred Döblins *Das Land ohne Tod*. Nach gutem Start Mitte der achtziger Jahre war der Absatz stetig und deutlich zurückgegangen, was sicherlich auch mit den angebotenen Titeln zusammenhängt, aber auch mit Umschichtungen in der Mitgliederstruktur der Büchergilde. Insgesamt sind Verkaufsziffern zwischen 3 000 bis 13 000 kein schlechtes Ergebnis für Ausgaben, die den wirklich am Exilaspekt der Texte interessierten Leser voraussetzen. Unter allen Gesichtspunkten – der Textauswahl, der Kommentierung, der Beigabe historischen Quellenmaterials und auch der Herstellungsqualität und Buchausstattung – handelt es sich hier um das anspruchsvollste Editionsmodell im Rahmen der Reintegrationsbemühungen: »eine sehr konsequente Reaktion auf die Misere der Exilliteraturrezeption in der Bundesrepublik«.[50]

Modell 5 – Der Persona Verlag

Der 1983 von Lisette Buchholz in Mannheim als Ein-Frau-Unternehmen gegründete Persona Verlag präsentiert bis heute – wenn auch nicht mehr ausschließlich – Exilschriftstellerinnen und -schriftsteller, die zu Unrecht übersehen worden sind.[51] In dieser Hinsicht stellt der Verlag ein Musterbeispiel dar für einen kleinen Nischenverlag, der sich der Aufgabe unterzieht, bislang

---

48 Ebd., S. 1.
49 Stand Anfang März 2004. Zusätzlich sind in der Reihe zwei kleinere Bände mit Darstellungen von Hans-Albert Walter und Karl Kröhncke erschienen.
50 Aus einer Rezension in der Zeitschrift *Frontal*, Januar 1987, zit. n. Sonderprospekt (Anm. 47).
51 Vgl. die Seite »Verlagsgeschichte« auf der Homepage des Verlags: http://www.personaverlag.de/ (30. September 2004).

ungehobenen literarischen Schätzen oder doch wenigstens dokumentarisch aufschlußreichen Erlebnisberichten nachzuspüren. Die im Persona Verlag publizierten Bücher von Anna Gmeyner, Lili Körber oder Elisabeth Freundlich haben rund vierzig Jahre nach Kriegsende die Versäumnisse aufgezeigt, die in dieser Hinsicht gemacht worden sind. Bemerkenswert erscheint, daß gerade der Persona Verlag mit seiner bislang 21-jährigen Bestandsdauer die dauerhafteste Initiative in diesem Bereich repräsentiert – obwohl es für die Verlegerin nicht immer leicht war:»Hätte ich gewußt, was da auf mich zukommt, ich hätte es wahrscheinlich gar nicht erst begonnen«, bemerkte Lisette Buchholz bereits 1986.[52] Es ist keine Frage, daß Unternehmungen dieser Art auf einer ›Selbstausbeutung‹ beruhen, wie sie in den nach rein betriebswirtschaftlichen Gesichtspunkten geführten Verlagen so nicht vorkommt oder möglich wäre. Engagierte Nischenverlage scheinen derzeit der Garant dafür zu sein, daß der Buchmarkt weiterhin mit interessanten Neuerscheinungen im Bereich der Exilliteratur beschickt wird.

III. Exilliteratur auf dem deutschen Buchmarkt nach 1945 –
eine kritische Bewertung in vier Thesen

1. Der Prozeß der Reintegration der Exilliteratur war bei allen Beteiligten – den Autoren, den Verlegern, bei den Kommentatoren dieses Prozesses und auch innerhalb der Exilforschung – begleitet und geprägt von Illusionen über die Möglichkeiten, dieses Thema auf dem Buchmarkt zu plazieren. Wie der Überblick über die Initiativen zeigt, war es selbst unter günstigsten Rahmenbedingungen, wie sie um 1980 gegeben waren, schwierig oder unmöglich, mehr als Achtungserfolge zu erzielen. Ob wissenschaftlicher Verlag, prononciert linker Verlag, Taschenbuchverlag, Buchklub oder Nischenverlag, alle diese Publikationsplattformen machten die Erfahrung, daß Absatzmarkt und Resonanzraum von Exilliteratur eng begrenzt sind. Daher läßt sich die Behauptung aufstellen, daß das Angebot der Verlage zur Exilliteratur seit 1945 zwar lange Zeit unbefriedigend war, daß es aber fast zu jedem Zeitpunkt größer war als die Aufnahmebereitschaft des Publikums. Wenig spricht dafür, daß die deutschen Verleger das Marktpotential der Exilliteratur nicht erkannt oder nicht ausgeschöpft hätten; einer solchen Annahme steht das ›Plebiszit der Verbraucher‹, die Vielzahl von verlustbringenden verlegerischen Initiativen auf diesem Gebiet, entgegen.

2. Der Verlauf der Reintegrationsbemühungen um die Exilliteratur war determiniert von den wechselhaften und über weite Strecken ungünstigen politisch-gesellschaftlichen Verhältnissen in der Bundesrepublik. Die Arbeit

52 Claudia Baumhöver, Wenn ich gewußt hätte, was da kommt! In: Münchener Merkur Nr. 22 v. 28. Januar 1986, S. 15.

der Verleger reflektiert diese politischen Rahmenbedingungen ebenso wie die marktwirtschaftlichen Wettbewerbsverhältnisse, sie reflektiert sowohl Rezeptionschancen wie Rezeptionshemmnisse. Verlage schaffen mit ihren Büchern die Bedingung der Möglichkeit einer Rezeption, sie können aber eine breite Rezeption nicht erzwingen, wenn nicht in Publikum und literarisch-kultureller Öffentlichkeit ein Basisinteresse und eine prinzipielle Aufnahmebereitschaft vorhanden sind. Vor diesem Hintergrund wirken die auf diesem Feld erzielten Erfolge nicht ganz so marginal, wie dies in der Exilforschung häufig beklagt wird. Da in vielen Verlagen neben ökonomischen auch nichtökonomische, ideelle Motivationen wirksam waren, hat sich aus ihrer Tätigkeit eine fortschreitende Rückerschließung der Exilliteratur ergeben, die im Endergebnis die im Exil entstandenen Werke in denkbar größtem Umfang zugänglich gemacht haben.

3. Hans Magnus Enzensberger stellte Anfang der 1960er Jahre in bezug auf die Taschenbuchproduktion fest:

»Schon die bloße Vorstellung, ein jeder läse Dante oder Kafka, wirkt verschroben. Es dahin zu bringen, ist das Taschenbuch außerstande. Es kann einzig das Laufgitter der geistigen und sozialen Konditionierung, in dem wir leben, um einen Fußbreit verschieben.«[53]

Diese Einsicht läßt sich analog auf die Exilliteratur anwenden. Letztlich gilt die sich auf dem Buchmarkt täglich neu bestätigende Beobachtung, daß es einfach ist, Bücher im Druck herauszubringen, daß es jedoch sehr schwierig ist, diesen Büchern Aufmerksamkeit und Interesse zu sichern, sie in den gesellschaftlichen Kommunikationsprozeß einzuschleusen. Dies kann zwar von Verlegerseite durch verschiedene Werbe- und PR-Maßnahmen gefördert werden, und hier sind, bedingt durch zumeist fehlende Finanzkraft, zweifellos nicht alle Möglichkeiten ausgeschöpft worden. Letzten Endes spiegelt sich aber in den Bemühungen um eine Reintegration der Exilliteratur in den Buchmarkt nach 1945 überdeutlich eine Diskrepanz zwischen der in beträchtlichem Umfang durchgeführten Bereitstellung von Werken und der tatsächlichen Rezeption dieser Werke, eine Diskrepanz, deren Ursachen im Kern sozialpsychologischer Natur, mithin ein Problem der Gesellschaft in der Bundesrepublik gewesen sind.

4. Die Reintegration von Exilliteratur ist offensichtlich umso erfolgreicher verlaufen, je weniger eine Etikettierung als Exilliteratur ins Spiel gebracht wurde. Das in verkaufsfördernder Absicht eingesetzte Etikett ›Exil‹ kann zwar in bestimmten (kleinen) Zielgruppen zusätzliches Interesse an einem Werk oder Autor wecken, umgekehrt führt es aber zu einer Kennzeichnung als ›special interest‹-Thema, als Minderheitenprogramm, mit der unfreiwillig

53 Hans Magnus Enzensberger, Einzelheiten I: Bewußtseinsindustrie, Frankfurt/M. ⁷1971, S. 166.

ein Massenpublikum ausgeschlossen wird. In letzter Instanz können solche verlegerischen Strategien zu einer unerwünschten Ghettoisierung der Exilliteratur führen und damit zum genauen Gegenteil dessen, was Reintegration will und bedeutet. In dieser Perspektive birgt die Forderung nach ›Reintegration‹ möglicherweise ein Paradoxon in sich: Sie zielt auf eine Eingemeindung dieser Literatur in den allgemeinen literarischen Kanon, die im Falle des Gelingens die Identität dieses Phänomens Exilliteratur zum Verschwinden bringen würde.

KLAUS BRIEGLEB

»Re-Emigranten«*, die Gruppe 47 und der Antisemitismus

> Wir stehen einem schrecklichen neu-
> deutschen Phänomen gegenüber: dem
> ungebildeten Intellektuellen
> (Hans Habe 1956 über die Gruppe 47)[1]

I. Selbstüberlieferung und Solidarsprache der Gruppe 47

In der Fachforschung zur deutschen Literaturgeschichte nach 1945 weiß man
oder könnte es wissen, daß die Gruppe 47 nicht war, was Schönredner aus
ihr gemacht haben. Sie reden seit den ersten Treffen im Gründungsjahr 1947
und reden noch immer von einem Literaturclub, der in stillen Landgasthäu-
sern tagte und bloß von der ›Arbeitsmethode‹ eines Workshops, von ›harter‹
Kritik an ›harten‹ Texten zusammengehalten worden, zugleich aber das weit-
hin hörbare Organ ›linker‹ Oppositionsintelligenz in Westdeutschland gewesen sei. Dieses Reden und Reden, von Hans Werner Richter (1908-1993),
dem Chef der Gruppe, selbst betrieben oder bewacht, hat Erfolg gehabt. Ein
groteskes Gruppen- als Charakterbild ist entstanden: Ein paar literarisch interessierte junge Leute, meist Soldaten, treten nach Kriegsende aus der An-
onymität der Heimkehrer-Generation hervor, und obwohl sie ein wenig
grobschlächtig denken und ihr ästhetischer Horizont eng ist – oder vielleicht
gerade deswegen –, gehen sie ein in die Literaturgeschichte. Diese objektive
Würdigung ist nicht dem Urteil aus nüchterner historischer Distanz überlassen worden, sondern sie war Teil einer Selbstüberlieferung, die sofort einsetzte, kaum hatte man sich getroffen, aus ein paar selbstgemachten Texten vor-
gelesen und einige Manifeste ausgetauscht. Aus dem Stand einer gefühlten
Unschuld danach, gestelzt unbefangen gingen die Gruppengründer solidarisch an ein kleinkollektives Formulieren, dessen A und O es war, ihre Selbst-
Überlieferung schon zu festigen und in Gang zu halten, noch ehe ihre Selbst-
Erfindung abgeschlossen war. Daß ihre Formulierungen die Voraussetzung
machten, man befände sich in einem nationalen ›Vakuum‹, ›Hohlraum‹ –
›Deutschland ist leergebrannt‹ – und literarisch in einem ›Interregnum‹, das
allerdings ist auch aus heutiger Sicht literaturgeschichtsreif! Ein geschichtli-
ches Nichts, das man bombastisch zu beschwören verstand, warte auf seine
literarische Füllung im Rahmen einer jugendlich neu definierten Nation.
Diese hübsche nihilistische Diagnose überspringt ein Gebot der Stunde: Erinnere dich genau und redlich! In der Gruppe 47 aber entfaltete sich in den

---

* Wortschöpfung H. W. Richters. Eine mikro-analytische Betrachtung des Wortes werde
   ich andernorts vorlegen.
1 Zit. nach Hans Habe, Erfahrungen, Freiburg i. Br. 1973, S. 292.

Folgejahren ein nationaler Hochmut, der sich immer wieder in Konfrontation zu »unseren Emigranten« entzünden wird und im Satz zusammengefaßt werden kann: Wir lassen uns nur so erinnern, wie wir uns selbst erinnern.[2] Alfred Andersch ist nicht der Erfinder eines solchermaßen trotzigen Willens zum Sprung heraus aus der real-nationalen Geschichte. Aber er ist sein kurzzeitig einzigartiger Generations-Sprecher. Auf der Basis des Satzes: »Wir sind eine Generation, die unmittelbar aus dem unbedingtesten Gehorsam in die unbedingteste Kritik gesprungen ist«,[3] fertigt er binnen dreier Jahre, vom 1. August 1946 bis 9. November 1949, das Bild eines ›Jungen Deutschlands‹, mit dessen Hilfe man die Erinnerung an das ›Andere Deutschland‹ zuzudecken imstande war, das von Anderen aber dennoch verkörpert und vorgetragen wird, zum Beispiel von den ›Emigranten‹.

2 Zu Richters »Unsere Emigranten«, die er 1951 in Paris in einem Interview mit dem Combat konfrontiert mit seiner génération sans passé (F. Erval), s. Klaus Briegleb, Literarische Nachverfolgung, in: Robert Weninger u. Brigitte Rossbacher (Hg.), Wendezeiten Zeitenwenden. Positionsbestimmungen zur deutschsprachigen Literatur 1945-1995, Tübingen 1997, S. 3ff. – Die Formel »Unsere Emigranten« verdeckt an der Oberfläche der Selbstüberlieferungen in der Gruppe 47 ein Fremdheits-Trauma, das ihren Zusammenhalt halb bewußt/halb verdrängt so dauerhaft prägt. Es hat sich aus dem Schock der Begegnung mit Rückkehrenden gebildet, die zu lehren hatten, daß es eine andere Vergangenheit gibt, als die jetzt jugendlich selbstkonstruierte. Das Trauma (ver)birgt die Stimme der Anderen überhaupt. Dies ist der Grund, aus dem herauf die Konfrontation gegen die überlebenden und die toten Juden genährt ist. Die traumatisierende Wirkung der Emigranten führt zur stets aktualisierbaren Tabuisierung der Juden. Das ist ein deutsches Ursprungsdatum im Nachkrieg, aus dem sich auch die fortan statisch bleibende Neo-Ignoranz gegenüber der jüdischen Geschichte herleitet. Man schafft dieses Tabu und greift unter seinem Schutz lebende jüdische Zudringlinge an und straft sie nach ihrer Abfertigung mit schnodderich verhüllter Herablassung. Kein Antisemitismus-Verdacht vermag die Selbstgerechten zu rühren. Joachim Kaiser beschreibt diese Symptomatik. 1953 auf der Tagung der Gruppe in Mainz hatte er Walter Mehring stellvertretend für die verhaßte jüdische polemische Intelligenz der zwanziger Jahre zu Richters Wohlgefallen attackiert und zur Abreise getrieben. 1988 erinnert er sich »ganz klar«, woran er »damals« mitgewirkt hat, nämlich *für die Emigranten, also für die Juden* oder für die Schriftsteller, die in Deutschland nicht gelitten waren« (gesp.v.m.), eine Situation zu schaffen, die ihnen »ein doppelter Verlust« gewesen sein müsse. »Erst werden sie rausgeworfen, oder verjagt und dann, wenn sie wiederkommen, werden sie eigentlich nicht zugelassen zu dem Ort, *wo Literatur lebendig ist* [gesp. v. m.]. Dahinter mußten sie natürlich Antisemitismus vermuten oder irgend ein Ressentiment.« Zit. n. Joachim Kaiser, Heute fehlt sie, in: Dichter und Richter. Die Gruppe 47 und die deutsche Nachkriegsliteratur, (Kat. der Ausstellung der Akademie der Künste, West-Berlin, 28. Oktober bis 7. Dezember 1988), o.O.u.J., S. 9. Vgl. auch Jérôme Vaillant, Die Gruppe 47 und die französischen Schriftsteller. Hoffnungen und Enttäuschungen in der Frühphase der Gruppe 47, in: Justus Fetscher, Eberhard Lämmert u. Jürgen Schutte (Hg.), Die Gruppe 47 in der Geschichte der Bundesrepublik, Würzburg 1991, S. 67-84. Vgl. im Kontext Klaus Briegleb, Mißachtung und Tabu. Eine Streitschrift zur Frage: »Wie antisemitisch war die Gruppe 47?«, Berlin 2003, S. 259ff.

3 Alfred Andersch, Das Unbehagen in der Politik. Eine Generation unter sich, in: Frankfurter Hefte 2 (1947), zit. n. Dichter und Richter (Anm. 2), S.153.

Deckerinnerung in dieser zweckdienlichen Art kam Richter entgegen. Auch er hatte, wie Andersch, seinen Lauf in die Nachkriegszeit mit Falschangaben über seine Biographie in der Zeit zuvor eröffnet.[4] Er steigt ins Verfahren der Deckerinnerungen ein, dessen Gefangener er werden sollte. Andersch überläßt ihm nach 1949 weitgehend das Feld, die Gruppe zu führen. Jüngere Köpfe finden sich, Helfer und Helfershelfer, nicht alle immer im Vollbesitz eines Bewußtseins davon, was sie tun. Nur ein enger Kreis um Richter handelt fortan ›eingeweiht‹. Der Chef verstand es zunehmend besser, zu führen indem er einigen Vertrauten das Handwerk des tätigen Vergessens überließ und zugleich die Mehrheit der ›Mitglieder‹ über seine politische Strategie der ›Abgrenzung‹ von den ›Emigranten‹ im unklaren ließ. Viele spürten, daß da etwas für sie getan werde, ließen es mehr oder weniger zu, machten mehr oder weniger mit. Wahrhaft, wenn auch spät über die Gründe seiner Affekte gegen die Wiederkehrenden aufgeklärt haben will Richter nur einen seiner eifrigsten Gehilfen, am Telefon am 3. August 1966 und in ergänzendem Brief am selben Tag, nachdem dieser Getreue, Fritz Raddatz, sich vor allem gegen Paul Celan, einen der ›Literaten‹, mit denen man nichts zu tun haben wollte,[5] bereits auf das zuverlässigste bewährt hatte. Ihm gegenüber begründet Richter die Geheimhaltung seiner Politik nicht etwa inhaltlich, sondern nach Art eines Logenmeisters: »[…] Ich habe immer vermieden, meine Konzeption hinauszuplaudern […]. So ist auch dieser Brief nur für Dich, denn Du bist einer der wenigen – und das weiß ich nicht seit gestern – der die politische Seite der ganzen Angelegenheit begreift.«[6] Die ganze Angelegenheit? (Be)Wahrung der Identität seiner Gruppe.

Das Geheimnis dieser Identitätspolitik hatte Richter zwei Blätter zuvor im hier zitierten Brief an Raddatz gelüftet. Er allein in der Gruppe sei sich der »Ursachen der Niederlage von 1933 […] voll bewußt.« Solche Selbsttäuschung macht engstirnig und so kommt es zu einer simplen Schlußfolgerung: Jene Ursachen lägen allein bei den Rechten der Weimarer Republik, deren Stärke insbesondere ihr »Corpsgeist« gewesen sei. Daran habe der Nationalsozialis-

---

4 Ebenda, S. 159ff., sowie Rhys W. Williams, Deutsche Literatur in der Entscheidung. Alfred Andersch und die Anfänge der Gruppe 47, in: Die Gruppe 47 (Anm. 2), S. 23-43 und W. G. Sebald, Der Schriftsteller Alfred Andersch, in: ders., Luftkrieg und Literatur, München 1999, S. 121-160.

5 Richter während der Affäre 1961, als er und Raddatz mit betrügerischen Mitteln versuchten, Celan von einer in ihrer Sicht gruppenschädigenden Rücknahme seiner Gedichte aus dem Almanach der Gruppe 47 (1962) abzubringen: Celan sei für ihn »erledigt, ob er dichten kann oder nicht. Mir ist das gleichgültig. Mit kranken Narren kann man nicht seine Zeit verbringen« (6. August 1961, siehe im folgenden Hans Werner Richter, Briefe, hrsg. v. Sabine Cofalla, München, Wien 1997, S. 622ff.), und Raddatz am 14. August 1961: »So grotesk sind Literaten, Gott behüte uns vor ihnen!«. Zum Kontext s. Briegleb, Mißachtung (Anm. 2), S. 201ff.

6 Alle Zitate aus dem Bekenntnisbrief an Raddatz im folgenden s. Richter, Briefe (Anm. 5), S. 622ff.

mus mit SS und ihrem ›Schwarzen Korps‹ anschließen können. »Das war die eigentliche Ursache für die Entstehung der Gruppe 47. Deshalb versuchte ich eine Art Corpsgeist auch unter den linken Literaten zu züchten.« Nachahmung der Republikfeinde, dann der Nazis, es ihnen gleichmachen, nur eben ›links‹. »Links«, das ist für Richter in diesem Kontext und zu Nutz seiner Gruppe: »Vermeidung jeder Grundsatzdiskussion«! In diese »Konzeption« paßten keine Rückkehrer aus dem Exil. Schon gar nicht Robert Neumann, dessen Polemik gegen die Gruppe der Anlaß zum Brief an Raddatz ist.[7] Es wird hier ein fixer Affektpunkt erkennbar. Richter denkt ›eigentlich‹, wenn er an 1933 denkt, an Verrat, verübt von ›der Emigration‹. Er erinnert sich an den »ganz jungen« Nationalbolschewisten Hans Werner Richter, der er war und der »miterlebt hat, wie sie uns im Stich ließen [...], wie sie davon liefen [...]«. Alle Namen, nicht nur der Neumanns, die er zur Erläuterung dieses spätkindlichen Selbstaufschlusses anführt, sind Namen von Juden! Hier ist nicht nur eine blödsinnige historische Neben-Schuld installiert – die Republik sei auch an den späteren Emigranten zuschanden geworden –, sondern mehr noch aus unaufgearbeiteter ›politischer‹ Kränkung eines kleinen Kommunisten die neurotische Wahnbildung beglaubigt, die ›eigentliche‹ Schuld seiner Kränkung sei eine historisch-objektive: Schuld der exilierten jüdischen ›Väter‹. Sie sind nun wieder-gekommen, revenants, sind auferstanden als – Wieder-Schuldige. Sie »zerstören«, heißt es in der Botschaft an Raddatz, den »Nimbus der Gruppe 47«, an der er nun selbst zum ›Vater‹ geworden ist. Diesen Nimbus der Gruppe in der Öffentlichkeit, das Resultat der noch verbesserungswürdigen Corpsgeist-Züchtung, gelte es zu verteidigen, er sei einer »Arbeitsmethode« zu danken, die strikt auf einem Beisichsein der Gruppe gebaut war und für die der Politslang Richters diese Formulierung bereithält: »Beschäftigung mit der Literatur so, daß ein indirekter politischer Einfluß entsteht.«

In der Frühzeit der Gruppe, 1950, hatte Richter noch nach nicht zurückgekehrten Emigranten im Westen Ausschau gehalten, nach der »Elite der *jüngeren* Emigranten«. Sie sollten seiner Vorstellung von Zugehörigkeit entsprechen, nämlich »hier und an ihrem Platz« helfen, gegen die »Anmaßungen« derjenigen Emigranten anzukämpfen, von denen man als »Kollektivschuldiger« betrachtet werde. Nicht »als Literaturreisende« sollten die Jüngeren zurückkommen. Gebraucht seien sie »als Menschen«, die »etwas von jenem Geist« mitbrächten, »der unsere kleine Gruppe beseelt. [...] Denn wir sind, wie damals im Dritten Reich, allein.«[8]

7 Robert Neumann, Spezies. Gruppe 47 in Berlin, in: konkret 5 (1966). Alle Dokumente in: Horst Ziemann (Hg.), Gruppe 47. Die Polemik um die deutsche Gegenwartsliteratur, Frankfurt/M. 1966.

8 Richter, Briefe (Anm. 5), S. 117-121 – Richters Phantasien hatten keine personellen Perspektiven. Allein mit dem sechs Jahre älteren Hans Sahl konnte er sich über »jenen Geist«, die Ideologie einer alldeutsch/alleuropäischen Selbstversöhnung, verständigen. Sahls antikommunistische Verschwörungstheorie kam ihm entgegen (von »kommuni-

Identitätsschwäche als die vorgebliche Hinterlassenschaft derer, die 1933 davongelaufen seien, sie war es, wie wir gehört haben, die der Gruppenvater gern in die Stärke umerzogen hätte, die aus linkem Corpsgeist erwachse. Als er diese Absicht nun 1966 dem jungen Raddatz als seine ursprüngliche verrät, geschieht dies unter dem Druck einer Attacke, die (nicht zum ersten Mal) von einem Emigranten vorgetragen wird. Die Äußerungsart des Briefes demonstriert, wie labil das Identitätsgefühl im Gruppenkern noch immer ist. Vom ›Versuch‹ der Züchtung ist die Rede, und davon, daß er nur ›zum Teil gelungen‹ sei. Richter sieht sich offenkundig nicht imstande, allein den politischen Streich erfolgreich zu Ende zu führen, das rhetorische Stärkegefühl, das Andersch der Gruppe vermitteln wollte, in ein politisch tragfähiges, d.i. kollektiv bewußt geteiltes Gefühl zu verwandeln. Jüngere jüdische Emigranten, die Richter doch »brauchte«, haben ihm als Mitglieder dabei auch nicht helfen können. Teilten sie ›jenen Geist‹ nicht? Verdeckte diesen mutmaßlichen Tatbestand das Debattenverbot in der Gruppe?

Als Richter zwei Jahre zuvor, als seine geheime Identitätspolitik gegenüber den ›nicht uns zugehörigen‹ Emigranten schon nicht mehr ganz unauffällig geblieben war, von Wolfgang Hildesheimer, einem der (neben Celan und vor Peter Weiss) politisch empfindlichsten Emigranten in den eigenen Reihen, Widerstand angekündigt wurde, macht ihm Richter in einem wütenden Brief klar, wie bedingt eine Freundschaft zu ihm sei, aus der nicht die bedingungslose Anerkennung seiner ›zutiefst politischen‹ Gruppenführung folge. Es ist einer der verabscheuungswürdigen Briefe, die wir von Richter haben. »Wer hat denn von den Erfolgen profitiert? Ich? […] Und mein Gruppenehrgeiz? Ja, ich wollte von Anfang an, daß in Deutschland die linken Schriftsteller dominieren, daß sie die öffentliche Meinung beherrschen oder mit beherrschen […].« Die dieser Politik entgegenstehen (er nennt u.a. Hans Habe), seien in seinen Augen »Verräter an der Linken und indirekte Faschisten. Sie dienen Herrn Strauß. Nicht ich diene ihm.«[9]

Also auf einen wohl in Wahrheit noch immer zutiefst politisch unsicheren Gruppenchef trifft 1966 die Polemik Neumanns. Sie zielt unumwunden auf das Streben in der Kerngruppe nach Macht. Die Empörung ist groß. Auf wen außer Raddatz ist jetzt politisch Verlaß? Richter ordnet die Abwehrreihen, gibt

---

stischen Mittelsleuten« sei die bedingungslose Kapitulation »inspiriert« usw.). Richter stimmte mit Sahl auch die schuldabweisende »Schicksals«-Idee ab, die seinem Weltkriegsbuch *Sie fielen aus Gottes Hand* zugrunde liegt, an dem er gerade arbeitete: Die Zeit des Nationalsozialismus als politische Verstrickung. »Ihre Fähigkeit, Politik wieder als Schicksal zu erleben und die Geschichte der Menschen wieder als Produkte dieser – politischen – Schicksalsmächte zu zeigen« (Sahl zu Richter) – (Richter zu Sahl über sein Buch:) Es sei der »dringend notwendige […] Roman der Verlorenen aller Nationen […], ein politisches Buch für den Menschen und gegen die politischen Mächte unserer Zeit«. Alle seine Figuren seien gleich (siehe dazu Briegleb, Mißachtung (Anm. 2), S. 151ff.), »alle [sind] herausgerissen aus ihrer Existenz, Treibgut im großen politischen Strom […].«

9   Richter, Briefe (Anm. 5), S. 539-541.

Richtlinien aus mittels historisch-persönlicher ›Analysen‹ diesen Zuschnitts: »Die Polemik à la Neumann ist die Polemik der zwanziger Jahre. Sie hat – politisch – die intellektuelle Linke zerschlagen bevor Hitler sie zerschlug.« Diese »ganze Angelegenheit beleuchtet das Miteinander von Haupt- und Nebenfunktionen in der Kerngruppe 47 überhaupt. Richter räumt dem Vertrauten gegenüber ein, daß bei seiner Arbeit am Beisichsein der Gruppe nach dem Vorbild des alten rechten Corpsgeistes in der neuen Zeit »viele mitgeholfen« haben, aber nur er, Richter, allein sagen könne: »ich wußte was ich wollte.« Das heißt, ein Miteinander (warum nicht auch: Durcheinander) von Kern und Kernaufspaltungen, Wille und Willenszerstreuung, Mitregentschaft und politischer Gleichgültigkeit war eine von Richter laufend evaluierte und in Funktion gebrachte Voraussetzung dafür, seine Abgrenzungspolitik gegen die Emigranten auf viele Schultern zu verteilen und die verschiedentlichen subjektiven Affektäußerungen, die in brenzligen Situationen kursierten, irgendwie gemeinsam zu vertreten, ohne letztlich die Definitionshoheit über den Kurs aus der Hand geben zu müssen. Was die bösen Affekte betrifft, so ist, wie aus dem schon Zitierten zu hören war, in diesem Funktionsmodell der Chef selber am gefährdetsten gewesen. Aber selbst dann, wenn der innere Kreis um ihn mit dem Schlimmsten konfrontiert wird, funktionieren Affektausgleich und Rollenteilung. So auch jetzt. In Telefonaten und Briefen hat Richter sich offenbart durch den schon genannten Vergleich der Gangart im Kampforgan der Waffen-SS mit der »Polemik à la Neumann« und zudem – mehrfach wiederholt – durch ihre Plazierung auf der Stilebene der antisemitischen Sprache im *Stürmer* des Julius Streicher.[10] An dieser Reizstelle springt beispielhaft Freund Gerhard Hey mit einer witzig gemeinten Parodie ein: Neumanns Polemik sei geschrieben »so wie Streicher behauptet, daß Juden schreiben, nämlich wie Streicher.«[11]

Ansonsten ficht es im inneren Kreis nicht weiter an, was der Chef da aus der zugedeckten Erinnerung an die Versprachlichung des nationalsozialistischen Antisemitismus hervorgezogen und vergleichend gegen einen Emigranten in die Waagschale geworfen hat. Raddatz schreibt gehorsam seine Gegenpolemik (Richter: »den Ton getroffen«),[12] auch Kaiser gehorcht, Walter Jens, der »alte Kumpan«, schweigt zum Geschimpfe gegen die Emigranten (»trübe und miese Figuren«).[13] Es gibt keine haltbaren Zeugnisse, die belegten, daß irgendein Jemand im Gruppenmilieu je Richters Abgrenzungspolitik ernsthaft wahr- und aufgenommen, gar thematisiert hätte. Mitgründer Andersch ruft zwar mal auf einer Tagung »Hans, nimm dich zusammen!« und Kaiser flachst dazu,

10 Vgl. ebd., S. 604, 606, 617, 619, 623.
11 Ebd., S. 619.
12 Ebd., S. 627. Vgl. die von Walter Höllerer gesammelten Entgegnungen in: Sprache im technischen Zeitalter 20 (1966), S. 279-291.
13 Ebd., S. 554 u. 563.

Richters »schlechtes Gewissen« seien die Emigranten; da dies aber aus dem Munde eines Mitaktivisten im Abgrenzungstaumel gegen die Revenants der »zwanziger Jahre« kommt, kann ich diese kleinen Protestgesten in der Gruppe nur zynisch finden.[14] Richter zieht seine Bahn.

Die von Andersch vorgeprägte Struktur, die er ausbaut, ist diese: Das ›Vakuum‹ nach 1945 ist nicht der Raum für eigenes Schuldwissen, da aber Schuldgefühle allenthalben drängen, ist das ›historische‹ Angebot willkommen – das ›Wissen‹ davon ist stets parat! –, eine nachhaltige Schuld der Emigranten anzunehmen. Richter arbeitet an dieser Verschiebung, hält die Selbstüberlieferung einer Gruppe stabil, deren Ursprung allein die Erfahrung ihrer Erlebnisse im gewesenen Kriege sei.

II. Verdrängung, Deckerinnerung, Nationalismus, Nachkrieg

Scheint sich also, nach unseren zunächst flüchtigen Eindrücken, dank der gruppentypischen Selbstüberlieferung aus einem kriegerischen Erlebnisgrund die Leitsprache Richters entwickelt zu haben, die zweckdienlich zusammenspielte mit mehr oder weniger intuitiv zugelieferter Solidarsprache im Führungsmilieu, und konnte er dergestalt den Kurs einer ›gemeinsamen‹ Verdrängungsleistung tatsächlich zunehmend unangefochten definieren, so ist nicht zu übersehen, daß dies nicht genügend schützte – nicht schützen konnte vor Einsamkeit, Nervosität, Sprachstörungen, Versprechern unter Druck. Auf diesem Quellenfeld erwarten uns nach meinen Erfahrungen die sichersten Aufschlüsse über das so wohl gehütete politische Geheimnis der Gruppe 47.

Wenn, wie bei der Arbeit der Verdrängung, gewaltige Stoff- und Bildmassen hin und her gewälzt werden, und die Erinnerung an Bestimmtes, die dabei aufgerührt wird, zugedeckt werden möchte, dann spannt sich die Sprache, die das leisten soll. Mit dieser Erfahrung ist jeder allein. Kein Kollektiv springt immer ein, wenn die Sprache nicht unbedingt glatt bleibt oder Risse bekommt und Durchblicke in Affektgründe freigibt. Und werden die Sprecher älter und nimmt die Kraft ab, den Spannungen elegant rhetorisch zu trotzen, dann kommt es öfters zu den Sprachstörungen, die uns Quelle sind. Wir erleben es, wenn Kaiser, Jens, Günter Grass über ihre Gruppe schwadronieren, unkontrollierter, als es Richter je getan hat, und in einer Öffentlichkeit, die ihnen nicht mehr alles glaubt. Der Druck auf die Sprache der Verdrängung hat zugenommen; sein Ursprung: die verfolgte, vernichtete, exilierte, überlebende Erinnerung, eine *andere* Erinnerung[15] und ihr Vermutetsein bei allem Ver-

---

14 Ebenda, S. 165 u. Briegleb, Mißachtung (Anm. 2), S. 137f.
15 Vgl. Briegleb, Literarische Nachverfolgung (Anm. 2), S. 33, und siehe vor allem Stephan Braese, Die andere Erinnerung. Jüdische Autoren in der westdeutschen Nachkriegsliteratur, Berlin 2001.

gessenwollen. Aber der Sprachschatz der Gruppe 47 ist noch im Umlauf, ihr Stil und Typus des Verdrängens und der polierten Selbstüberlieferung sind im Kern weder entmachtet – noch fernerhin chancenlos, ihre bewährte Repräsentanz in der deutschen Gedenkpolitik noch weiter auszubauen.

In den Reden und Schriften der Gruppe 47 über sich selbst haben der Nationalsozialismus und sein Antisemitismus eine kaum wahrnehmbare Bedeutung. Die Übereinkunft, während der Tagungen nicht grundsätzlich zu debattieren, galt zuoberst ihm, während der Krieg als mehr oder weniger selbsterlebter das allgegenwärtige Thema war und lange blieb. Hier liegt die Bedeutung der Gruppe für die deutsche zwanghafte Introspektion auf den einen, den Krieg der Schlachtfelder und Bombennächte. Es könnte den Anschein haben, das Kriegserlebnis habe kraft seiner übermächtigen Präsenz im Nachkrieg die Fähigkeit bewußtseinsbegabter Menschen unwillkürlich gelähmt, über den Grund des Kriegs, den Nationalsozialismus und sein antisemitisches Triebleben, zu sprechen. Was die meistgebrauchten Quellen zur Gruppe 47 aber stillschweigend ›besagen‹ ist, daß dort ein geschwätziger Wille herrscht, zu verbergen, daß dies Verschweigen Druck erzeugt. Gehen wir dem genauer nach, erkennen wir noch deutlicher die Kehrseiten der ›47er‹ Solidarsprache. Der Begriff Deckerinnerung für sich schon gibt Auskunft darüber, was diese Sprache umtreibt. Das Drücken und Verdrängen des ›Einen‹ und der Gegendruck des ›Anderen‹ – diese Dynamik muß Wörter finden, die in eine Schlichtungs-Ordnung passen, deren Oberfläche über den Rumor, den sie bewältigt, aber nicht immer hinwegtäuscht.

Sehen wir auf die Personalstile der dergestalt lebendigen Sprache, so erkennen wir den gruppentypischen Duktus einer gereizten Hab-Acht-Haltung, die eingenommen wird, wann immer ein ›Mitglied‹ die Verantwortung dafür übernimmt, über ›seine‹ Gruppe und ›seinen‹ Krieg zu sprechen und sich dabei den Untiefen des eigenen NS-Gedächtnisses zu nähern. Die Reihe dieser Zeugen ist lang.

Anfangs will eine emphatisch freie Rede über einen »ehrenhaften« Krieg (Andersch) die Erinnerung an den anderen Krieg nicht aufkommen lassen und fühlt sich kaum gestört dabei. Als aber bald, nach gelungener Konsolidierung der Gruppe im Kulturbetrieb des Nachkriegs, jener Druck einer anderen Erinnerung stärker wird – in die Kritik an ihrer Machtpolitik mischen sich seit den frühen Jahren zunächst Hans Habe, Thomas Mann, Hermann Kesten,[16] später weitere Emigranten ein[17] –, da wird auch die Sprache der Abgrenzung affektierter, weil sie Unmögliches versucht, nämlich mit den Mitteln und im Zuge der dabei gewählten Sprache die andere Erinnerung ganz auszulöschen.

16 Briegleb, Mißachtung (Anm. 2), Kap. II.
17 H. Habe noch einmal 1962 und 1966: Clique as Clique can (Die Zeit, 26. Oktober 1962) und Kollektiver Literaturmarsch (Hamburger Abendblatt, 13. Juni 1966).

Diese Entwicklung mag ihren Höhepunkt 1966 erreicht haben, mit Richters Ausruf »Stürmerstil!« Er steht in Korrespondenz zum schrecklichen Versprecher »Re-Emigranten!« Die Erinnerung an den Kontext solcher Aus-Rufe treibt noch 1997 eine solidarische Retusche hervor: Kaiser versucht in einem feierlichen Rückblick auf die Gruppe, alle nicht unterdrückbaren Zeichen einer Abgrenzungspolitik zu beschönigen, stolpert dabei aber über das Hindernis, daß Emigranten vor der Gruppe nicht geflohen, nicht passiv geblieben, sondern auf sie zugegangen waren und, wenn sie dabei kritisch wurden, Wortmaterial liegenließen, über das ein Schönredner stolpern muß. Ich greife nur den folgenden Reizpunkt Richters auf, der auch der Kaisers ist.[18]

Von seinen Erinnerungen gedrängt, drängt sich Kaiser der Tatbestand auf, daß die Gruppe 47 seit Mitte der fünfziger Jahre überhaupt, auch ohne Zutun der Emigranten, in die Kritik geraten war, weil sie ihre Literatur-Auffassung nicht ästhetisch entfaltete und zur Diskussion stellte und auch nicht mehr inhaltlich und primär in einem überschaubar eigenen Diskurs aus Zeit- und Geschichtsmaterie (Krieg und Nachkrieg) ableitete, sondern sich gerade aus ihrem viel beredten ›Erfahrungs‹-Ursprung löste und ihre literarische Legitimation statt dessen durch Machthabe geltend zu machen suchte, Machthabe im Literatur-Betrieb. Damit nun also konfrontiert, stößt Gedenkästhet Kaiser sichtlich widerwillig auf die Emigranten, die sich der Kritik an der Machtpolitik der Gruppe mit eigener Sichtweise angeschlossen hatten: Sie haben den Zusammenhang zwischen Legitimation durch Macht und Legitimation durch deutschen Nationalismus gesehen. Kaiser erinnert sich, daß dies die Wut Richters angefacht hatte (wir erinnern uns an den Vergleich R. Neumann – Julius Streicher), die eine Wut auf die ›Polemik der zwanziger Jahre‹ war. Kaiser hatte diese Wut auf den gerüchteweise von Juden dominierten Literaturbetrieb der ›zwanziger Jahre‹ auch, hatte sie bei seinem Debüt in der Gruppe 1953 an Walter Mehring ausgelassen, der daraufhin sofort abgereist war, und so wird er nun in der Absicht, solche Affektmomente im Zentrum der Gruppe in Gänze zu beschönigen, ganz konkret: Die Enttäuschungsmotive derjenigen Emigranten, die mit der Gruppe 47 im Interesse einer ›neuen deutschen Literatur‹ zusammenarbeiten wollten und deren Stimme ausgelöscht sei (Thomas Mann sei ›ahnungslos‹ gewesen, Mehring schreibe ›rechthaberisch‹ wie einst, ›schnöde Kabarettprosa‹!) oder die in Person abgewiesen wurden (Habe, Kesten, Celan, R. Neumann) – diese Motive werden trivial psychologisiert. Die Rückkehrer seien zu alt im Ensemble der

---

18 Im Ansatz habe ich Kaisers Stellung gegen die Emigranten in Anm. 2 bereits benannt. Vgl. im folgenden Dichter und Richter (Anm. 2), S. 8ff. Ergänzend zum Katalogtext 1988 s. vor allem Joachim Kaiser, Ein Chef, ein elektrischer Stuhl und eine dreiste Rasselbande. Wie die Gruppe 47 funktionierte – und woran sie starb. Erinnerungen an ein deutsches Wunder, das vor fünfzig Jahren geboren wurde, in: Süddeutsche Zeitung, Feuilleton-Beilage 199, 30./31. August 1997.

Nazisöhne (das Wort stammt nicht von Kaiser), literarisch überholt oder aus anderen Gründen nicht gruppensoziabel gewesen. Gedeckt von solchen Scheinargumenten müht sich Kaiser ab, Ausgrenzungsmotive legitim erscheinen zu lassen. Das läßt sich jedoch nicht wirklich sprachlich objektivieren und so rettet er sich in die zirkuläre Begründung, Emigranten damals nicht eingeladen zu haben, habe »nichts mit Antisemitismus« zu tun, sondern sei »eine spezifische Eigentümlichkeit der Gruppe 47«. »Remarque ebensowenig [...] wie Manfred Hausmann, Hans Habe ebensowenig wie Ernst Jünger« gehörten dazu. Der »Neuanfang« der »jungen, von Krieg und Nazizeit versehrten deutschen Schriftsteller« habe versucht werden müssen »nicht *gegen* die Väter – aber doch entschieden *ohne* sie.«

Die Gestalt Hans Habes wählt sich Kaiser aus, einfach Häme[19] über das Gefühl der Zurückgewiesenen auszugießen; ihre Kritik an der Gruppe habe einen Grund allein darin, zu den Sitzungen nicht ›zugebeten‹ worden zu sein. An dem billigen Manöver, das in ähnlicher Weise Richter bereits gegen Kesten vorgetragen hatte,[20] prallt ab, was die konkrete Polemik der Emigranten der Gruppenelite überhaupt hätte historisch zu bedenken geben können: Das Begehren, eine Literaturauffassung durch Selbstabschottung nach draußen und Machthabe im Innern, also durch Koppelung an kulturellen Nationalismus zu legitimieren, hatte sich jüngst als Exilierungsgewalt geäußert! Nein, wehrt Kaiser in summa ab, gerade in Betreff ihrer Stellung im nationalen Literaturbetrieb sei die Gruppe 47 »in ihrer besten Zeit« rein und bei sich geblieben: »nicht befleckt« vom üblichen Macht- und Gefälligkeitsspiel. »Da herrschte spannende Unmittelbarkeit.«

Allen Schönrednern im Selbstüberlieferungs-Diskurs geht es um das Bild einer unbefleckten Kohorte, die den Krieg (in der Bildlichkeit Kaisers gesprochen) embryonal überlebt hat und in das Kriegs-Ende unschuldig hineingeboren und ihm »entronnen« sei. »Reinigung« ist ein Motiv des Vaters Jünger,[21] es hat seinen Ursprung nicht in einer Zuwendung zur Literatur, sondern zum deutschen Krieg und es taugt in dieser Gestalt noch im gegenwärtigsten Selbstlob, die Identität der Gruppe zur Schau zu tragen an Anfechtungen vorbei, denen man sich als Kohorte angesichts von NS-Exil und Rückkehr jüdischer Schriftsteller nach Deutschland immer wieder ausgesetzt gesehen hat. Man kämpft wie im Traum noch immer um eine kriegerisch erprobte Haltung. Und so wird sich, seit man in der Gruppe 47 nach außen hin

19 Briegleb, Mißachtung (Anm. 3), S. 261.
20 Kesten war 1951 zuletzt in der Gruppe gewesen, 1963 schrieb er die unüberbietbare Kritik *Der Richter der Gruppe 47* (Deutsche Zeitung 13./14. Juli 1963); Richter 1986: »Hermann Kesten [...] wurde kritisiert und schrieb daraufhin [!] einen Artikel gegen die Gruppe 47.« Hans Werner Richter, Im Etablissement der Schmetterlinge. Einundzwanzig Portraits aus der Gruppe 47, München 1986, Nachwort, S. 275-285.
21 Vgl. Briegleb, Mißachtung (Anm. 2), S. 295ff.

die Selbstlegitimation als Kriegsgeneration zu dementieren beginnt – »Die Kahlschlagperiode wird überwunden« (Richter 1962 über Niendorf 1952)[22] –, das Problem einer »weiterschwelenden« Judenfeindschaft (Andersch 1947),[23] das die Gruppe mit sich schleppt und ungelöst in unsere Tage trägt, aus dem Konnex von Krieg und Unbefleckteit herausschälen. Ohne Druck von außen, gerade auch im Innersten der Nation, wäre dieser Prozeß wohl nie in Gang gekommen. Er beginnt vehement mit Niendorf 1952, wie wir sehen werden. Sein geheimer, im Selbstüberlieferungs-Diskurs der Gruppe 47 gehüteter Subtext ist: ›Die Juden sind schuld‹. Schuld an den Identitäts-Anfechtungen nach dem Krieg und an den unaufhaltsam wirksamen Identitäts-Gefährdungen in der literarischen Nachkriegsgegenwart, für die man »spannende Unmittelbarkeit« vergebens beschwört. Aber irgendwann einmal mußte es doch ein Ende haben mit der frühen Selbstgewißheit des ›Jungen Deutschland‹, »geläutert« und »unschuldig an den Verbrechen von Dachau und Buchenwald« heimgekehrt zu sein. Zugestanden: »Das junge Deutschland stand für eine falsche Sache, aber es stand« (Andersch, 1946).[24] Daß solches Stehvermögen nicht ewig seine »Unmittelbarkeit« behalten werde – dafür ›die Emigration‹ verantwortlich zu machen und zu verhöhnen, das gehört zu den Grundmotiven eines neuen Antisemitismus, für dessen allgemeine Nichtbeachtung die Gruppe 47 noch immer steht.

Ernst Jünger, das Vorbild der »militärischen Jugend Deutschlands«, so Andersch am 9. November 1949 im Ulmer Fest- und Leitvortrag vor der Gruppe,[25] wird unterdessen zum Drogenspender erkoren, der das Kriegserlebnis besser entnazifizieren kann, als man selbst es könnte; er sei, so der Vortrag, zugleich das Vorbild künstlerischer Reinheit; wer Künstler ist, könne kein Nazi gewesen sein. Dieser in Deckung geschickten Wunschvorstellung, selber kein Nazi gewesen zu sein, folgt der hochmütige Hinweis nach draußen an die »Kräfte der Emigration«: Man müsse hoffen, daß die Emigration über eine Verwandlung ihres »streitenden Ressentiments, der leidenden Enttäuschung in eine Art von Objektivierung der Nation gegenüber« heimfindet, das heißt, »sich als Emigration selbst aufhebt [...].«

Dies hört ein junges Gründungsmitglied, Heinz Friedrich, das 1947 in die Manifeste die Erwartung geschrieben hatte, die Aufsprengung des verengten Nationalismus der Nazis werde bewirken, daß »wir völkisch frei werden und die nationalen Kräfte fruchtbar wirken lassen«, und er notiert: Die Ulmer

22 Aus dem Archiv zitiert, vgl. Klaus Briegleb, Ingeborg Bachmann, Paul Celan. Ihr (Nicht-)Ort in der Gruppe 47 (1952-1964/65). Eine Skizze, in: Bernhard Böschenstein, Sigrid Weigel (Hg.), Ingeborg Bachmann und Paul Celan. Poetische Korrespondenzen, Frankfurt/M. 1997, S. 29-81, hier 64.
23 Briegleb, Mißachtung (Anm. 2), S. 230.
24 Ebd., S. 244 u. 250.
25 Ebd., S. 273 u. Braese, Die andere Erinnerung (Anm. 15), S. 56ff.

Rede gebe »allen jungen Bestrebungen Standort und Halt«.[26] Nach der Begegnung mit dem »Rumäniendeutschen« Paul Celan 1952 in Niendorf wird Friedrich dann im Gefolge des Richter'schen Rufs »Ende der Kahlschlagperiode!« die Parole ausgeben, der NS-Bezug in der Literatur sei ausgereizt, die Gruppe befreie sich von ihm in eben dem Maße, wie sie zu schöpferischem, allgemeingültigem Ausdruck unserer Gegenwart vordringen wolle und könne.[27]

1961 dann, im Europahaus in Görde und am Rande einer Rowohlt-Fete, fühlt sich die Gruppe offenkundig ganz ›unmittelbar‹ gespannt an sich selbst, heiter, gelöst, und frei von Vergangenheit im westdeutschen Literaturbetrieb. Im Vorfeld hatten Walser und Grass Überlegungen Richters und anderer unterstützt, Hans Mayer und Marcel Reich-Ranicki (Rückkehrer aus Exil und Ghetto) von der Gruppe fernzuhalten mit dem Hinweis, man wolle wieder »offen reden« und »gemeinsam handeln« können; die »Strapazierfähigkeit« der Gruppe als einer politischen und ihre »einheitliche Mentalität« müßten erhalten bleiben.[28] Siegfried Lenz hat den Ausschluß verhindert.

Im selben Jahr greift Kesten Ina Seidel, 1961 staatlich ausgezeichnet trotz ihrer Hitler-Hymne, scharf an; mitgetroffen ist der Sohn Christian Ferber (d.i. Georg Seidel), eine graue Eminenz in der Gruppe, der Richter um Intervention bittet. Richter gerät unter äußersten Druck, lehnt schließlich ab: »Kesten ist Jude, und wo kommen wir hin, wenn wir jetzt die Vergangenheit miteinander austragen; d.h., ich rechne Kesten nicht uns zugehörig, er aber empfindet es so.«[29]

1966 schließlich, unter der Gewalt einer öffentlichen Konfrontation am Rande einer öden Gruppentagung in Princeton, inszeniert von Grass gegen Peter Weiss' literarische Arbeit an ›Auschwitz‹ (*Die Ermittlung* und *Meine Ortschaft*), kristallisiert sich die gruppentypische Sprache der Verdrängung in eine Formel aus, die bekanntlich gute Umlaufwerte aufweist: »Du hast über deutsche Fragen schon viel zu viel gesagt. Wo warst du während des Krieges?«[30]

Dieser Krieg wirkt wie eine atemberaubende Umarmung der Weltgeschichte noch 1988 auf den nun nicht mehr ›ganz jungen‹ Getreuen Raddatz, der den Kriegsroman seines Ziehvaters von 1952, *Sie fielen aus Gottes Hand*,[31] noch jetzt, es ist wieder ein 9. November wie in Ulm 1949, loben möchte und in einer gehetzten Sprache der Spätabrechnung mit Gruppengegnern, z.B. Thomas Mann, nicht bemerkt, daß sein Lobpreis – »Der Roman als riesiges ready-made!« – Richters literarische Nachverfolgung eines überlebenden Juden

---

26 Ebd., S. 255 u. 273.
27 Ebd., S. 193.
28 Richter, Briefe (Anm. 5), S. 367.
29 Richter, Briefe (Anm. 5), S. 336.
30 Peter Weiss, Notizbücher 1960-1971, Bd. 2, Frankfurt/M. 1982, S. 491f. (Eintrag vom 24. April 1966, hier in die indikativische Form übersetzt).
31 S. Briegleb, Literarische Nachverfolgung (Anm. 2), S. 23ff. und Mißachtung (Anm. 2), S. 112ff.

wiederholt und noch nachträglich jeder öffnenden Kritik den Boden entzieht, die aus den Reihen der Gruppenelite gegen den Vernichtungskrieg der Nationalsozialisten gegen die Juden Europas hätte kommen und einen literarischen Bruch mit ihrer Verdrängungspolitik hätte einleiten können, wann auch immer in ihrer Gruppengeschichte. Der ›Clou‹ des Romans nach Raddatz: Alle Lebensläufe im Kriege sind gleich und alle ›real‹. (Alle beruhen auf Interviews mit Überlebenden.) Der überlebende Jude Shlomo Galperin aber wird im Roman zu einer gedemütigten Figur minimiert, getötet und als Engel in die ›Heimat‹ Palästina geschickt. Ready-made!-›Literatur‹, möchte man sagen, blickt anders auf den Krieg und alle seine Lebensläufe. Thomas Mann aus den USA hatte es eingeklagt gegen den Roman, der alle Kriegsopfer moralisch gleich mache, wie es den Deutschen so passe. Diesem Verdikt im Jahr 1952 von draußen muß jetzt 1988 also noch gekontert werden! Richters ›Konstruktionsästhetik‹ des Krieges habe dem »konservativen Kunstbetrachter [...] Thomas Mann fremd bleiben« müssen. Die innerdeutsche Antwort des Gruppensprechers auf solche ›Fremdheit‹, wie sie uns etwa im analytischen Exil-Roman *Doktor Faustus* entgegentritt, ist das Lob, wie hier doch nichts ›erfunden‹ sei, gipfelnd im Ungetüm der Leerformel, hier sei »alles *ge*funden: [...] das Gleichzeitige und das Unwahrscheinliche, das Logische und Irrationale, das Absurde und Gesetzmäßige des großen europäischen Krieges.«

III. »Unheilbare Zäsur«,[32] das Phantom des Rückkehrers

Zu fragen ist, ob die Solidarsprache sich verändert, wenn ein Mitglied aus dem inneren Kreis versucht, die Perspektive der Emigranten zu beachten, sobald es um den Neuanfang im literarischen Deutschland nach 1945 geht und die Gruppe vor Kritik von draußen in Schutz genommen werden soll. Ist auch in solchem Falle das Bild dies, daß man achtlos daher spricht und schreibt, daß in der Pose der Verlautbarungen präzisionsloses Deutsch vorherrscht, schlampig mit historischen Reminiszenzen umgesprungen und auf ordentlich begründete Sätze wenig geachtet wird? Und werden auch dann die Register der Selbstrechtfertigungen und Verharmlosungen beliebig gezogen und verspricht man sich schlicht und reflexartig, sobald die Verdrängungssprache unter Druck gerät? Ich wähle das Beispiel einer solidarischen Textverquickung, die Roland W. Wiegenstein in einem Erinnerungsstück, das er 1988 niederschreibt, mit Richter-Zitaten vornimmt.[33]

»Emigranten« habe er, sagt da Richter, ausgespart. Denn sie gehörten nicht zu »einer neuen Generation und einer neuen Mentalität«. Wiegenstein

---

32 So Walter Maria Guggenheimer 1946 in: Der Engel der Nation, in: Der Ruf. Unabhängige Blätter für die junge Generation [Alfred Andersch, Hans Werner Richter (Hg.)], Nr. 1, 15. August 1946.
33 Dichter und Richter (Anm. 2), S. 103f.

beobachtet und zitiert nun, wie Richter unter dem Sparzwang Wörter, die das Ausgesparte beinhalten sollen, um- oder halb umschreibt und wie dabei eine jener Bruchstellen entsteht, aus denen Wahrheit schlüpft. Die Umschrift verläuft von ›emigrierten‹ zu ›prominenten‹ Schriftstellern. Dabei wird Ballast abgeworfen: »Prominente Schriftsteller, etwa der zwanziger Jahre, *ganz gleich ob Emigranten oder nicht.*« Und weiter: »Zu sehr war ich überzeugt, daß dies unsere eigene Sache war […]. Dies bedeutet nicht Gegnerschaft, sondern Abgrenzung, die Zäsur zwischen den Generationen und den Zeiten. Wir mußten neu anfangen und ohne prominente Hilfe.«[34]

Hier dringt die Erinnerung des Freundes ins zitierte Material. In Richters Abgrenzungspolitik habe etwas »mitgeschwungen«, »etwas anderes«. Es sei »nie ausgesprochen« worden. Es handele sich (wohl?) um »einen unbewußten ›Nationalismus‹«. Wiegenstein schreibt: ›Nationalismus‹, setzt also das Zeichen für ›sogenannt‹. Scheint es sich also um eine zwar zaghafte, aber doch bewußte Einräumung von Nationalismus zu handeln, so zeigt der Text des Vorgangs, daß diese Bewußtseinsleistung mit einem aufgefrischtenSchrecken einhergeht. Er setzt mitlaufende Legitimationsrede in Gang, die (unwillkürliche) Klitterungen in kauf nimmt, die an Ungeheuerliches rühren: Richter hatte 1950 mit Kesten eine ›Ausnahme‹ beim ›Aussparen‹ der Emigranten gemacht und ihn zur Sitzung nach Inzigkofen eingeladen. Sofort, als er dies zitiert, ist Wiegensteins Erinnerungstext hellwach. Erinnert wird, wie Kestens »literarisch differenzierte Art zu kritisieren […] zwar bewundert wurde«, aber vielen in der Gruppe »nicht gefiel«. Lakonisch fügt der Erzähler an: »Es blieb bei diesem Versuch[;] andere Literaten aus der Emigration wurden seitdem nicht mehr eingeladen.« Analysieren wir diese Berichterstattung etwas genauer.

Die Behauptung der Einmaligkeit ist historisch (fast) falsch (Kesten kam 1951 noch einmal, las aus seinem *Casanova*), worüber man hinwegsehen könnte, stünde sie nicht im Dienste einer an diesem Punkt üblichen Sprachregelung, die sich gegen ›Wahrheit‹ vergebens müht. Jeder weiß und wußte, daß von zurückgekehrten Juden die Rede ist, aber auch dies wird ›nie ausgesprochen‹, wie jenes ›etwas andere‹ nicht ausgesprochen wird, der heimische Nationalismus. Dadurch, daß er jetzt ausgesprochen wird, büßt er das schützende Attribut, »unbewußt« zu sein, prompt ein. Doch von solcher Panne unbeeindruckt formt sich Erinnertes im Wortmaterial einer brüchigen Erinnerung nun prononcierter, nämlich als ein Gegensatz aus, in welchem das eine Gesetzte das andre ausschließt: Beides – die zurückgekehrten Juden und der nach 1945 den Deutschen verbotene nationale Antisemitismus, das »einheimische Böse«[35] – ist als Phantom erkannt und verwortet!

34 Ebd., S. 103.
35 Vgl. Wim Wenders über die Filme *Resident Evil* und *Der Untergang*, in: Die Zeit, 21. Oktober 2004, S. 57f.

Konnte nicht begraben bleiben, was begraben war? Wiegenstein fragt sich das nicht. Die Zitate gehen ihm von der Hand, so, wie man heute noch in Salons über die Gruppe 47 unbekümmert legitimatorisch plaudert. Was hatte Richter bewogen, das ›Grab‹ zu öffnen und seiner Gruppe den Anblick eines von dort Zurückgekehrten abzuverlangen, mit dem doch nicht gemeinsam erinnert werden darf? »Kesten ist Jude«. Zwar kam Richter als Totenbeschwörer zu spät. Ein Begrabener war schon da (schon wieder); die Erscheinung eines bloß exilierten ›Literaten‹! Die Einladung hat dennoch oder gerade, weil ein Lebendiger zu laden ist, »etwas« von einer Totenbeschwörung, von einem Ruf hinab in die Unterwelt der »Massakrierten«.[36] Der Gruppenchef lädt ein Phantom in den Kreis um einer Ur-Inszenierung willen, in die es ihn hineintreibt: Bannung. Wiegenstein erinnert harmlos eine einmalige Zwangshandlung, die ihren Zweck erreicht zu haben scheint. Der Gruppe, so die Erinnerung, wird das Anachronistische der Erscheinung als solcher bewußt, sie macht mit ihr den kurzen Prozeß einer augenblicklichen Re-Aktion. Die »Art« eines Juden war ihr erschienen wie sie einmal war und nun wie gegenwärtig wirkte, so, wie sie immer noch ist – Kestens Art zu kritisieren sei »literarisch differenziert« gewesen und »wurde zwar bewundert, gefiel aber vielen nicht«. Das heißt im Wortlaut des Erinnerns: Kesten war, obwohl bewunderungswürdig, durchgefallen, was im Gruppenpragma hieß: schon nah an der Mitgliedslöschung (schon jetzt). Zwar war er, wie Wiegenstein wissen mußte, bei dieser Gelegenheit noch nicht durchgefallen. Mit den beiden Wörtern »aber vielen« sind wir dennoch nah bei der Mitgliedslöschung in einem viel tieferen Sinn, als es die Lappalie des möglichen Durchfallens eines Juden in der Gruppe 47 hergibt. Wir sehen durch den Spalt einer Bruchstelle in ihrer Solidarsprache hinab ins Selbstgedächtnis der Mehrheit, dem jetzt schon zuverlässig »die eigentliche Ursache für die Entstehung der Gruppe 47« eingeprägt ist: Juden, Jüdisches, jüdische Intelligenz und Differenzierungskunst, all das ist uns fremd, dem antwortet negativ der Wille zur Abgrenzung, positiv der Wille zur Züchtung eines ›linken Corpsgeistes‹, nachgeahmt den Emigranten, die nicht dazugehören sollen, und nachgeahmt auch der Rechten in den ›zwanziger Jahren‹ mit Assoziation zum ›Schwarzen Korps‹ der Waffen-SS (wie Raddatz von Richter zu hören bekommen wird). Wiegensteins Text von 1988 zur Erinnerung an 1950 kommentiert diese Reaktion der Mehrheit auf Kesten blind als Erfolg, indem er behauptet, »andere Literaten aus der Emigration« seien nicht mehr eingeladen worden. Die Phantomatisierung der Emigranten also hat diesem Zeugnis nach Erfolg gehabt; auch der Ewige Jude der Mythen ist ein Phantom.

---

36 Eine von Richters Versprecher-Öffnungen zurück zur Shoah, s. Briegleb, Mißachtung (Anm. 2), S. 150 u. 156.

Was der Erzähler nicht wahrgenommen zu haben scheint, jedenfalls nicht erinnert, ist die nachhaltige Wirkung, die Kesten in der Gruppe hinterlassen hat. Auf dieser Wirkungsspur entsteht Druck, Richter selber steht noch mindestens drei Jahre unter seinem Ein-Druck. Dies mußte doch verunsichern und aus tiefer Seele nach Politik rufen lassen!?[37] Wie hätte die jüdische Intellektualität Kestens im Gegensatz zum Züchtigungs-Ziel einer ›intellektuellen Linken‹ nicht Bewunderung auslösen sollen! Verlief diese natürliche Wirkung auch quer zur Richterschen Identitätspolitik, so blieb dieser doch das Zeichen der Verunsicherung eingeschrieben: zwar bewundert – aber, und immer, wenn es angerührt wurde, kam es zu Störungen der Solidarsprache.

Richter selbst hat uns eine seiner daher rührenden Störungen im Metapherngebrauch aus dem Jahr 1952 überliefert, die zu einer Formulierung geführt hat, die schön und grausig zugleich ist: Ungeist habe (jüdische) »rationale Klarheit und Menschlichkeit [...] massakriert, verbrannt, aus dem Lande gejagt.«[38] Während es ihn auch in peinliche Unaufrichtigkeiten drängen konnte, wenn er vom bewunderten jüdischen Geist in seiner Identitätspolitik für die Gruppe einmal zu heftig verunsichert worden war, wie im selben Jahr in seiner nicht öffentlichen Totenrede für einen ›anderen Literaten‹, Alfred Neumann, dessen Rückkehr-Akte er mit Wörtern aus der Kiste der historischen Konjunktive zu schließen sucht. Er hatte sie politisch korrekt vorgebildet und wußte sie fromm zu gebrauchen: »[...] Wir hätten unsere emigrierten Schriftsteller mit Jubel heimholen müssen.«[39]

Der wichtigste analytische Befund an dieser Stelle scheint mir zu sein, daß die Verquickung von Zitat und Erinnerung in Wiegensteins Text die Selbstzensur der ›47er‹ Solidarsprache aktiviert und daß dies mit so viel Berührung der Zensur mit dem Zensierten geschieht, daß es sich als Verfahren der Erinnerungs-Zensur quasi selbst, vom Objekt her beschreibt: Deck-Erinnerung. Die Konstellation neuer Nationalismus – »Re-Emigration« ist am Material der Richter-Zitate erinnert, gerät sofort unter Zensur und deckt ab, was eigentlich vom Objekt her ansteht, nämlich die Konstellation Nationalkrieg gegen die Juden. Ist dieses Drängen der Erinnerungstätigkeit nach Wahrheit noch der erzählten Initiative Richters geschuldet, die Emigranten ›auszusparen‹, einer Sprachstelle, die selbst bereits mit einem Deckwort operierte, nämlich die ›emigrierten‹ Schriftsteller durch ›prominente‹ vertreten ließ, so übernimmt daraufhin die Erinnerung des Erzählers selber die Initiative und bricht sich noch ein Stück weiter die Bahn zur Wahrheit, gegen seinen Willen. Auch er will nicht ›aussprechen‹ was er weiß, daß die ein- oder nicht eingeladenen Emigranten Juden waren, aber er läßt mehr reale Nähe zu den Zurückgekehrten zu – und schon haben die Nationalsozialisten um 1933 das

---

37 S. Briegleb, Mißachtung (Anm. 2), S. 133ff.
38 Ebd., S. 157.
39 Ebd., S. 146.

Wort, wenn sie über die Juden des Weimarer ›Systems‹ sprachen: ›Literaten‹. Die »Zäsur zwischen den Generationen und den Zeiten«, die Richter für seine Politik der ›Zugehörigkeits‹-Zumessung im Zitat beschwört, ist im Gebrauch durch Wiegensteins Erzählen, zuletzt im Focuswort ›Literaten‹, auf ihren Grund zur Exilierung zurückgedacht, auf den Haß der Nationalsozialisten gegen die jüdische Intelligenz der zwanziger Jahre. In beider, Richters und Wiegensteins Sprache ist der Augenblick der Phantom-Nähe inszeniert. Mit Kestens Erscheinen und Scheitern sind in der Gruppe 47 die zwanziger Jahre noch einmal zum Scheitern gebracht. Naiv spricht der Zitierende den Augenblick zu Ende. »Es blieb bei diesem Versuch, andere Literaten aus der Emigration wurden seitdem nicht mehr eingeladen.« »Es blieb« dabei, das ist »Heimholung« als »Ausnahme«.

Wieder einmal hat eine »ungewöhnlich klingende Wortfügung« – »Emigranten aussparen« – den ihr anhaftenden »Anteil eines verdrängten Gedankens«[40] aufgedeckt. Die Emigranten passen nicht »in unsere Erlebniswelt«, in den »natürlichen Kreislauf der Erlebnisse in einem Volk«, hatte Richter zur Gründerzeit gesagt.[41] Wiegenstein schreibt das jetzt aus: »Da waren deutsche Autoren beisammen [...]. Die Emigranten haben das nie verstanden«,[42] und er pointiert diese kühne These mit der groben Klitterung, daß Juden (er spricht den Namen ›Juden‹ nicht aus), die öfters in die Gruppe eingeladen worden waren – er nennt Paul Celan, Erich Fried, Jakov Lind und Peter Weiss –, »nicht als Emigranten begriffen wurden, [...] sondern als Generationsgenossen.«

Das ist perfekt. Das Verdrängungssystem der Gruppe 47 wird während eines solidarisch angepaßten persönlichen Erinnerns zugedeckt von ›naivem‹ Sprechen. Es ist Deckerinnerung, Tilgung ›anderer‹ Identität, Enthistorisierung einer überlieferten Richtlinie zur Abgrenzungspolitik, Phantomatisierung einer Rückkehr. Naivität aber, sollte sie ›echt‹ sein, könnte produktiv gebrochen werden. Denn indem das dem Zitatmaterial angeschmiegte Erinnern die dort bekundete Politik sprachlich bewußt macht, gewinnt es Anteil am ebenfalls dort bewußt unterdrückten Gedanken – Ihr »Re-Emigranten« sollt E-Migranten bleiben! –, der nun für den Mitsprecher kein verdrängter mehr ›bleiben‹ müßte, spräche er geschichtlich reflexiv und wirklich den Rückkehrern zugewandt. Aber auch ihm sind es Ewige Juden.

40 Sigmund Freud, Zur Psychopathologie des Alltagslebens, in: ders.: Gesammelte Werke, chronologisch geordnet, hrsg. v. Anna Freud u.a., Bd. 4, Frankfurt/M. 1999, S. 90.
41 Briegleb, Mißachtung (Anm. 2), S. 243 u. 276.
42 Sinngleich wurde über Reich-Ranicki, als man ihn in der Görde von der Gruppe fernhalten wollte (vgl. Anm. 28), zusammengefaßt referierend gesagt: »Die Gruppe 47 ist nun einmal eine auch politisch engagierte Gruppe und hat eine in dieser Hinsicht weitgehend einheitliche Mentalität. Ranicki hat das nie bemerkt. Das war sein Fehler.« (Richter, Briefe (Anm. 5), S. 367.)

Übersetzen wir die Solidarsprache in der Gruppe 47 in einen intervenierenden Sprachbegriff, der darauf achtet, wie eine Tendenz, sich auszudrükken, die Schwelle vom Unbewußten zum Bewußtsein überschreitet, dann läßt sich nun folgendes Zwischenfazit ziehen. Die Erinnerung an ein kulturgeschichtliches Experiment im Deutschland der zwanziger Jahre wird durch Selbstverständigung in der Gruppe 47 getilgt. Das Experiment hätte entdeckt werden und ein gebildetes Gedenken der Zeit begründen können, als die Verheißungen der gesetzlichen ›Emanzipation‹ und der bürgerlichen ›Assimilation‹ ein Stück weit erfüllt waren, Juden in Deutschland sich als deutsche Juden fühlen und Jahrtausend alte nichtjüdisch-jüdische Differenzen im Reiche der Intellektualität ohne ›Krieg‹ ausgetragen werden konnten – Zeit vor 1933. Die Politik der Abgrenzung in der Gruppe 47 aber ist ungebildet und gedenkt nicht. Und sie folgt in der Stereotypisierung des Juden genuin den rassistischen Zuschreibungen der Nationalsozialisten. Die Emigration, das Exil werden weder in Gedanken noch leibhaftig zurückgeholt, die Chance ausgeschlagen, jetzt das Scheitern des Experiments und die Zeit danach ›miteinander auszutragen‹.

IV. Spiegelgeschichten

In einer frühen Szene 1952, als er »unseren Emigranten« schon begegnet war, sehen wir Richter noch anders! Im Gespräch mit einer Jüdin, die im Reich überlebt hat, einer Nicht-Deportierten, läßt er sich ein auf die Nähe zur Anderen und auf seine abgründige Angst an der Grenze seines Bewußtseins. Wie stark ist da der spontan tätige Verdrängungstrieb? Wir nähern uns Richters eigenster Sorge, »mehr zu erfahren, als ich erfahren wollte.«

Richter erzählt. Es ist Frühling in Wien. Der erzählte Ort: vor einem Bahnhof am Rande der Stadt. Wir bekommen Material zu hören, das bei Versprechensvorgängen entsteht. Der Wort-Augenblick, der Zeit-Punkt des ›Versprechens‹ ist flächig überwischt. Es gibt Zeichen hoher Aktivität des Unbewußten. Il peint, es malt. Deshalb gibt es die einzige wortgestörte Stelle, das zum Symptomzeichen umgeprägte Wort, Satzteil, Bild, das plötzliche Moment augenfällig nicht. Die symptomatisch individualisierte Sprache ist eine Fläche ›von unterwärts‹ erregter Zeichen, ein nur scheinbar ungeordnetes Versprecher-Puzzle. Richter erzählt 1974 und noch einmal 1986,[43] wie er spazierend, dort wo die Stadt gen Osten zur »Steppe« offen ist, an jenen Abgrund geführt wird.[44] Er spricht nicht aus, was er dort sieht, nicht im Augenblick, als ›es‹ ihm passiert, und nicht später, als er davon erzählt. Aber er er-

43 Zuerst Radio-Essay, Hessischer Rundfunk 1974, und Richter, Im Etablissement (Anm. 20), S. 7-19 (»Ilse Aichinger«).
44 Vgl. die Kontext-Darstellung in Briegleb, Mißachtung (Anm. 2), S. 175ff.

zählt. Er sagt, daß er dort gestanden ist. Wie erklärt sich die Vermeidung von Inhalt am erzählten Steh- und Blickpunkt selbst? Wir beobachten im Wortlaut seines Erzählens ein vor-greifendes Versprechen, das auf das Steh-Vermögen des Erzählers nicht ohne Wirkung bleiben konnte: Es ist eine Frage im Text stehengeblieben. Als er 1952 dort stand, wohin zog es den Blick? Er stand am Aspangbahnhof, dem Ort der Deportationen aus Wien. Ilse Aichinger hatte ihn dorthin geführt. »Dann kamen wir an einen Bahnhof.« Sie habe über Wiens Vergangenheit gesprochen, dabei »nie« ihre eigene erwähnt, »etwa im Dritten Reich. Es war, als hätte sie selbst den Mantel des Vergessens darübergehängt. Nur einmal sagte sie: Hier, an dieser Stelle habe ich gestanden, als meine Verwandten abtransportiert wurden.«[45]

Wir kennen dieses Nur-Einmal. Kesten in der Gruppe 47 zwei Jahre zuvor: die Einladung an den ›Re-Emigranten‹ als ›Ausnahme‹! Deshalb verdienen solche winzigen Zeitformzeichen unsere besondere Beachtung. Das Wörtchen »nie« drückt eine Projektion aus, die beim Erzählen über das »Nur einmal« hinweghuscht, inklusiv die Schweigsamkeit der Spaziergängerin verallgemeinert und die sprachliche Gewalttätigkeit, die in solcher Verallgemeinerung lauert, dazu nutzt, eine andere Versprachlichung der Halte-Stelle beim gemeinsamen Spazieren, ja eine andere Erzählweise, als es die eigene ist, überhaupt auszulöschen. Dieser Aktivität wird ein zweites Wörtchen zu Hilfe gegeben, »etwa«; es verharmlost die Kategorie einer bestimmbar besonderen Erinnerung an Vergangenheit. Beide Momente halten sich »an dieser Stelle« wie bloß an einem Konjunktiv fest, der aber ein für die junge deutsche Nachkriegsliteratur fatal-realsignifikanter Irrealis ist: Als gäbe es Aichingers Erzählversuch aus dieser Vergangenheit nicht: *Die größere Hoffnung* von 1948![46] Dem ist ein historischer Konjunktiv unsrerseits entgegenzusetzen.

Nämlich nichts hätte jetzt näher gelegen, als diesem Versuch der fast noch kindlichen Ilse Aichinger Einlaß und Ort im Bewußtsein zu geben (oder es als Nachtrag zu tun und ihn als solchen zu reflektieren später beim Aufschreiben), denn hatte nicht soeben die Freundin mit der Geste Hier-war-es-als an ihre unübergehbare dichterisch-narrative Vergegenwärtigung des Geschehens erinnert, das diesem Ort real eingeschrieben ist, nicht allein jetzt unter den Augen der Vorüberspazierenden, sondern für immer unter den Augen aller, die da hin sehen? Auf ein wirklich reales Hin-Sehen also käme es an? Auf einen unbeugsamen Indikativ?

Das aber ist es wohl, daß Richter so wahrnimmt und später so schreibt,

---

45 S. ebd., S. 178.

46 In Richters Text wäre es an dieser Stelle zunächst nur um eine Erinnerung an Aichingers Buch gegangen, das unter dem gewählten Aspekt aber nur ein Beispiel ist! Konkret im Kontext der Wien-Erzählung Richters finden wir z.b. auch eine Urszene seiner Gruppenpolitik, die Auslöschung des Namens Paul Celan. Vgl. Brieglieb, Mißachtung (Anm. 2), S. 138ff. und 199ff.

– als sei es gewiß, daß im Allgemeinen so wahrgenommen und geschrieben werden dürfe, wie er es tut;

– als sei ein deutsches Bewußtsein nach 1945 gut aufgeräumt, wenn ein Bildinhalt, den es nicht freiwillig aufruft, ihm ferngehalten bliebe;

– als sei deutsche Zeit nach 1945 ein indifferenter Raum, in dem ein Alltag Platz greift, dem es nicht Not tue, daß Literatur und Dichtung zu seiner Erneuerung eine zurückgreifende konkrete Betrachtungsruhe beitragen. Eine solche Ruhe ließe sowohl Vergangenheit als auch ein aufblitzendes »Nur einmal [...] an dieser Stelle« zu Wort kommen; zu Worte kommen, wie ›es‹ kommen mag.

Wenn es so ist und wenn es sich so annähernd richtig beschreiben läßt: dann wäre die Spur zum Grund gelegt, aus dem heraus nun doch das Motiv eines nicht bloß flächigen, sondern eines konturierten Ver-sprechens sich bedingt profiliert und dergestalt sich löst; dann offenbarte selbst das huschig-flächige Erzählen noch einmal den Augenblickscharakter des Erzählten. Richter erzählt den Vorgang eines tatsächlich vorgreifenden Versprechers und überliefert ihn als augenblicklichen noch nach über 30 Jahren. Das scheinbar ungeordnete Versprecher-Puzzle fügt sich. Richters selbstüberlieferndes Erinnern im Solidarraum seiner Gruppe repräsentiert ein Erzählen, das immer fortgeht, immer forthuscht und -wischt, zunehmend automatisiert, und auf diese Weise Kontexte, in denen Vergangenheit spricht, in plauderhafte Daueranekdoten verwandelt, die man aus dem verborgen gehaltenen Vergangenheitswissen hinaus immer weg-erzählen kann, starr auf gefühlt zukunftsfähige Gegenwart hin zugerichtet. Führen wir dieses gefühlige Erzählen wortanalytisch zurück in die Situation.

Richter ist an den Rand des Abgrunds geführt, er weicht nicht zurück, aber er blickt nicht hinab. Es hätte ein Sehen sein müssen, das der besonderen Vergangenheit standhält, auf die die Begleiterin zurückblickt. Die Situation, in der Richter sich befand, ließ ihm keine Möglichkeit, gar nirgends hin zu blicken. Sein spätes Erzählen läßt keinen Zweifel, daß sein Bewußtsein es mit einem starken Antrieb zu tun bekommen hatte, tatsächlich Deportation zu denken, Deportierte zu sehen. Erzählt aber wird ein Geschehen des Nicht-Sehens. Wie ist das nur möglich?

Es ist sprachformell möglich kraft hilfreicher Abstraktion. Abstraktion wird noch so spät in das erzählte, damals plötzlich erschienene Erinnerungsbild (»Nur einmal«) hineingepreßt – um in eine egozentrierte Emotionalität, die in der Situation entstanden sei, so spät noch rasch aufgelöst zu werden. Das erzählte Tempo des Vorgangs verdankt sich einem Vermögen des auch so spät noch verräterischen vorbewußt ruhenden Gedenkens: Es vermag sofort aufzuschrecken und sofort (an der erzählten Stelle) auf einen ›Unsinn‹, den das Bewußtsein abrufen will (»sie selbst den Mantel des Vergessens…«), mit einer in Sinn verkehrten Rückmeldung zu reagieren, die das Bewußtsein nicht hören will. Diese Meldung heißt: »Sie selbst« vergißt nicht – Du willst es.

Solchergestalt wird, von-tief-her aufgeschreckt, Wille in Wunsch umgestülpt, so auch unbeugsamer Indikativ in projizierenden Konjunktiv. Dieser Vor-Gang ist in Erinnerung geblieben, der Erzähler plaudert aus:»Bis heute« habe er ihn behalten. Auch das Tempo rekapituliert er. Erzählt wird, wie punktgenau und sofort sein Bewußtsein reagiert hat: Ehe es den Schreck, den die Meldung aus dem ruhenden Gedenken der NS-Fakten zu wecken im Begriffe ist, noch begreifen könnte, ist sie schon abgewehrt. ›Wieviel‹ Gemeldetes, das doch bekannt ist und bleibt, kann nun aber in einem solchen Augenblick verdrängt werden? Richters Erzählweise im Strome der gruppentypischen Solidarsprache vermag viel. Wie anrührend sie ist! Unerschrocken steht da ein Mensch – der nicht nur mit Bewußtsein lebt und Gefahren übersteht, sondern auch Gefühle hat. Es ist aber dies, daß er sich angewöhnt hat, sich emotional nur denjenigen sprachlich abrufbaren Abstraktionen zu bedienen, die in der Helle des Tages jene unheimlichen Meldungen aus Exil und Vernichtung in eine hilfreiche Syntax verwandeln. Dieser Vorgang verdankt sich einer Fähigkeit der Sprache, Gefühl und Ratio eng zu führen, sich selbst pragmatisch auf eine gefühlsfreundliche Instrumentalität einschränken zu lassen, auf die Übung, kompliziert emotional Bedrängendes in herzlich schlichte Vorstellungsweisen zu überführen und dafür eine Ordnung bereitzustellen, die unser Selbstgefühl stabil hält in Augenblicken ihm drohender Verunsicherungsgefahren. Die Syntax, die dann generiert wird, lenkt vom inneren Rumor ab, in dem die Mühen augenblicklich nachtönen, die aufgewendet werden, um an der Schwelle des Bewußtseins den Inhalt jener Meldungen sogleich in das Profil zu zwängen, das ihm der psychische Abwehrschreck, den er hervorgerufen hat, reflexhaft ›anbietet‹.

Der ganze Abstraktionshergang endet dann mit durchschlagendem Erfolg, wenn der Inhalt gleich ganz weg ist. Ins Vakuum strömen Gefühlsregungen. Sie sind erst einmal leer, wenn unmittelbar jetzt, nach der Schockabwehr gesprochen wird. Der Sprecher hätte diese Regungen gern für voll genommen und er nimmt sie so, als er zum Erzähler wird, der das Erschreckende ausblendet. Unser Beispiel zeigt dieses kläglich sentimentale Ende in einer, wie ich finde, peinigenden Weise. Richter erzählt nicht, daß er sich am Ort bewegt gefunden habe, sehen zu wollen wie seine Begleiterin sieht, als sie sagt: »Hier habe ich gestanden […], als«. Sondern er erzählt auf einen tragisch geschminkten Punkt hin: wie er an ihrer Seite gestanden und dergestalt standgehalten habe,»ich« mit »ich«. Die schweigsame Jüdin wird als Sprecherin in die Solidarsprache hereingeholt. Das so spät noch aktive Redenwollen über sich selbst in abstrakter Solidarität mit der Erinnernden deckt das eigene Vergessenwollen damals ebenso zu, wie es im unermüdlich-zwanghaft erzählenden Überlieferungswerk seither geschehen ist. Die Sprache geht auf Stelzen, gibt sich den Anschein von Naivität, Zeitlosigkeit, Redlichkeit:»Hier«, an dieser Stelle habe ich gestanden, als meine Verwandten abtransportiert wurden.

Diesen Satz habe ich behalten. Bis heute. Damals fragte ich nicht weiter, vielleicht aus Angst, mehr zu erfahren, als ich hören wollte.«

Man könnte auch gröber bewerten, als es die Analyse selber tut: Richter vergißt rabiat, was sich darin ausdrückt, daß er die Stelle des überlebenden Kindes Ilse vertritt, d.i. die Stelle an der Seite der zur Dichterin gewordenen Frau zufällig als sich selbst Überliefernder betritt und besetzt, und dergestalt, vor dem Bahnhof der Deportierten, die in Erinnerung gebrachte Vergangenheit samt ihrer Dichtung verleugnet und zum Gefangenen der Selbstüberlieferung in der Gruppe 47 wird – selbst zum Zerrspiegel des Vakuums geworden, das sich hier seiner Selbstbegegnung aufgetan hat. Später wird er notorisch diese Selbsterfahrung in die verschiedensten Stimmungslagen verschieben und mehr oder weniger sentimental ausplaudern. Daß es möglich ist, den sprachgestörten Gedenkrest »abtransportiert« (Deportationen), diese extreme Symptombildung einer pathologisch gesicherten Wissensabwehr, angesichts zurückkehrender Juden in den nationalen Raum verschwinden zu lassen – in der Selbstsorge um eine nationalkulturelle Vergeßlichkeit –, das ist das schreckliche ›neu-deutsche Phänomen‹. Wenn und solange das so ist, gibt es keine er-wünschte Rückkehr.

V. Niendorf 1952. Die Dichterin in ihrer Geschichte

Für diese deutsche Negativität ist ›Niendorf‹ das Lehrstück und die Gruppe 47 das sich selbst zur Schau stellende Organ. Richter macht blind und taub Politik mit dem Bild einer Schweigenden, der es unmöglich ist, noch einmal zu überleben ›wie es den Deutschen so paßt‹, d.i. unmöglich, als Nicht-Deportierte im Reich der Mörder ohne Erinnerung an die Toten weiterzuleben. Dieser Unmöglichkeit Gestalt zu geben, bleibt ihr nur die Dichtung, *Meine Sprache und ich.* Wie sollte Richter nicht blind und taub sein, da er die Dichtung der zu ihm »nur einmal« Sprechenden nicht versteht! »Vom Hafen heulen die Schiffe. Zur Abfahrt oder zur Ankunft?«, »Die Zukunft ist vorbei«, Sätze aus Ilse Aichingers *Spiegelgeschichte* von 1948.[47] Aber auch und gerade mit ihrer unverstandenen Dichtung macht Richter Politik. Für *sie* ist Zukunft ausgelöscht in den zufälligen »(Ein)Malen« der Gegenwart, wenn die Erinnerung kommt. Für ihn sind das ›nur‹ Augenblicke; wird er in sie eingeführt, dann ist sein Blick auf das Bild einer Zukunft ohne Rückspiegel gerichtet. Das heißt, er sieht ab vom Spiegel, den die Dichterin sieht, wenn Zukunft sich ihr und ihren Erinnerungen aufdringlich vernehmbar macht.

Richter schickt Ilse Aichinger mit der *Spiegelgeschichte* ins Rennen um den nächsten Preis der Gruppe 47, der noch im selben Monat Mai diesen Jahres 1952 in Niendorf an der Ostsee verliehen wird: sagt ihr abweichend von der

---

47 Hier und passim zit. n. Ilse Aichinger, Meine Sprache und ich. Erzählungen, Frankfurt/M. 1978, S. 46-54.

Regel, einen »Ratschlag« zur Lesung immer erst an Ort und Stelle zu geben, sie solle den Text, den er kannte,[48] dort lesen. Warum, so erzählt er 1986, ihm diese ›Ausnahme‹ entschlüpfte, wisse er noch heute nicht ganz genau. Wir wissen es auch nicht. Wir wissen nur mit dem methodischen Blick des klassischen frühen Freud, daß das Unbewußte das ist, was wir wirklich nicht wissen können. Um jedoch Licht in das Dunkel der Richterschen Politik im Mai 1952 zu bekommen, wäre Freud in seinen späteren Differenzierungen der Kategorie des Unbewußten zu folgen. Sie können helfen, einem Manne, der sich selten den Meldungen von dort stellt, die sprachlichen Symptome seiner Verdrängungsarbeit nicht immer nur nachzusehen. Ich will dem Wink des Klassikers in meinen letzten Passagen noch ein wenig zur Geltung verhelfen. »Wir möchten«, sagt Freud, »mehr vom Ich erfahren, seitdem wir wissen, daß auch das Ich unbewußt im eigentlichen Sinne sein kann.«[49]

Die Ich-Geschichte eines Literaturmanagers in exponierter Position zeigt im Spiegel seiner Begabung, im spontan-sprachlichen Umgang mit jüdischer Kriegserfahrung sie ›vorgreifend‹, d.i. spontan-politisch zurückzuweisen und dergestalt einzudeutschen, ihren objektiven Nationalgehalt. »Daß auch das Ich unbewußt im eigentlichen Sinne sein kann«, gibt auch Wiegenstein recht, der den »unbewußten ›Nationalismus‹« in die Selbstüberlieferung der Gruppe 47 eingeführt hat (siehe oben). Die Ich-Geschichte des Managers schließt uns den unbewußten Nationalismus seiner Abgrenzunspolitik auf. Sein politisches Unbewußtes treibt ihn in ein Doppelspiel, das zwischen dem bewundert oder geliebt Anderen und seinem nationalistischen Rest-Ich erfolglos vermittelt. Fünf Monate nach Aspang, am 3. Oktober 1952, wird Richter sich ein Stelldichein mit der Emigration am Sarg Alfred Neumanns geben, um dort eine ihrem »wahren Humanismus« verpflichtete Zukunft zu beschwören, erreichbar über die Brücke, die der Tote zusammen mit Kesten der Gruppe 47 angeboten hatte; die Brücke, über die »ins Weite zu gelangen« sei, und zwar auf dem Wege eines gemeinsamen Versuchs, »die Einheit der zeitgenössischen deutschen Literatur wiederherzustellen«.[50] Pathetisch läßt er sich dort vernehmen: »Tragisches Schicksal der Emigration? Entfremdung, Vergessen? Nein, wir hätten nicht vergessen dürfen, wir vergaßen die Verpflichtung, jede Entfremdung zu überbrücken, wir hätten unsere emigrierten Schriftsteller mit Jubel heimholen müssen. Wir haben es nicht getan. Und wir tun es noch immer nicht. […]. Wir sollten uns hier verpflichten, unserer großen emigrierten Literatur dankbarer zu sein als wir es bisher waren und wir sollten nichts unversucht lassen um sie heimzuholen.«[51]

48 Veröffentlicht in: Merkur 47, Januar 1952, S. 70-77.
49 Freud, Ges. Werke (Anm. 40), Bd. 13, S. 246.
50 Briegleb, Mißachtung (Anm. 2), S. 145.
51 Redemanuskript, Münchner Kammerspiele, 29. Februar 1952.

Es ist pure Heuchelei. Nach erster Konsolidierung der Gruppe 47 hatte Richter im Mai 1951 der französischen Öffentlichkeit erzählt, »unsere Emigranten«, »die heutigen Sieger«, nutzten ihre Souveränität, »uns« eine Schuldverantwortung für das Dritte Reich zu diktieren. »Wir fragten zurück: ›Warum seid ihr ausgewandert? Eine Emigration hat noch niemals eine Diktatur zum Sturz gebracht.‹ Die Kluft zwischen uns schien unüberbrückbar.«[52] Richter denkt in den Kategorien von Kampf und Nachkrieg, wenn seine Politik in ihm denkt (»Nach dem Krieg sind wir auf unsere Emigranten gestoßen«). Die dem toten Emigranten Alfred Neumann versprochene »Heimholung« dagegen hat die Gestalt der »Ausnahme« wie die Einladung an Kesten 1951.

»Es bleibt richtig, daß alles Verdrängte *unbewußt* ist, aber nicht alles *Unbewußte* ist auch verdrängt.«[53] Aus den Augen dieser Einsicht blicken wir zum Schluß nach Niendorf. Richter macht eine Tagung im Vollgefühl seines Willens zur Gruppenidentität. Er kennt die *Spiegelgeschichte*, sie ist im *Merkur* veröffentlicht. Er hat also schon gelesen, was er laut Bekenntnis vor dem Bahnhof Aspang nicht hören wollte; in Niendorf, als Aichinger ihre Dichtung las, wollte er in der Tat nichts davon wissen. Er integriert das Andere, anstatt es aufnehmend zu verstehen; weiß sich aufgehoben in der Solidarsprache der Verdrängung. Hat bei der Lesung aber niemand gestutzt? Man hörte: Eine schon Begrabene wird zurückgeholt und wehrt sich dagegen. »Erweckt die Toten nicht, bevor es Zeit ist, die Toten haben einen leisen Schlaf.« Es gibt keinen Heim-Gang in diesem Leben mit den Toten. Ein »Todeskampf« in Trauer um ihre eigene Rückkehr in ihr Grab beginnt.[54] Für die ein wenig Hinhörenden unter den Zuhörern gewiß eine wenig lebensfreundliche Metapher für eine Überlebende in der Gegenwart. Die Person aber im Text, die in die Spiegelung ihres aufgeschobenen Todes hineinläuft, möchte lieben, Kinder bekommen, auf diesem Weg erkannt werden. Der ihr begegnet, müßte aber im Indikativ wissen wollen, was er weiß, und an ihrer Seite bleiben; »Ihr [dagegen] kommt zurecht […], als gingt ihr heim.« – – – »Keiner will Zeuge sein […], aber du darfst nicht schreien.« Aber sie schreit. »Damit sie hören müssen, was sie wissen, ich schrei.«[55]

Wir sollten uns klar darüber sein, wie schwer es einer Kohorte von letztlich unerwachsenen Ex-Völkischen und Nicht-Nazis gefallen sein muß, einer solchen Gegenwartsliteratur zu folgen, einer deutschsprachig jüdischen Nach-Zäsur-Dichtung, wie sie auch Jean Améry aus seiner radikalen literarischen Ergründung einer Existenz als gefoltert Überlebender gewinnen und niederschreiben wird: »Deutschland gibt es nicht, flüsterte ich […] und dachte die einzige […] von mir erspürte Wahrheit: Mich gibt es nicht – Welche Erleichte-

52 Briegleb, Mißachtung (Anm. 2), S. 150f.
53 Freud, Ges. Werke (Anm. 40), Bd. 13, S. 244.
54 Aichinger, Spiegelgeschichte (Anm. 47), S. 48.
55 Aichinger, Spiegelgeschichte (Anm. 47), S. 47ff.

rung!«[56] Nicht alles Unbewußte ist auch verdrängt, oder, so Peter Weiss im 10. Gesang seines *Inferno*: »Ich bin der Anachronismus hier / und auch den Anachronismus gibts nicht mehr.«[57] Aber was hatten Aichinger, Celan, Hildesheimer (Weiss war noch nicht dabei, Jean Améry, versteht sich, nie) in dieser Kohorte verloren, an diesem unheimlichen Ort, gerade jetzt in Niendorf?[58] Hier versucht Ingeborg Bachmann, die sich zu weit in den Norden verschlagen sieht und hört, vergeblich eine Verständigung mit Richter über die »Wiederkehr des Gleichen«, hier erleichtern sich, als sie in gemütlicher Abendstimmung Celan die *Todesfuge* lesen hören, die Versammelten im Gelächter über diesen Lager-Tango[59] eines Überlebenden und Richter hört, angewidert von der Stimme des Dichters (»wie Goebbels«), Synagogen-Singsang da heraus.[60]

er pfeift seine Juden hervor läßt schaufeln ein Grab in der Erde
er befiehlt uns spielt auf nun zum Tanz

– – –

Er ruft spielt süßer den Tod – – –

Die Wiederkehr des Verdrängten im Gespräch mit der Intellektuellen Bachmann in Betracht zu ziehen, fühlt sich der Gruppenvater nicht imstande, aber nicht alles Unbewußte ist verdrängt. Es hatte sich soeben laut oder weniger laut geöffnet wie nach einem gut erzählten Witz. Haben alle Anwesenden gelacht? Ich weiß es nicht. Über Niendorf liegt noch immer das große Schweigen der Zeitzeugen. Man kennt aus dem Gesamtablauf der Tagung einige von Antonia Richter abgelichtete Gesichter, lachende (Aichinger, Jens, Richter), bedenkliche (Aichinger, Ingeborg Bachmann), ein fragendes am Tisch mit

56 Jean Améry, Expeditionen jenseits des Rheins. Zit. n. einer entstehenden Magisterarbeit von Claudia Heinrich über Peter Weiss' *Inferno*. Vgl. auch Jean Améry, Ressentiments, Rede im Süddeutschen Rundfunk am 7. März 1966, mit einem Essay v. Horst Meier, hrsg. v. Sabine Groenewold, Hamburg 1995.
57 Peter Weiss, Inferno. Stück und Materialien, Frankfurt/M. 2003, S. 41.
58 Vgl. für das folgende Briegleb, Mißachtung (Anm. 2), S. 191ff.
59 Die Erstfassung der *Todesfuge* hieß *Todestango*, so noch bei ihrer Erstveröffentlichung in rumänischer Übersetzung (*Tangoul Mortii*) durch Peter Solomon im Mai-Heft der Zeitschrift Contemporanul, Bukarest 1947. Zur Realität der Orchester, die den Todestango zu »Lagerfunktionen« wie Gräberschaufeln spielen mußten, siehe John Felstiner, Paul Celan. Eine Biographie, München 1997, S. 56f.
60 Das Getuschel über diesen Niendorf-Ton konnte man hinter vorgehaltener Hand seit langem hören, als ich in den frühen neunziger Jahren den ›Ton‹-Spuren in den Archiven begegnete und in Zürcher Vorträgen erstmals vorsichtigen Gebrauch von ihnen machte (vgl. Briegleb, Ingeborg Bachmann (Anm. 22), S. 73, und Briegleb, Mißachtung (Anm. 2), S. 199). Inzwischen kursieren die Belege aus den verschiedensten Quellen. Vgl. zuletzt Paul Celan – Gisèle Celan-Lestrange, Briefwechsel. Mit einer Auswahl von Briefen Paul Celans an seinen Sohn Eric, hrsg. u. komm. v. Bertrand Badiou in Verb. mit Eric Celan, Bd. 2: Kommentar, Frankfurt/M. 2001, S. 51ff.

Celan (Bachmann) und tiefernst einsame (Aichinger, Paul Celan). Eine gemischte Gesellschaft. »Am zweiten Tag wollte ich«, so Bachmann, »abreisen, weil ein Gespräch, dessen Voraussetzungen ich nicht kannte, mich plötzlich denken ließ, ich sei unter deutsche Nazis gefallen.«[61]

Staunend im Nichtbegreifenwollen, hatte Richter zugehört, als Bachmann zu ihm von der »Wiederkehr« sprach und von der Primärgeschichte des Ich, das sich rüstet, dem »Gleichen«, das wiederkehren wird, einmal begegnen, ihm gewachsen sein zu können. »Als Kind haben meine Eltern mich für schizophren gehalten. Sie lacht darüber, sie sagt: Die Grenze des Bewußtseins ist durchlässig.« Und er? In allem was sie sagt, erinnert er, »steckt sie selbst.« – »Und ich? Ich nehme es wahr, ohne es wahrnehmen zu wollen.«[62]

»Wenn du genug Furcht hast, um den Mund nicht aufzutun,« so heißt es in Ilse Aichingers *Spiegelgeschichte*, »wird alles gut.«[63]

---

61 Aus einem Nachlaß-Fragment 1961 (gesp. v. m.); korrekter Wortlaut zuerst in Briegleb, Ingeborg Bachmann (Anm. 23), S. 56.
62 Briegleb, Mißachtung (Anm. 2), S. 196.
63 Aichinger, Spiegelgeschichte (Anm. 47), S. 53.

HELMUT PEITSCH

Hans Mayers und Stephan Hermlins Blick von Osten auf die Gruppe 47

»Auschwitz ist ein polnisches Provinzstädtchen, es liegt inmitten sumpfigen Weidelandes und war für einige wenige Jahre der Mittelpunkt Europas. Vom Bahnhof führt ein Schienenstrang nach Birkenau. Dieser Schienenstrang war nicht an die Schienenstränge Europas, sondern alle Schienenstränge Europas waren an diesen angeschlossen«, schrieb Kurt Barthel 1950.[1] Der Weg von Stephan Hermlin und Hans Mayer aus der US-amerikanischen Besatzungszone, wo sie u.a. bei Radio Frankfurt gearbeitet hatten, in die SBZ führte über Auschwitz. Zwar fuhren sie nicht wie die aus Großbritannien und Palästina heimkehrenden Kurt Barthel und Arnold Zweig über Auschwitz nach Ostberlin,[2] aber innerhalb der ersten Jahre ihrer Übersiedlung besuchten beide kommunistischen Schriftsteller jüdischer Herkunft das zur Gedenkstätte gewordene Vernichtungslager. In ihren 1948/49 veröffentlichten Berichten verdichtet sich die Parteinahme für eine Gesellschaftsordnung, die die Wiederholung der Verbrechen verhindern sollte, in Metaphern der in Auschwitz wahrgenommenen Gegenwart der faschistischen Gefahr: »Neben den eingestürzten Kammern«, schrieb Mayer über Birkenau, »sind breite Wassertümpel. Hier standen die Scheiterhaufen. Das Wasser hat die Eigenschaft, nicht zu gefrieren. Die Fermente im Boden geben genügend Hitze her«.[3] Hermlin wendete das Bild der verkehrten Natur in einen Appell: »Vergeblich bemüht sich das Gras, die Blocks von Birkenau zu überwachsen. [...] Die Schulklassen in den Blocks [...], die Traktoren auf den schlesischen Feldern, das alles sagt: Wir vergessen nicht! Wir vergessen nicht!«[4]

Mit der Übersiedlung von West nach Ost veränderte sich bei beiden Autoren der Blick auf die in den Westzonen seit 1945 erscheinende Literatur, darunter die Bücher der Mitglieder der Gruppe 47. Noch aus Frankfurt/Main

---

1 Kuba [d.i. Kurt Barthel], Von Düsseldorf nach Warschau, in: Junge Welt, Berlin, 5 Folgen, 15. August bis 1. September 1950, hier 18. August (2. Folge), S. 5.

2 Arnold Zweig, Glogau und Kattowitz, zwei Jugendstädte, in: Atlas. Zusammengestellt von deutschen Autoren, München 1968, S. 37-40, hier S. 40.

3 Hans Mayer, Auschwitz, in: Unser Appell 2 (1948), Nr. 15, S. 5-7, hier S. 7.

4 Stephan Hermlin, Äußerungen 1944-1982, hrsg. v. Ulrich Dietzel, Berlin, Weimar 1983, S. 89.

unterbreitete Mayer einen Tag nach der Währungsreform Peter Huchel für die in Vorbereitung befindliche Zeitschrift *Sinn und Form* den Plan eines »Aufsatz[es] stark polemischen Charakters« zu der Weise, in der öffentlich in den Westzonen von ›Jungen‹, ›Jugend‹ und ›junger Generation‹, dem Schlachtruf des *Ruf* und der aus dieser Zeitschrift hervorgegangenen Gruppe 47, geredet wurde: »In den Westzonen besteht keine Möglichkeit, so etwas zu bringen, da ich damit gegen die Propaganda von drei Militärregierungen auftrete.«[5] Schon als Mayer zum hessischen Vorsitzenden der VVN gewählt worden war, hatte er das im März 1947 kritisiert: »Es ist eine lächerliche Illusion, wenn ein amerikanischer Kontrolloffizier vor kurzem vor der Tagung der jungen Generation behaupten konnte: Glaubt mir, der deutsche Nationalismus und der deutsche Militarismus sind tot.«[6]

In einem ersten Schritt sollen die Übereinstimmungen Mayers in den ersten zwei Nachkriegsjahren mit einigen Momenten solcher Redeweise nachgewiesen werden, von der er sich distanziert. Dazu liegen aber mit seiner Polemik mit Walter Kolbenhoff auf dem Frankfurter Schriftstellerkongreß und Hermlins Rezensionen des Frankfurter Kongreßbandes sowie des Hefts der Münchner *Literarischen Revue* zur *Jungen deutschen Literatur* Stellungnahmen vor, die die Gründe der Distanzierung explizieren. In einem zweiten Schritt werden die Kontakte, die zwischen Autoren der Gruppe 47 und den beiden Übersiedlern durch die fünfziger und frühen sechziger Jahre hindurch öffentlich gesucht wurden, auf die sich verändernden Rollen Mayers und Hermlins bezogen: den Wechsel des Schriftstellers Mayer zum Literarhistoriker und den des Poeten Hermlin zum publizistischen Friedenskämpfer. In einem abschließenden dritten Schritt wird die Position Mayers in der Gruppe 47 – seine Stellungnahme für Peter Weiss – mit Hermlins öffentlichem Eintreten für Johannes Bobrowski konfrontiert.

Seit seiner Rückkehr nach Deutschland benutzte Hans Mayer die Analogie zwischen Frankreich 1940 und Deutschland 1945, um für einen – nicht auf die Literatur begrenzten – ›Neubeginn‹ zu plädieren: »Man weiß ja, daß die deutsche Literatur neu zu erfinden ist«.[7] In dem auf November 1946 datierten Vorwort zur Neuausgabe der schon 1945 in der Schweiz gedruckten Darstellung *Geistige Strömungen in Frankreich (1939-1945)* führte Mayer den appellierenden Vergleich am prägnantesten aus:

»Frankreich hat zwischen 1939 und 1945 ein geistiges Stirb und Werde beispielloser Art erlebt. Es wurde auch in seiner Literatur [...] durch alle Höhen und Tiefen der Niederlage und des Neubeginns getragen. [...]

---

5 Peter Huchel, Wie soll man da Gedichte schreiben. Briefe 1925-1977, hrsg. v. Hub Nijssen, Frankfurt/M. 2000, S. 59f.

6 Hans Mayer, Gelebte Literatur. Frankfurter Vorlesungen, Frankfurt/M. 1987, S. 70.

7 Ders., Von der Dritten zur Vierten Republik. Geistige Strömungen in Frankreich (1939-1945), Singen 1947, S. 72.

Frankreich erlebte in seiner Widerstandslyrik eine völlig neue Funktion und Aufgabe der Poesie, die politische Dichtung wurde und doch in jeder Zeile große Dichtung blieb. Frankreich schuf sich darüber hinaus in wenigen Jahren in der Literatur und Philosophie des Jean-Paul Sartre und seiner Freunde eine Philosophie menschlicher Existenz, die heute als große geistige Grenzscheide mitten durch das französische Leben geht.«[8]

Am Schluß seiner auf der zweiten Tagung der Gruppe 47 vorgetragenen Schrift *Deutsche Literatur in der Entscheidung* zitierte Alfred Andersch aus Sartres Vorrede zur deutschen Ausgabe der *Fliegen* die Sätze, in denen eine Analogie zwischen Frankreich 1940 und Deutschland 1945 hergestellt wird, griff aber nicht den Terminus ›engagement‹ auf,[9] sondern erkannte als einzige ›Verpflichtung‹ diejenige auf die geistige Freiheit an: »Die Entscheidung zur Freiheit läßt zunächst noch keinen Rückschluß auf die Art des Inhalts der Freiheit zu«.[10] Geistige Freiheit wurde von Andersch in einer doppelten Abgrenzung verortet: sowohl gegen die alliierte Umerziehung als auch gegen »den deutschen Nationalismus und das Ressentiment«.[11] De facto fiel seine Abgrenzung der Freiheit von der auch in den Literaturverhältnissen institutionalisierten reeducation schärfer aus:

»Die Aufgabe der Intellektuellen ist also eine zweifach unpopuläre: er muß im Namen der wahren Demokratie die Heuchelei derjenigen enthüllen, die heute die Demokratie durch ihre Politik gegenüber Deutschland diskreditieren, und er muß den Geist der Demokratie verteidigen gegen alle, die aus der Diskrepanz zwischen Theorie und Praxis, an der wir leiden, bereits wieder ihre faschistischen Schlüsse ziehen.«[12]

Wie das direkte Echo auf einen von Mayers Diskussionsbeiträgen auf dem Ersten Deutschen Schriftstellerkongreß liest sich hingegen Anderschs Unterscheidung von drei Strömungen der Gegenwartsliteratur, einer katholischen, einer liberalen und einer kommunistischen, aber Andersch ordnete die Dreiheit einer bezeichnenden Einheit unter, die sich aus der Beschränkung der ›Verpflichtung‹ auf die geistige Freiheit ergab: Die »Lebensfähigkeit« der drei »Strömungen« sah Andersch »davon abhängen, inwieweit sie sich mit den schärfsten selbstkritischen Vorzeichen versehen«.[13] Mayer allerdings hatte in Berlin gesagt:

---

8 Ebd., S. 7f.
9 Alfred Andersch, Europäische Avantgarde, Frankfurt/M. 1948, S. 8.
10 Ders., Deutsche Literatur in der Entscheidung. Ein Beitrag zur Analyse der literarischen Situation, in: Das Alfred Andersch Lesebuch, hrsg. v. Gerd Haffmans, Zürich 1979, S. 111-134, hier S. 133.
11 Ebd., S. 131.
12 Ebd.
13 Ebd., S. 133.

»Es ist [...] nicht wahr, daß man eine schrankenlose Freiheit hätte, zwischen beliebig vielen Weltanschauungen zu wählen. Es gibt nur einige scharf umrissene Weltanschauungen in der heutigen Gesellschaft. [...] Man hat die Wahl zwischen dem katholischen Standpunkt in der heutigen Gesellschaft, den Schriftsteller wie Mauriac und Bernanos vertreten. Man hat den Gedanken des sozialistischen Humanismus, wie ihn ein Gorki, ein Rolland [...] Elio Vittorini, [...] Paul Eluard, [...] ein Buch wie ›Die Früchte des Zorns‹ von John Steinbeck, [...] James Eldridge vertreten [...] und wir haben die Fragen der Existentialisten.«[14]

Als Mayer ein halbes Jahr später in Frankfurt Walter Kolbenhoff angriff, der als einziges Mitglied der wenig später gegründeten Gruppe 47 am Berliner Kongreß teilgenommen hatte, befaßte er sich kritisch mit dessen »Beispiel vom Spiegel Stendhals« und nannte es »falsch, denn der Schriftsteller ist kein Objekt, kein gnadenlos und interesselos reflektierender Spiegel«.[15] Mayer betonte, »wir kennen den gleichen Gegensatz unmittelbarer und ›vermittelter‹ Anschauung der Wirklichkeit aus der Arbeiterbewegung«,[16] um einen zentralen Begriff der poetologischen Diskussion der Nachkriegsjahre zu kritisieren: ›Realismus des Unmittelbaren‹. Gegen die Forderung nach Erlebnis und Unmittelbarkeit setzte Mayer die nach historischer Erkenntnis und moralischer Wertung:

»Hegel sprach bereits das tiefe Wort, daß die bloße Schilderung von Zuständen, die ›reine Gegenwart‹ abstrakt sei, so konkret sie auch wirken möge. Genauso steht es etwa mit unserer heutigen Jugend. Sehen wir sie und die Welt der Trümmer und der Bahnhofsbunker einfach als heutige Gegebenheit, ohne Gestern und Morgen, dann hat der Nihilismus seine gewisse Berechtigung. Ganz anders, wenn wir an die Möglichkeiten der [...] Entwicklung der Geister und Herzen, und die Veränderung der Zustände denken.«[17]

Mayers Polemik gegen das Bild vom ›Spiegel‹ entsprach im Insistieren auf der Reflexion historisch-moralischer Zusammenhänge der Kritik, die Hermlin auf dem Schriftstellerkongreß von 1947 sowohl an Lyrik als auch an Prosa der Nachkriegsjahre geübt hatte; allerdings hatte Hermlin zwei unterschiedliche Erklärungen für deren Ungenügen gegeben, eine kognitive und eine moralische:

14 Erster Deutscher Schriftstellerkongreß 4. – 8. Oktober 1947. Protokoll und Dokumente, hrsg. v. Ursula Reinhold, Dieter Schlenstedt, Horst Tanneberger, Berlin 1997, S. 211.
15 Literatur und Politik. Sieben Vorträge zur geistigen Situation in Deutschland, Konstanz 1948, S. 86.
16 Ebd., S. 87.
17 Ebd., S. 86.

»Der Versuch so vieler junger Schriftsteller in Deutschland unserer Zeit und ihrem Erleben [...] Ausdruck zu verleihen, [...] mußte scheitern, weil die wichtigsten Phänomene dieser Zeit, die Auseinandersetzung mit dem Faschismus etwa, nicht einmal rational bewältigt worden waren«.[18]

Betonte Hermlin hier die fehlende Erkenntnis gesellschaftlicher Zusammenhänge, so fügte er wenig später eine moralische Fehlhaltung hinzu:

»Das Unvermögen, die jüngste Vergangenheit und die Gegenwart dichterisch zu gestalten, hat wahrscheinlich viel [damit] zu tun, daß der Faschismus und sein Krieg bei uns fast durchweg – fast durchweg! – erduldet, ja geduldet, aber nicht bekämpft wurde.«[19]

Wie Mayer setzte Hermlin den literarischen Neubeginn in Gegensatz zur Fortsetzung des Schreibens unter dem Faschismus: Die »falsche ›Innerlichkeit‹ [nahm] der Dichtung jede Möglichkeit [...], einen selbständigen Weg zu gehen. Kotau vor dem Terror oder Rückzug in den Elfenbeinturm – eine dritte Möglichkeit schien man nicht anerkennen zu wollen.«[20] Mayer und Hermlin teilten in den ersten Nachkriegsjahren die Position, daß der ›selbständige Weg‹ der Dichtung zugleich Aktion für eine Veränderung der Gesellschaft sei, die mit der deutschen Misere breche – einer Misere, die beide in den Begriffen aus Georg Lukács' Essays *Schicksalswende* und *Über Preußentum* (1948), d.h. der spezifisch deutschen Verbindung von Bürokratismus und Subjektivismus, Kotau vor der Obrigkeit und Elfenbeinturm gefaßt sahen.

Wenn Mayers Frankfurter Referat schon gegen Sartres Pessimismus und Unmenschlichkeit polemisierte: »Sartres Helden entscheiden sich immer [...] in angeblicher Freiheit: in den ›Fliegen‹ ist es zufälligerweise die Beseitigung eines Tyrannen«,[21] so ging er wenige Monate später, nach der Übersiedlung, in einem Bericht über den Weltkongreß der Intellektuellen für den Frieden in Wroclaw einen Schritt weiter, indem er folgenden Gegensatz als für die Kontroversen bestimmend herausstellte:

»Die Debatten über den sogenannten ›Formalismus‹ in Kunst und Literatur enthüllten letztlich den Gegensatz zwischen einer Auffassung des Intellektuellen, die von seiner *Funktion* her bestimmt ist, von seiner möglichen und wirklichen Rolle in den Krisen unserer Zeit – und einer Auffassung vom Eigenwert der geistigen Leistung unabhängig von ihrer Wirkung, die von der individuellen *Substanz* her bestimmt ist«.[22]

---

18 Erster Deutscher Schriftstellerkongreß (Anm. 14), S. 308.
19 Ebd.
20 Stephan Hermlin/Hans Mayer, Ansichten über einige Bücher und Schriftsteller, erw. u. bearb. Ausg., Berlin o.J. (1947), S. 187.
21 Hans Mayer, Literatur der Übergangszeit. Essays, Berlin 1949, S. 193f.
22 Ders., Der Breslauer Weltkongreß, in: Frankfurter Hefte 3 (1948), S. 975-980, hier S. 979.

Das hier zum ersten Mal als Gegensatz begriffene Verhältnis von Substanz und Funktion sollte ein geheimes Leitmotiv seiner Stellungnahmen zur Gegenwartsliteratur bilden.

Als »leblos im Gedanklichen und leer-modernistisch in der Form« bezeichnete Hermlin in seiner Besprechung des Hefts der *Literarischen Revue* die abgedruckten Texte der »jungen westdeutschen Schriftsteller«,[23] u.a. Wolfdietrich Schnurres. Ihm warf er vor, »die Fixierung von Situationen durch leere Wiederholungen von Worten durch sogenannte ›Atmosphäre‹ zu ersetzen«.[24] Was Hermlin zum Titel der Kurzgeschichte *Die Schuld* anmerkte: »Hier könnte die Frage des Völker- und Rassenhasses gestellt werden, man könnte einen Soldaten schildern, der sich als Mörder fühlt«, brachte er in der Zusammenfassung der Antworten der Jungen auf die Frage, »warum sie schreiben«, auf den Punkt: »charakteristisch« sei die Meinung, »heute gelte es [...], sich jeder Stellungnahme rigoros zu entziehen. Das wird hingesagt, ohne daß man den Schatten einer Begründung zu geben versucht.«[25] Entsprechend kritisierte Hermlin an der Publikation der Reden des Frankfurter Schriftstellerkongresses besonders die Verwendung des Terminus »Littérature engagée‹« für eine »Literatur, die sich keiner anderen Zweckhaftigkeit verschreibt als der ›spirituellen Reinheit des Geistes‹«:

> »Man staunt, man wundert sich – wie spielend leicht [...] de[r] Begriff des ›engagement‹, das Sartresche Synonym für [...] ›résistance‹ an die Stelle des Attentismus [ge]zaubert [wird...]. Man sucht nach einer Rechtfertigung heimischer Zweideutigkeiten, Versäumnisse (im besten) und Missetaten (im schlimmsten Fall).«[26]

Hermlin sah »schlechtes Gewissen« nicht nur in der Beziehung zur Nazi-Vergangenheit, sondern auch zur Nachkriegsgegenwart; die Frankfurter Redner hätten »bereits aus dem geistigen Raum der Wiederaufrüstung« gesprochen: »Mit degoutierter Miene sprachen sie von der ›Macht‹ [...], der sich die Literatur entziehen müsse. Sie wissen es manchmal, und manchmal auch nicht, daß diese ihre Literatur gerade die Literatur der ›Macht‹ ist.«[27]

In einem Punkt, den Hermlin an den Selbstaussagen der westdeutschen Autoren besonders scharf kritisierte, deutet sich eine Gemeinsamkeit mit Mayer an, die beider Publikationen insbesondere in den frühen 50er Jahren kennzeichnet:

> »Im Goethe-Jahr wird Goethes Name in keiner Verbindung auch nur erwähnt. Nicht ein einziger westeuropäischer klassischer Schriftsteller der

---

23 Stephan Hermlin, Sie wissen nicht, warum sie schreiben. Junge Schriftsteller in Westdeutschland, in: Neues Deutschland, Berlin, 27.9.1949.

24 Ebd.

25 Ebd.

26 Stephan Hermlin, Literatur, Politik und schlechtes Gewissen, in Tägliche Rundschau, Berlin, 19.1.1949.

27 Ebd.

Vergangenheit [...oder aus] der riesenhaften russischen Literatur zweier Jahrhunderte« – »Immer wieder werden die Exponenten des Nihilismus angeführt: [...] Hemingway, Kafka, Greene, Koestler – wobei es sich noch dazu [...] um einen mißverstandenen Kafka handelt.«[28]

Die Verteidigung der nationalen Tradition gegen einen äußeren Feind, den US-amerikanischen Imperialismus, der die Nachfolge des Faschismus angetreten hätte, ersetzte zwar in der offiziellen Kulturpolitik die »nationale Selbstkritik«, die Alexander Abusch 1951 für »beendet« erklärte,[29] aber in Hermlins und Mayers Arbeiten verband sie sich mit dem Festhalten an der – aus der kollektiven Scham geborenen – »Abrechnung mit dem Alten«.[30] Mayer wurde erst in der SBZ/DDR zum Literarhistoriker, indem er sich an das Programm hielt, das er im November 1948 in einem Vortrag vor allen Hochschulgermanisten der Zone in der Deutschen Verwaltung für Volksbildung zur »Erneuerung des germanistischen Unterrichts« entworfen hatte:

> »Dabei ist von prinzipieller Bedeutung das Phänomen des Realismus im Kunstwerk, also die Bewertung der literarischen Werke aus ihren Beziehungen zum wirklichen Leben einerseits und zum anderen die Frage des sozialistischen Humanismus, der den formalen Humanismus der bürgerlichen Gesellschaft und die faschistische Theorie überwindet.«[31]

In den beiden Sammelbänden *Studien zur deutschen Literaturgeschichte* (1954) und *Deutsche Literatur und Weltliteratur* (1957) betonte Mayer einleitend: »Krieg und Nachkrieg bilden den zeitlichen und geschichtlichen Hintergrund [...]. Für den Verfasser war dieser Zeitabschnitt gleichbedeutend mit dem Ende des Exils und dem Beginn einer Tätigkeit im Nachkriegsdeutschland.«[32] Als 1959 eine Auswahl der *Studien* als erste Publikation Mayers in der BRD erschien, nannte er »[d]as Thema deutscher Selbstkritik« deren »Gesamtzusammenhang«.[33]

Hermlin erwähnte in seinen publizistischen Beiträgen zum Friedenskampf nur einmal die Gruppe 47 direkt: Wolfgang Bächler, Walter Kolbenhoff und Hans Werner Richter nahmen 1951 an dem Ost-West-Gespräch in Starnberg teil, und Hermlin deutete ein von Bächler gelesenes Gedicht als »Sehnsucht [...] nach einem vereinigten Deutschland in einer friedlichen

---

28 Hermlin, Sie wissen nicht, warum sie schreiben (Anm. 23).
29 Alexander Abusch, Literatur und Wirklichkeit. Beiträge zu einer neuen deutschen Literaturgeschichte, Berlin 1952, S. 333.
30 Stephan Hermlin, Die Sache des Friedens. Aufsätze und Berichte, Berlin 1953, S. 91.
31 Neue Wege der Literaturforschung, in: Tägliche Rundschau, Berlin, 26. November 1948.
32 Hans Mayer, Deutsche Literatur und Weltliteratur. Reden und Aufsätze, Berlin 1957, S. 709.
33 Hans Mayer, Von Lessing bis Thomas Mann. Wandlungen der bürgerlichen Literatur in Deutschland, Pfullingen 1959, S. 33.

Welt«.³⁴ Aber das Gespräch suchte Hermlin eher mit prominenten konservativen Autoren, so 1952 in einem Brief an Rudolf Alexander Schröder, dem er versicherte,»daß bei uns die ›unvermeidlichen Franzosen und Amerikaner‹, von denen Sie sprechen, die Camus und James Cain, die Käufer nicht von Wichtigerem und Schönerem ablenken.« Wir machen große Anstrengungen, »um die Klassik unter dem Volk zu verbreiten, das bisher durch künstliche Schranken von ihr getrennt war«.³⁵ Wenn Hermlin einräumte, daß nicht »jedes Buch, das in Westdeutschland erscheint, in das Fach Neofaschismus-Amerikanismus gehört«,³⁶ so band er die Ausnahmen einerseits an politische Kriterien, die Bereitschaft zum Gespräch mit dem Osten, anderseits an literarische: »Aber es gibt westdeutsche Schriftsteller, die die große Tradition unserer humanistischen Literatur fortzusetzen suchen, die mit ihren Büchern gegen Zynismus, Pervertierung und Überfremdung wirken.«³⁷ Aus der direkten Verknüpfung beider Kriterien – der Friedenspolitik und der nationalliterarischen Tradition – folgte, daß sich auf Hermlins Listen der »nichtkonformistischen« BRD-Autoren keine Mitglieder der Gruppe 47 fanden, sondern Reinhold Schneider, Johannes Tralow und Peter Martin Lampel.³⁸

1955 kam es am Rande der Berliner Frühjahrstagung der Gruppe 47 zu einer – von der Zeitschrift des Kongresses für kulturelle Freiheit *Der Monat* vermittelten – Begegnung mit Hermlin. Eine Woche danach hielt Hermlin auf dem Zweiten gesamtdeutschen Schriftstellertreffen auf der Wartburg eine Rede,³⁹ in der er drei AutorInnen der Gruppe 47 – neben Koeppen – ausdrücklich als die repräsentativen Ausnahmen von einer an Teilung und Kriegsgefahr »mitschuldig[en]« Literatur aufführte:⁴⁰ Heinrich Böll, Ingeborg Bachmann und Paul Celan. Am ausführlichsten ging er auf Celan ein, von dem er aus zwei in Anderschs Zeitschrift *Texte und Zeichen* gerade veröffentlichten Gedichten zitierte, *Schibboleth* und *In Memoriam Paul Eluard.*⁴¹ Obwohl Hermlin die Verse auswählte, in denen »die Losung des spanischen Volkes im Kampf gegen den Faschismus« und Eluards Aufforderung, zu dem »erschossenen kommunistischen Abgeordneten Gabriel Péri […] und seinesgleichen Du zu sagen« zitiert werden, lief die Argumentation darauf hinaus, das Werk sowohl von den tagespolitischen »Ansichten«⁴² als auch von der »künstlerische[n] Methode« zu unterscheiden:⁴³ »Ich kenne weder Paul Celan

34 Hermlin, Die Sache des Friedens (Anm. 30), S. 228.
35 Hermlin, Äußerungen (Anm. 4), S. 131.
36 Hermlin, Die Sache des Friedens (Anm. 30), S. 222; vgl. aber S. 100, 101.
37 Ebd., S. 222.
38 Ebd., S. 333f.
39 Hermlin, Äußerungen (Anm. 4), S. 450.
40 Stephan Hermlin, Begegnungen 1954-1959, Berlin 1960, S. 209.
41 Vgl. Texte und Zeichen 1 (1955), S. 152f.
42 Hermlin, Begegnungen (Anm. 40), S. 217.
43 Ebd., S. 216.

noch seine Ansichten«,[44] betonte Hermlin und behauptete, im Gegensatz
zur eigenen publizistischen Praxis vergangener Jahre wie zur offiziellen Kulturpolitik:

»Niemand [...] würde auf die Idee kommen, seinen Freunden und Kollegen
in der Bundesrepublik diese oder jene künstlerische Methode als Bedingung
für den gemeinsamen Kampf um die Erhaltung unserer Hoffnungen abzu-
fordern. Was immer an wirklicher Hoffnung im Menschen trotz Unterdrückung, Lüge und Unwissenheit lebt, hat immer in der Literatur seinen
Ausdruck gefunden«.[45]

Einen Ansatz zur Entkoppelung von politischer Position, Weltanschauung
und künstlerischer Methode, die Mayer seit 1948 unter den Begriffen Realismus und Humanismus als ›Funktion‹ identifiziert hatte, zeigte sich in seinen
Reden im PEN 1954/55 – also vor dem gemeinhin als Wendepunkt bewerteten
Artikel im Sonntag (2. Dezember 1956) »Zur Gegenwartslage unserer Literatur«
und der im Jahr darauf folgenden Einladung nach Wuppertal, wo er Ingeborg
Bachmann, Paul Celan, Hans Magnus Enzensberger und Walter Jens ken-
nenlernte.[46] In dem Vortrag Deutsche Literatur und Weltliteratur formulierte
Mayer mit Verweis auf Paul Eluard und unter Berufung auf Sartres Was ist
Literatur? den Grundsatz, »eine Literatur, die sich zur Inhumaniät bekennt,
wird niemals Weltliteratur werden können«. Mayer zitierte Sartre, »es sei literarisch nicht möglich, daß große Literatur entstehen könne, die sich zur Aufgabe gestellt habe, Negerunterdrückung oder Judenverfolgung zu preisen«.[47]
Damit sollte anerkannt werden, »daß sich im Werk jedes einzelnen unserer bedeutenden Künstler die verschiedensten Einflüsse kreuzen«.[48] Auf dem Internationalen PEN-Kongreß in Wien wenig später klammerte Mayers Rückblick
auf Deutsche Dramatik im zwanzigsten Jahrhundert programmatisch die Frage
nach der »Funktion« aus, um statt dessen eine »Bilanzierung« der »Substanz«
vorzutragen, die »von konkreten Theaterstücken und dem Gesamtwerk der

---

44 Ebd., S. 217.
45 Ebd., S. 216.
46 Vgl. Heinz Kersten, Aufstand der Intellektuellen. Wandlungen in der kommunistischen
    Welt. Ein dokumentarischer Bericht, Stuttgart 1957, S. 153f., 164f.; Cesare Cases, Kultu-
    relle Ereignisse und Probleme in der DDR, in: ders.: Stichworte zur deutschen Litera-
    tur. Kritische Notizen, Wien u.a. 1969, S. 111-159, hier S. 139; Franziska Meyer, The
    Literary Critic Hans Mayer: from West to East, from East to West, in: German Writers
    and the Cold War 1945-61, hrsg. v. Rhys W. Williams u.a., Manchester, New York 1992,
    S. 180-202, hier S. 190; Alfred Klein, Unästhetische Feldzüge. Der siebenjährige Krieg
    gegen Hans Mayer (1956-1963), Leipzig 1997, S. 34; Klaus Pezold, Der Literarhistoriker
    und die deutschsprachige Literatur seiner Zeit. Hans Mayer als Partner von Autoren aus
    Ost und West, in: Hans Mayers Leipziger Jahre. Beiträge des dritten Walter-Markov-
    Kolloquiums, hrsg. v. Alfred Klein u.a., Leipzig 1997, S. 97-102.
47 Mayer, Deutsche Literatur und Weltliteratur (Anm. 32), S. 191.
48 Ebd., S. 213.

wichtigsten Dramatiker auszugehen« habe.[49] Richtete sich die Argumentation mit Substanz statt Funktion in diesem Vortrag noch gegen Dramen, die von der westdeutschen Kritik als »Nachfahren des Surrealismus und des Existentialismus« gefeiert würden,[50] so setzte Mayer auf der Berliner Konferenz der Literaturwissenschaftler der DDR dasselbe Muster zur Kritik an der »von Johannes R. Becher vertretene[n] Meinung« ein, die Literatur der Deutschen Demokratischen Republik sei aus der Literatur der Arbeiterklasse hervorgegangen: »Hier liegt meiner Meinung nach eine Verwechslung von Substanz und Funktion vor.«[51]

Mit dem Bestehen auf der Differenz von Substanz und Funktion verwies Mayer auf die Gleichsetzungen, die er in der offiziellen Literaturpolitik und -theorie dominieren sah: die Gleichsetzung von Kunst und Wissenschaft, von Bewußtsein und politischem Bewußtsein und von »soziale[m] Auftrag« und »Zweckmäßige[m]«.[52] Alle drei Gleichsetzungen hatten auch Mayers eigene Positionsbestimmung von 1948 charakterisiert, die zur Identifizierung von realistischer Methode, humanistischer Weltanschauung und politischer Stellungnahme gedrängt hatte.

Der nicht gesendete, aber vom *Sonntag* gedruckte Radiovortrag *Zur Gegenwartslage unserer Literatur* von 1956 enthielt die klare Absage an die Verurteilung der nicht-realistischen Literatur des 20. Jahrhunderts als per se antihumanistisch, wenn nicht faschistisch:

> »moderne Literatur ist nicht möglich ohne Kenntnis der modernen Literatur. [...] Bis zu jener Grenze natürlich, die Brecht in seinem Brief an die westdeutschen Schriftsteller genau gezogen hatte, bis zur Grenze des Faschismus und der bewußten Antihumanität. Aber diese Grenze ist ohnehin die Grenze der Literatur überhaupt, denn faschistische Literatur ist nicht Literatur.«[53]

Im Rahmen seines Vergleichs zwischen den zwanziger Jahren und der Gegenwart, wo er auch in der Literatur Frankreichs und Großbritanniens »seit 1945 wenig Neues und Überraschendes« zu erkennen vermochte,[54] nannte er als westdeutsche Ausnahmen von der internationalen Regel der »magere[n] Jahre« drei Mitglieder der Gruppe 47:[55] Heinrich Böll, Hans Werner Richter und Günter Eich.

49 Hans Mayer, Deutsche Dramatik im zwanzigsten Jahrhundert, in: Neue Deutsche Literatur 3 (1955), 8, S. 83-90, hier S. 83.
50 Ebd., S. 89.
51 Georg Piltz, Die Fenster sind aufgestoßen, in: Sonntag, 17. Juni 1956.
52 Ebd.
53 Hans Mayer, Zur deutschen Literatur der Zeit. Zusammenhänge Schriftsteller Bücher, Reinbek 1967, S. 371.
54 Ebd., S. 368.
55 Ebd., S. 366.

Mayer fand als Literarhistoriker in die Gruppe 47. Walter Jens, der den Verleger des ersten in der Bundesrepublik erschienenen Buches vermittelt hatte, nannte Mayers Essays in der *Zeit* »große Literatur« und fährt fort:[56] »Der interessanteste Literarhistoriker deutscher Sprache ist ein Marxist.«[57] Am Schluß forderte er die westdeutsche Veröffentlichung der Essays: »Wir, die wir an eine überhistorische ästhetische Gesetzlichkeit glauben, sind jedenfalls der Ansicht, daß große Literatur in Leipzig immer noch große Literatur in Frankfurt ist.«[58] *Von Lessing bis Thomas Mann* erschien im selben Jahr, als Mayer erstmals an einer Tagung der Gruppe 47 teilnahm. Auch diese Einladung war von Walter Jens vermittelt worden; der ein Jahr zuvor als Kritiker in die Gruppe 47 gekommene Marcel Reich-Ranicki zählte es

»zu den seltsamen Paradoxen unserer Zeit, daß von den Schriftstellern, die zwischen der Elbe und der Oder leben, nicht ein Erzähler oder Lyriker, sondern ein Kritiker mit wirklicher Resonanz im Westen rechnen darf, eben Hans Mayer«.[59]

In den Berichten über diejenigen Tagungen der Gruppe 47, an denen Mayer teilnahm (Elmau 1959, Aschaffenburg[60] 1960, Saulgau 1963, Sigtuna 1964, Berlin 1965, Princeton 1966), wird die Art und Weise betont, mit der Mayer die vorgelesenen Texte als ›Symptome‹ literarhistorisch ›diagnostizierte‹. Nicht erst in seinen Memoiren übernimmt Mayer diese Beschreibung seiner Rolle: »Das hatte ich wahrscheinlich früh bei Lukács gelernt«,[61] sondern er eröffnete bereits 1962 seinen Beitrag zum *Almanach der Gruppe 47* mit der Selbstdarstellung: »Man ist Literarhistoriker oder ist es nicht.«[62] Gegen Walsers negative Assoziation der »Bestätigung von schon Gewußtem«[63] legte es Mayers *Almanach*-Beitrag auf die Begründung eines Urteils an, das durch national- und weltliterarischen Vergleich sowohl Einsicht in das Neue als auch Bewertung der Leistung anstrebte. Im Vergleich mit anderen Gruppenbildungen in

---

56 Walter Jens, Ein kurzweiliger Gelehrter. Bürgerlicher Realismus – dekadenter Formalismus, in: Über Hans Mayer, hrsg. v. Inge Jens, Frankfurt/M. 1977, S. 83-87, hier S. 87 [zuerst in: Die Zeit, 12. September 1958].

57 Ebd., S. 83.

58 Ebd., S. 87.

59 Marcel Reich-Ranicki, Ein großer Kenner unserer Literatur. Des Marxisten Hans Mayer Auseinandersetzung mit der bürgerlichen Dichtung, in: Die Welt, Hamburg, 19. September 1959.

60 Martin Walser, Brief an einen ganz jungen Autor, in: ders., Erfahrungen und Leseerfahrungen, Frankfurt/M. 1965, S. 155-162, hier S. 161 [zuerst: 1962].

61 Hans Mayer, Ein Deutscher auf Widerruf, Erinnerungen, 2 Bde., Frankfurt/M. 1988, hier Bd. 2, S. 232.

62 Hans Mayer, In Raum und Zeit, in: Almanach der Gruppe 47, 1947-1962, hrsg. v. Hans Werner Richter, Reinbek 1962, S. 28-36, hier S. 28.

63 Ebd., S. 28.

der deutschen Literaturgeschichte stellte Mayer zweierlei an der Gruppe 47 heraus. Erstens:»Jugendbewegung jedenfalls war sie nicht«,[64] und zweitens:

»[…] ohne den geschichtlichen Ausgangspunkt des zweiten Nachkriegsjahres als endgültige geistige Fixierung zu verstehen, konnte die Gruppe, ihrem Namen zum Trotz, auch literarisch evoluieren und für jene nachwachsenden Schriftsteller attraktiv werden, die bei ihrem Debüt in der Schriftstellerei deutscher Sprache eine andere Ausgangssituation vorfanden als die ›Gründer‹. Damit aber vollzog sich etwas Neues in der deutschen Literaturentwicklung, denn diese Evolution über die Ursprungslage hinaus war dem Sturm und Drang ebenso versagt geblieben wie später den Romantikern von Jena und Heidelberg, den Jungdeutschen und den Expressionisten.«[65]

Zu dem nationalliterarischen trat das weltliterarische Argument. Mayer gab einen Überblick über die internationale Rezeption und legte durch die Darstellung des Interesses in Frankreich, Österreich, Brasilien, Großbritannien, der Sowjetunion, Polen und Ungarn etwas nahe, was am klarsten anhand einer ungarischen Zeitschrift für Weltliteratur impliziert wurde:»die westdeutsche Literatur überwiegt […] gegenüber dem Abdruck von Texten aus der DDR.«[66]

Für die kritische Darstellung der Ausgangssituation der Gruppe 47 hatte Mayer auf einen frühen eigenen Text zurückgegriffen, auf seine letzte westdeutsche Publikation vor der Übersiedlung, wenn er das »Programm einer ideologischen Askese […] selbst ein ideologisches Programm« nannte, das des »totalen Ideologieverdachts‹«.[67] Für die unter das Schlagwort ›junge Generation‹ gebrachte pseudo-nüchterne Desillusioniertheit hatte Mayer die Formel 1948 in seinem Buch *Karl Marx und das Elend des Geistes. Studien zur neuen deutschen Ideologie* geprägt; sie fand 1967 auch Eingang in die 1968 dann selbständig erschienene Darstellung *Deutsche Literatur seit Thomas Mann*. Mayer formulierte zwar apodiktisch:»Keine Rede von Nullpunkt und Neubeginn der deutschen Literatur«,[68] aber er hielt doch gerade auch für Westdeutschland einen im literarischen Leben wirksamen Impuls zum Neubeginn fest, der durch den militärischen Sieg über den Faschismus freigesetzt worden sei, wobei er an »einige Erlebnisbücher der ersten Nachkriegszeit« sowie die »Aufbau- und Erneuerungsreden« erinnerte, »deren Ernst und demokratische Motivation außer Frage steht«.[69]

---

64 Ebd., S. 30.
65 Ebd., S. 31.
66 Ebd., S. 35.
67 Ebd., S. 31.
68 Hans Mayer, Deutsche Literatur seit Thomas Mann, Reinbek 1968, S. 55.
69 Ebd., S. 53.

Die Einladung von Walter Jens, Ingeborg Bachmann und Hans Magnus Enzensberger 1960[70] und Günter Grass 1961[71] ins Leipziger Seminar kann nicht isoliert werden von Mayers Auftreten im Hamburger PEN-Podiumsgespräch zwischen ost- und westdeutschen Autoren sowie Grass' Einladung zum V. Schriftstellerkongreß der DDR. Im Streit zwischen Mayer und Reich-Ranicki, ob den »scharfen Gegensätzlichkeiten zweier deutscher Staaten [...] ganz verschiedene Auffassung[en] von [...] der Funktion der Literatur« entsprächen,[72] trat Walser auf die Seite Mayers, indem er die Frage bejahte und dem nicht auf Nein-, sondern auf Ja-Sagen setzenden DDR-Modell »historische[s] [...] Recht« zugestand.[73] Als in der Folge der Hamburger Diskussion Grass auf dem V. Schriftstellerkongreß auftrat, benutzte er allerdings ein Bild Walsers kritisch gegen die DDR-Literatur, um die »Freiheit des Wortes« zu fordern:[74]

»Wenn Walser sieht, daß der Schriftsteller degradiert worden ist in seiner Bedeutung zu einer Randfigur wie die Topfpflanzen hier am Podium, so ist der Schriftsteller nicht nur in Westdeutschland dazu degradiert, er ist es auch hier.«[75]

Grass zog daraus die Konsequenz, als Bürger, nicht als Schriftsteller politisch aktiv zu werden; dabei zeigte sein teilweise zusammen mit Wolfdietrich Schnurre unternommener Protest gegen den Bau der Mauer einerseits, wie schwer es war, die Rollen zu unterscheiden, anderseits, welches Gewicht bei allen Beteiligten die Aktualisierung des Antifaschismus hatte. In einem Brief an Anna Seghers vom 14. August 1961 schrieb er: »Ich bin nicht Klaus Mann, und Ihr Geist ist dem Geist des Faschisten Gottfried Benn gegengesetzt, trotzdem berufe ich mich mit der Anmaßung meiner Generation auf jenen Brief, den Klaus Mann am 9. Mai 1933 an Gottfried Benn richtete«,[76] wies sich selbst die Rolle Klaus Manns, Seghers hingegen die von Gottfried Benn zu. Entscheidend aber war die im widersprüchlichen Kontext von Gefahr von rechts in der BRD und Verhinderung von Entspannung durch die Mauer in der DDR aufgeworfene Titelfrage seines offenen Briefes: »Und was kön-

---

70 Günter Albus, Hans Mayer in Leipzig. Eine bio-bibliographische Chronik, in: Hans Mayers Leipziger Jahre. Beiträge des dritten Walter-Markov-Kolloquiums, hrsg. v. Alfred Klein u.a., Leipzig 1997, S. 171-190, hier S. 184.
71 Ebd., S. 186.
72 Schriftsteller: Ja-Sager oder Nein-Sager? Das Hamburger Streitgespräch deutscher Autoren aus Ost und West. Das vollständige Tonbandprotokoll, hrsg. v. Josef Müller-Marein, Theo Sommer, Hamburg 1961, S. 124.
73 Ebd., S. 128.
74 Günter Grass, Essays Reden Briefe Kommentare, Darmstadt, Neuwied 1987 (= Werkausgabe IX), S. 29.
75 Ebd., S. 28.
76 Ebd., S. 33.

nen die Schriftsteller tun?«,[77] auf die der gemeinsam mit Schnurre verfaßte offene Brief die Antwort gab: »Wer schweigt, wird schuldig«[78] und die kategorische Feststellung von Grass und Schnurre: »Es gibt keine ›Innere Emigration‹, auch zwischen 1933 und 1945 hat es keine gegeben«.[79]

Im Briefwechsel zwischen Richter und Schnurre wurden 1961 Hans Mayer und Stephan Hermlin als »schuldig« betrachtet;[80] über Mayers Bleiben in der DDR schrieb Richter verallgemeinernd, wer »weiter mitmacht, verurteilt sich einfach selbst«,[81] weshalb er – Siegfried Lenz gegenüber – ausdrücklich Mayers Nichtzugehörigkeit zu der »politisch engagierte[n] Gruppe« mit »weitgehend einheitliche[r] Mentalität« feststellte.[82]

Mayer hingegen betonte in der Hamburger Diskussion die Existenz »kritische[r], divergierende[r] Meinung[en]« in der DDR.[83] Er bestritt für DDR-Schriftsteller den ›Zwang‹, »einer bestimmten Linie zu folgen, in einer bestimmten Richtung zu denken, […] zu empfinden oder zu schreiben – bei Strafe des Untergangs«.

> »Es gibt durchaus eine von der Regierung, dem Schriftstellerverband, dem Kulturministerium gewünschte Auffassung für die Entwicklung der Literatur, und es gibt Auffassungen, die in einzelnen, großen und kleineren Punkten davon divergieren. Ich halte vieles davon nicht für richtig.«[84]

Mayer wies deshalb »die Frage ›Ja-Sager oder Nein-Sager‹« als »Abstraktionen, die in der Realität des schriftstellerischen Lebens gar nicht möglich sind«,[85] mit zwei Begründungen zurück: einmal unterscheide sich die Funktion von Literatur im Kapitalismus und im Sozialismus,[86] dann sei weder das ›Nein‹ im Kapitalismus ein »unbedingt[es]«,[87] noch das ›Ja‹ im Sozialismus. Er bestritt für die DDR die Existenz eines Linienzwangs, um statt dessen ›Nicht-Übereinstimmung‹, »divergieren[de]« »Auffassungen« und »Pluralität […] ästhetischer Standpunkte und ihrer freien Entwicklung« zu betonen.[88] Im Rahmen der staatlich definierten »kulturpädagogische[n] Funktion« von Literatur öffnete Mayer den kritischen Spielraum des »einzelne[n] Schriftsteller[s]«:[89] »Ein Schriftsteller kann sich nicht trennen von der Frage: Wie

77 Ebd., S. 33.
78 Ebd., S. 35.
79 Die Mauer oder Der 13. August, hrsg. v. Hans Werner Richter, Reinbek 1961, S. 111.
80 Hans Werner Richter, Briefe, hrsg. v. Sabine Cofalla, München, Wien 1997, S. 352.
81 Ebd., S. 351.
82 Ebd., S. 367.
83 Schriftsteller: Ja-Sager oder Nein-Sager? (Anm. 72), S. 125.
84 Ebd., S. 109.
85 Ebd., S. 97.
86 Ebd., S. 124.
87 Ebd., S. 96.
88 Ebd., S. 110.
89 Ebd., S. 125.

wirkt das, was ich tue? Und jede Entscheidung, auch die Entscheidung für die *Nicht*-Engagierung, ist eine Entscheidung.«[90] In seiner Antwort auf eine Umfrage der *Zeit, Was erwarten Sie von der neuen Buchsaison 1960?* benutzte Mayer das Begriffspaar Substanz und Funktion auf eine neue Weise: als ein Nebeneinander in einer widersprüchlichen Situation. Er unterschied »Richtige und falsche Bücher«, indem er die »Situation« »einer Epoche, welche Substanz und Funktion aller Literatur [...] von Grund auf verändert hat« zunächst als Widerspruch beschrieb: »der Auseinandersetzung zwischen den antithetischen Forderungen Benns [›wer das Leben organisieren will, wird nie Kunst machen‹] und Thomas Manns [›daß unter Menschen solche Ordnung sich herstelle, die dem schönen Werk wieder Lebensgrund und ein redlich Hineinpassen bereite‹] vermag sich ein ernsthafter Schriftsteller von heute ebensowenig zu entziehen«.[91] Anschließend machte er aus dem Widerspruch – der an die Stelle der Alternative von Substanz und Funktion getreten war – eine doppelte Abgrenzung, indem er erklärte, wovon er nichts erwarte:

»Von deutschem Surrealismus. Von episierten oder dramatisierten Nachtragskapiteln zur Psychoanalyse. Von Dingdichtung und Dingliteratur (scheinbar) ohne Autor. Von Kafkaepigonik.[...] Oder auch: Von Aufbaustücken mit Biedermeierdramaturgie. Von rotgestrichenen Gartenlauben. Von linkem Neoklassizismus. Von Agitationsgedichten ohne Zorn und Leidenschaft.«[92]

Die Figur der doppelten Abgrenzung stand dann am Schluß eines Textes, mit dem Mayer im Winter 1963 die Sendereihe des Hessischen Rundfunks *Sind wir noch das Volk der Dichter und Denker?* eröffnete:

»Der Gegensatz zwischen Substanz und Funktion in der heutigen deutschen Literatur ist unermeßlich. Hüben verfehlt diese Literatur ihre kritische Wirksamkeit und drüben verfehlt sie ihre apologetische, sprich: propagandistische Wirksamkeit.«[93]

Dieselbe Unterscheidung zwischen kritischer und propagandistischer Funktion nahm Mayer in einem seiner Länge und Grundsätzlichkeit wegen ihm von Richter,[94] wie Mayers Memoiren ausführen,[95] zeitlebens verübelten Dis-

---

90 Ebd., S. 98.

91 Hans Mayer, Richtige und falsche Bücher. Literatur und Literaturkritik in Deutschland. Dreizehn führende Rezensenten antworten auf die Frage:»Was erwarten Sie von der neuen Buchsaison 1960?«, in: Die Zeit, 23. September 1960.

92 Ebd.

93 Hans Mayer, Von guten und schlechten Traditionen deutscher Sprache und Literatur, in: Sind wir noch das Volk der Dichter und Denker? 14 Antworten, hrsg. v. Gert Kalow, Reinbek 1964, S. 7-15, hier S. 15.

94 Hans Werner Richter und die Gruppe 47, Frankfurt/M. u.a. 1981, S. 104.

95 Mayer, Ein Deutscher auf Widerruf (Anm. 61), Bd. 2, S. 309.

kussionsbeitrag auf der Tagung 1966 in Princeton vor. Der Bericht Dieter E. Zimmers belegt aber, daß Mayers Versuch, den Begriff des »Engagement[s]« zu klären,[96] nicht so verständnislos aufgenommen wurde, wie Mayer dem Gründer verallgemeinernd unterstellt. Im Gegenteil, für die *Zeit* stellte Zimmer den Bericht über Princeton ganz auf das »Thema Engagement« ab, »das doch noch lange nicht ausdiskutiert scheint, wie immer behauptet wird«.[97] Er sah Mayer den Streit zwischen Susan Sontag und Peter Weiss entscheiden, ob ein Schreiben »aus Freude an ästhetischen Formen« »ein komplizenhaftes Einverständnis mit der Korruption der Gesellschaft und der großen Räuberei allerenden« bedeute, indem Mayer die Frage aufwarf, »wie Propaganda und engagierte Kunst zu trennen seien«, und zu dem Schluß kam, »daß auch Propagandaelemente der Kunst nicht notwendig im Wege stünden.«[98]

Ausgelöst wurde Mayers Rückgriff auf den Engagementbegriff nicht, wie er in den Memoiren erinnert, durch Peter Handkes Auftreten, sondern durch Weiss' *I come out of my hiding place*.[99] Die besondere Nähe zu diesem Autor, »den das Leben zwischen die Juden und die Deutschen [...] geschmissen hatte«,[100] und zu seinem Werk bekundet der Autobiograph schon für die Tagung in Saulgau, wo Weiss aus dem *Marat/Sade* gelesen hatte:

> »Vielleicht erfaßte ich damals, in glücklicher Konstellation, fast als einziger im Saal, was hier vorgelesen wurde. Ich teilte mit Peter Weiss die Erleidnisse der Herkunft. [...] Gemeinschaft des Exils. [...] Das gemeinsame Trauma Büchner und Danton. [...] [D]as war auch meine Welt.«[101]

Obwohl Mayer Weiss noch nicht nennen konnte, als er 1963 für die *TLS* sein Selbstverständnis als Literaturkritiker beschrieb, ist auf die Identifikation des Kritikers in Saulgau und Princeton anwendbar, was er über sein Interesse an Dürrenmatt und Sartre sagte: »daß mich an der heutigen Literatur vor allem jene Autoren und Werke interessieren, bei denen ich ein klares Bemühen um die Verbindung von Substanz und Funktion erblicken kann«.[102] Mayer verknüpfte in dieser deutsch erst 1967 erschienenen Selbstdarstellung den Rückblick auf seine Anfänge in der Schule von Georg Lukács mit einer Verortung seiner nunmehr bundesrepublikanischen Position im internationalen Kontext,

---

96 Ebd., S. 310.
97 Die Gruppe 47. Bericht Kritik Polemik. Ein Handbuch, hrsg. v. Reinhard Lettau, Neuwied, Berlin 1967, S. 234.
98 Ebd., S. 234f.
99 Vgl. Peter Weiss. Leben und Werk, hrsg. v. Gunilla Palmstierna-Weiss, Jürgen Schutte, Frankfurt/M. 1991, S. 204f.
100 Mayer, Ein Deutscher auf Widerruf (Anm. 61), Bd. 2, S. 300.
101 Ebd., S. 302.
102 Hans Mayer, Der Kritiker und die Teilung der Gewalten, in: Kritiker der Zeit. Texte und Dokumente. Bd. 2: Von Paris bis Warschau, hrsg. v. Hans Mayer, Pfullingen 1967, S. 66-73, hier S. 72.

zwischen Harvard, London, Paris und Warschau. So verband sich Distanzierung mit einem wichtigen Moment von Kontinuität. Wenn Mayer auf der
einen Seite betonte, daß seine Arbeitsweise sich in immer stärkerem Maße
vom Einfluß Lukács' freizumachen suchte, so ging es auch um die Absage an
die Alternative von Funktion und Substanz. Er wolle nicht nur Zusammenhänge zwischen Werk und geschichtlicher Situation untersuchen, sondern
»alle Einzelheiten, die gerade den Wert einer Dichtung ausmachen«.[103] Wenn
er andererseits gegen George Steiner auf der Untrennbarkeit von Literaturgeschichte und Literaturkritik bestand, berief er sich zugleich auf Steiners
Diktum: »›We cannot pretend that Belsen is irrelevant to the responsible life
of the imagination.‹ Das sagt Steiner und hat durchaus recht. Es gilt für den
Literarhistoriker wie für den Kritiker. Weder im anglistischen Seminar noch
beim Theaterkritiker ist es in Deutschland von nun an möglich, den ›Kauf-
mann von Venedig‹ in naiver Weise als rein literarische Materie zu begreifen.
Man kann nicht so tun, als wären Richard Wagners antisemitische Schriften,
als wären Rilkes Bewunderungsbriefe über Mussolini niemals geschrieben
worden.«[104]

Wenn Mayers Revision der literarhistorischen Parteinahme von 1948 für
die gesellschaftsverändernde Funktion in die Identifikation mit dem Engagement von Peter Weiss führte, so zeigt sich eine analoge Veränderung in der
Literaturkritik Hermlins. Hermlin zitierte 1967 im Deutschlandsender ausführlich aus dem Vortrag, den Johannes Bobrowski unter dem Titel *Benannte
Schuld – gebannte Schuld?* 1962 in der Evangelischen Akademie in Berlin-
Weißensee gehalten hatte; im selben Jahr war er in einer Stichwahl gegen
Weiss mit »43 zu 30 Stimmen« Preisträger der Gruppe 47 geworden:[105] »Literatur […] arbeitet Vergangenheit auf […], sie tut es im Blick auf Gegenwart,
meinetwegen auf Zukunft. Sie will also etwas ausrichten.«[106] Hermlin betonte, daß er zitiere, »weil ich mit diesen Sätzen übereinstimme«, und die Sätze
betrafen, »was Literatur wirklich leisten kann und daß der ihre Möglichkeiten
einschränkt, der der Literatur wesensfremde Aufgaben stellt«.[107] Darin sah er
eine doppelte: zum einen die politische Überforderung, »von der Literatur
Ergebnisse zu erwarten, die die Macht zu erbringen hat«,[108] zum anderen die
ästhetische Normierung »aus einer Art pathologischer Aversion gegen zeitgenössische Schreibweisen«.[109]

103 Ebd., S. 71.
104 Ebd., S. 69.
105 Vgl. den Bericht Wolfdietrich Schnurres in: Die Gruppe 47 (Anm. 97), S. 172; vgl.
auch Joachim Kaiser in: Dichter und Richter. Die Gruppe 47 und die deutsche Nachkriegsliteratur, hrsg. v. Jürgen Schutte, Berlin 1988, S. 18.
106 Stephan Hermlin, Lektüre 1960-1971, Frankfurt/M. 1974, S. 138.
107 Ebd., S. 140.
108 Ebd., S. 140.
109 Ebd., S. 141.

Indem Hermlin zwischen der »Fähigkeit« der Literatur »zu verändern«[110] und ihrer Festlegung auf politische Positionen oder künstlerische Methoden unterschied, unterstrich er Bobrowskis offene Bestimmung des Beitrags der Literatur zur Aufarbeitung der Vergangenheit: »Ich bin dafür, daß alles immer neu genannt wird, was man so ganz üblich als ›unbewältigt‹ bezeichnet, aber ich denke nicht, daß es damit ›bewältigt‹ ist. Es muß getan werden, nur auf Hoffnung.«[111]

Hermlins literaturkritische Essayistik, die zunehmend seit der zweiten Hälfte der 1950er Jahre an die Stelle der Friedenspublizistik getreten war, war von dem Gedanken beherrscht, »daß die schmerzhaften Kämpfe unserer Epoche für eine menschlichere, für eine *poetische* Gesellschaft in jedem Gedicht jedes [großen…] Dichter[s] toben«.[112] Zugleich aber führte er die Auseinandersetzung mit der faschistischen Vergangenheit fort, insbesondere mit der Verfolgung und Vernichtung der Juden. Sein im *Sonntag* publiziertes *Tagebuch* durchzog die Frage

»nach Millionen und Millionen und Millionen, die nicht heimkehrten, die niemals mehr heimkehren werden, unsere Väter, Mütter, unsere Kinder, unsere Verwandten, unsere Freunde, sie, die nicht einmal ein Grab haben, die von Treblinka und Auschwitz, die von Kiew und Witesbsk, die von Kalavritas in Griechenland und die von Tulle in Frankreich und die von den ardeatinischen Grotten in Italien, die von Dachau und Ravensbrück, die von Bergen-Belsen und Buchenwald«.[113]

Am 7. September 1965 sprachen Richter und Hermlin am Grab Bobrowskis. Während Richter über den »Apostel der unzerstörbaren Einheit der deutschen Literatur« redete,[114] sagte Hermlin über Bobrowskis Werk:

»Ein endloser, unaufhaltsamer Ostwind jagt durch diese Dichtung. In ihr treffen Juden und Litauer, Polen und arme Deutsche aufeinander, vereinen sich gegen ihre Unterdrücker, werden von ihnen besiegt. […] Johannes Bobrowski erklärte sich nicht für Brüderlichkeit: seine Dichtung war brüderlich. Ihr dämmerndes Licht schien einer langen Nacht voraus oder einem ungewissen Tag.«[115]

---

110 Ebd., S. 142.
111 Ebd., S. 140.
112 Ebd., S. 211.
113 Hermlin, Begegnungen (Anm. 40), S. 12.
114 Richter, Briefe (Anm. 80), S. 574.
115 Hermlin, Lektüre (Anm. 106), S. 136.

EVA-MARIA SIEGEL

Das epische Theater Brechts und seine Wirkung in Deutschland und Frankreich in der Zeit des Nachexils

I. *Einleitung: Der doppelte Brecht*

In dem von Therese Hörnigk herausgegebenen Band *BrechtDialog 1998*[1] kann man unter dem Stichwort »Ästhetische Theorie und Philosophie bei Bertolt Brecht« ein bemerkenswertes Gespräch finden. Teilnehmer waren Karlheinz Barck, Klaus Scherpe und Jörg Zimmermann. Es eröffnet mit Blick auf die Brecht-Rezeption eine zunächst ungewohnte Perspektive. Während Klaus Scherpe ausführt, daß »das Theater, Literatur überhaupt [...] immer mehr vom Abwesenden, der abwesenden Wirklichkeit«[2] handelt, kommt ein amerikanischer Teilnehmer, im Publikum sitzend, auf Brechts Nähe zu dem Anthropologen Lévi-Strauss zu sprechen. Es geht ihm um den »ethnologische[n] Blick«, um ein »Denken durch Metaphern, Zeichen, die eine Art Begrifflichkeit sind, die zwischen Bildern und Begriffen liegen«.[3] Gemeint ist ein Umgang mit Wissen, der das Vertraute, das Heimatliche fremd stellt und damit eine neue Sichtweise eröffnet. Den Titel der Tagung »Fremdes Heimatland« könnte man auch so lesen. Die Debatte, die sich auf Grund dieser scheinbar nebensächlichen Äußerung entspann, scheint nicht ohne Emotionen verlaufen zu sein. Sie stellt die Möglichkeiten postmoderner Lesarten des sozialistischen Klassikers in den Mittelpunkt. Einer der Vorschläge lautet schließlich, Brecht als Anthropologen zu entdecken, als historischen Anthropologen oder auch Semiologen, der Verfahren einer ›Gesellschaftswissenschaft‹ praktiziere.

Diesem Vorschlag möchte ich hier folgen – auch wenn mein Beitrag vom epischen Theater handelt bzw. von einem Autorenkollektiv mit Namen »Brecht« und der Aufnahme seiner Produktionen in drei Ländern. Die Leitfigur wird allerdings nicht Lévi-Strauss sein, sondern ein anderer Vertreter postmoderner Zeichentheorie: Roland Barthes. Denn zu seiner Rezeption des Brechtschen Werkes lassen sich tatsächlich zahlreiche Belege auffinden, wie zu zeigen sein wird.

1   Frankfurt/M. 1999.
2   Ebd., S. 262.
3   Ebd., S. 263.

Im Kontext der von mir untersuchten Wirkungsgeschichte zeichnet sich eine Konstellation ab, die sich mehrfach zu wiederholen scheint und die folgendermaßen zusammengefaßt worden ist: Je mehr der Gefeierte zum ›Cäsar‹ erhoben wurde, desto deutlicher konturierte sich ein ›doppelter Brecht‹: die Erhebung zur Preiswürdigkeit und der Wunsch, ihn noch vor seiner Wiederauferstehung endgültig zu begraben.[4] Dabei wird die eine Tendenz zum Motor der anderen. Das dürfte auf seine Wirkung in Deutschland und Frankreich in der Zeit des Nachexils ebenso zutreffen wie auf die nationalen Jubelfeiern zu seinem 100. Geburtstag, zumindest soweit sie sich auf jene »denkmalgeschützten Andachten und in Gedächtnisfeiern gekleidete Strafrituale«[5] beschränkt haben, von denen die Herausgeberin des eingangs zitierten Bandes spricht.

Hinzuzufügen ist, daß diese Ambivalenz in das Brechtsche Werk selbst eingeschrieben zu sein scheint. Der Autor hat's gewußt. Warum sonst findet sich im Drama *Der kaukasische Kreidekreis* jene Darstellung des Festes, die eine Gleichzeitigkeit von Vermählung und Grablegung vorführt? Jene Hochzeits- und Trauerfeier beispielsweise, die im dritten Akt in die Szene *In den nördlichen Gebirgen* eingefügt worden ist?[6] Sie gilt dem bäuerlichen Sohn, der, in einem fiktiven Grusinien lebend, eine ›Scheinheirat‹ mit Grusche, der Protagonistin des Stücks, anstrebt. Und sie führt vor, wie dieser sich vermittels vorgetäuschter tödlicher Krankheit vor dem nationalen Heeresdienst drückt.[7] Folgerichtig *muß* er zum Wiedergänger werden – zu einem *revenant*, zu einem von den Toten Auferstandenen, der das Sterbezimmer nur verläßt, um mit der Hochzeit zugleich seine Auferstehung zu feiern.

Der einleitende Bezug auf diese kleine Szenerie soll die Absicht untermauern, den Spuren und Wanderungsbewegungen von Brechts Texten in den späten 1940er, 1950er und frühen 1960er Jahren des 20. Jahrhunderts nachzugehen und sie zugleich als ›archetypische Zeichen‹ im Zeitalter der Postmoderne zu lesen. Mein Beitrag gliedert sich in folgende Abschnitte:

– Brechts Dramaturgie auf dem Prüfstand: Die Rezeption in Deutschland und Frankreich jenseits der Formalismusdebatte

4 Vgl. Antony Tatlow, Ghosts in the House of Theory, Brecht and the Unconscious, in: Brecht 100 (= (2000. The Brecht Yearbook 24 (1999), S. 1-13, hier S. 1.
5 Therese Hörnigk, Vorwort zu BrechtDialog 1998, S. 7.
6 Vgl. dazu Bertolt Brecht, [Notate] zu Der kaukasische Kreidekreis, in: ders., Werke. Große kommentierte Berliner und Frankfurter Ausgabe. Hrsg. von Werner Hecht, Jan Knopf, Werner Mittenzwei und Klaus-Detlef Müller, Bd. 24 (Schriften 4: Texte zu Stücken), Berlin, Weimar, Frankfurt/M. 1989ff., S. 341-348. (Im Folgenden BFA).
7 Bertolt Brecht, Der kaukasische Kreidekreis [Fassung 1949], in: BFA, Bd. 8 (Stücke), S. 7-92, hier S. 47. Vgl. zur Bedeutung des Festes in Brechts Frühwerk Miriam Haller, Das Fest der Zeichen, Schreibweisen des Festes im modernen Drama, Köln, Weimar, Wien 2002, S. 176ff., S. 253ff.

– Bert Brecht und Roland Barthes
– Visuelle und akustische Zeichen
– Blick und Stimme: Der *soziale Gestus*

Ich beschränke mich auf die Untersuchung zweier Texte: *Mutter Courage und ihre Kinder. Eine Chronik aus dem Dreißigjährigen Krieg* sowie *Der Kaukasische Kreidekreis*. Ich werde danach fragen, wie sie im Rahmen der theaterkritischen Betrachtung in beiden deutschen Staaten und in Frankreich aufgenommen worden sind. Zweitens möchte ich mich damit beschäftigen, inwieweit an ihnen der Umstand zu Tage tritt, daß die auf der Bühne dargestellte Welt voll von Zeichen ist, deren in der Schwebe belassene Bedeutung immer wieder aufs Neue der Entzifferung, mit einem Wort: der Verlebendigung bedarf.

II. Brechts Dramaturgie auf dem Prüfstand:
Die Rezeption in Deutschland und Frankreich jenseits der Formalismusdebatte

Zur Rezeption der Chronik *Mutter Courage und ihre Kinder,* am 19. April 1941 in Zürich uraufgeführt, und des *Kaukasischen Kreidekreises,* 1947 noch in der Emigration verfaßt und 1954 in Ost-Berlin als deutschsprachige Erstaufführung vorgeführt, hat bereits Monika Wyss einiges an Material versammelt.[8] Ihrem Band läßt sich zunächst eine aufschlußreiche Aussage über die Wirkungsintention der *Mutter Courage* entnehmen. Anläßlich der 200. Aufführung im Mai 1954 im Theater am Schiffbauerdamm – die deutsche Uraufführung fand am 11. Januar 1949 noch auf der Bühne des Deutschen Theaters statt – schreibt der Kritiker Gerhard Wahnrau:»Die weit kleinere Bühne am Schiffbauerdamm, das Fehlen des Rundhorizonts, haben die Akzente der Aufführung teilweise erheblich verschoben. Die indirekte Wirkung wich der direkten.« Was Brecht wolle, sei indessen doch offenbar,»den Zuschauer sehend zu machen.«»Junge Schauspieler«, bemerkt er,

»ringen um jenen Brecht nun mal eigenen Stil, der Persönlichkeiten voraussetzt, wenn sie […] in ›zweifacher Gestalt‹ auf der Bühne stehen sollen. Wer sich da behaupten will, muß nicht nur in der Rolle stehen, sondern auch noch als Persönlichkeit daneben, sich stets kontrollierend.«[9]

Den Zuschauer sehend zu machen mit Hilfe der Aufspaltung von Person und Rolle – was heißt das anderes als doppelte Zeichenwirkung?

---

8   Monika Wyss, Brecht in der Kritik, Rezensionen aller Brecht-Uraufführungen sowie ausgewählter deutsch- und fremdsprachiger Premieren, München 1977.
9   Gerhard Wahnrau in: Theater der Zeit, Berlin (Ost), Mai 1954, zit. n. ebd., S. 216.

Die atmosphärisch genaueste Beschreibung einer Aufführung der *Mutter Courage* am 13. Januar 1949, zwei Tage später, liefert Wolfgang Heise, dessen Besprechung Monika Wyss leider nicht aufgenommen hat. Nachdem auf Wunsch des Dichters die ersten beiden Aufführungen »vor Berliner Betriebsarbeitern über die Bretter gegangen waren«, fand, schreibt Heise, »die Pressevorstellung statt«. Er legt Wert auf die Feststellung, daß die »Einheit des Ganzen« in jenem »gesellschaftlichen Geschehen« liege, das die Zentralfigur erfährt; und er verweist darauf, daß die eigentlich Handelnden nicht die Personen sind, sondern »der Krieg«,[10] der Krieg als das große Ereignis, welches das Geschehen auf der Bühne prägt.

Anders als Heise verfährt die Kritikerin der *Zeit*, Sabine Litzmann, in ihrer Besprechung des *Kaukasischen Kreidekreises* in der Besetzung mit Ernst Busch, Angelika Hurwicz und Helene Weigel von 1954. Sie bemerkt, die vierstündige Aufführung sei »die perfekte Wiedergabe eines perfekten Stücks marxistischer Klassendramatik.«[11] Zwar nimmt sie auf den Vorhang mit Picassos Friedenstaube Bezug, dem programmatischen Emblem des *Berliner Ensembles*, zwar hebt sie die Musik von Paul Dessau mit dem von ihm eigens für das Stück erfundenen Instrument, dem »Gongspiel« hervor, das die Lieder des Azdak begleitet. Die »fesselnden akkordischen und rhythmischen Wirkungen« bleiben jedoch in ihrer Darstellung isoliert, wo Stimme, Klang und Bild nicht zu einem Gesamteindruck synthetisiert werden.

Ähnlich gespalten war die Reaktion des Publikums im Falle dieses Stücks offenbar häufiger. Der Theaterkritiker Jürgen Rühle stößt sich im Ostberliner *Sonntag* aber vor allem an einer Aussage im Programmheft: der Aussage nämlich, daß »das Muttertum« in diesem Stück »sozial bestimmt« worden sei. »Verzeihen Sie, Bert Brecht«, spricht er den Autor an, den er an anderer Stelle als »Opfer seiner Theorie vom epischen Theater« bezeichnet,

»verzeihen Sie, Bert Brecht, die Dialektik in Ehren, aber ich glaube, daß auch in der sozialistischen Gesellschaft das Muttertum ein biologischer und kein sozialer Prozeß ist. Warum hat denn die Grusche das ausgestoßene Kind beschützt – doch nicht, weil sie eine Magd, sondern weil sie eine Frau ist! Natürlich wirken die gesellschaftlichen Verhältnisse auf alle Lebensvorgänge ein, aber sie heben sie nicht auf.«[12]

Die Besprechung der westdeutschen Erstaufführung des *Kaukasischen Kreidekreises* an den *Städtischen Bühnen* in Frankfurt am Main 1955 – in der Regie von Harry Buckwitz und mit Käthe Reichel als Grusche – faßt das rezeptive Gesche-

10 Wolfgang Heise, Verflucht sei der Krieg, in: Tribüne, 13. Januar 1949. Ich danke den Mitarbeiterinnen und Mitarbeitern des Brecht-Archivs für die Gelegenheit, das Material einzusehen und für die freundliche Betreuung.
11 Zit. n. Wyss, Brecht in der Kritik (Anm. 8), S. 264.
12 Ebd., S. 265.

hen in wünschenswerter Klarheit zusammen. Denn hier gibt es Autor und Werk tatsächlich gleich zweimal: Während der Brecht (West) als »Dichter eines sozial-kritisch durchsetzten Rührstückes« vor Augen geführt wird, sei der Brecht (Ost) als »Doktrinär und Rechtfertiger sozial bestimmten Muttertums und nach Schnauze richtender Laien«[13] im Falle der vorliegenden Aufführung kaum zu verspüren. Das mag damit zusammenhängen, daß das Vorspiel – der Streit der Kolchosbauern um das Land – auf der Frankfurter Bühne weggelassen worden war. Vielleicht aber ist dieser Aufspaltung auch eine Reaktion auf den Einfluß der Formalismusdebatte in der damaligen Sowjetischen Besatzungszone abzulesen. Bekanntlich wurde sie ebenfalls durch zwei konträre Positionen markiert. Herbert Ihering lobt den nunmehr fast fünfzigjährigen Brecht wegen seiner »Sprache, die zugleich national und international« sei, »die in Deutschland und im Ausland verstanden wird«, als »stärkste eigene Begabung«.[14] Fritz Erpenbeck hingegen verschärft in seinen Bemerkungen zu Brechts ›Mutter Courage‹ die Diskussion um das Werk durch die Stellung der berüchtigten ›Grundfrage‹, die schließlich den Ausschlag gibt. »Wo verliert sich«, so führt er aus,

»trotz fortschrittlichen Wollens und höchsten formalen Könnens, der Weg in eine volksfremde Dekadenz – wo führt, bei fortschrittlichem Wollen und höchstem formalen Können, der Weg zur Volkstümlichkeit, zur dringend notwendigen Gesundung?«[15]

Der »Kampf um Brecht«[16], wie ihn 1965 nachträglich Joachim Kaiser bezeichnet hat, entbrennt schließlich in den fünfziger Jahren. Demgegenüber habe es, so bemerkt er, in den 1960ern entschieden an Brecht-Gegnern gefehlt

---

13   Ebd., S. 269.

14   Herbert Ihering, Der Gegenspieler. Bemerkungen über Brecht, in: Helmut Kreuzer, Karl-Wilhelm Schmidt (Hg.), Dramaturgie in der DDR (1945-1990), Bd. 1, Heidelberg 1998, S. 25f. Hinzugefügt sei an dieser Stelle der Kommentar der Hg. im Vorwort: »Die sowjetische Besatzungszone (SBZ) und die aus ihr hervorgegangene DDR waren ein Ort großen Theaters und einer literarhistorisch relevanten Dramatik. Zu den Voraussetzungen und Wirkungen dieses Theaters und dieser Dramatik gehörten engagierte dramaturgische Auseinandersetzungen und ein großes staatliches Interesse, das in der politisch-ökonomischen Förderung ebenso zum Ausdruck kam wie in den ästhetischen und unmittelbar politischen Forderungen, die an die ›Theatermacher‹ und Autoren gestellt wurden und deren Nichterfüllung Sanktionen zur Folge haben konnte. Das Theater, die dramatische Literatur, die Dramaturgie und die Kulturpolitik der DDR sind und bleiben daher bedeutsame Gegenstände der Forschung und Lehre.«

15   Fritz Erpenbeck, Einige Bemerkungen zu Brechts Mutter Courage, in: ebd., S. 46ff. Vgl. die Ausführungen zu den Polemiken u.a. auch von Friedrich Wolf in Theo Buck, Leben im Widerspruch. Bertolt Brecht in der DDR, in: Günther Rüther (Hg.), Literatur in der Diktatur. Schreiben im Nationalsozialismus und DDR-Sozialismus, Paderborn, München, Wien, Zürich 1997, S. 343-356, hier S. 352; ebenso den verdienstvollen Band von Werner Mittenzwei, Das Leben des Bertolt Brecht oder der Umgang mit den Welträtseln, Bd. 2, Berlin 1986, S. 328ff., S. 420ff.

16   Joachim Kaiser, Schwierigkeiten beim Brecht-Spielen, in: Theater heute 6 (1965) 1, S. 57.

–»nachdem London und New York sich mit ihm beschäftigt haben, ist der Autor sogar in Augsburg und Wien möglich.« Was abschnurre, seien »scholastische Brecht-Gespräche«. »Wir sind«, so Kaiser,

»gepanzert mit Zitaten und geschirmt von Modellen, auf dem Wege, aus Brecht das zu machen, was er haßte: einen Erinnerungsautor. Auch ›Brechtianer‹ schwelgen in Erinnerungen. So wie der Puccini-Hörer selig immer wieder die schönen Stellen wiederfinden will, sucht der Brechtianer süchtig nach immer den gleichen Demonstrationen, nach immer der gleichen, wohlformulierten antikapitalistischen, antiideologischen, falsche Beschwichtigungen zerstörenden, linken Rechthaberei. Selbst ein ›Stilprinzip‹ kann offenbar zur ›schönen Stelle‹ verharmlosen.«[17]

Dieses harsche Urteil unterstreicht zunächst nur, welchen Vorbildcharakter die Berliner Aufführungen der beiden Stücke inzwischen gewonnen haben. Sowohl Erwin Piscators Inszenierung der *Courage* im Staatstheater Kassel von 1960[18] als auch die späteren Aufführungen in Ulm, Krefeld und Mönchengladbach[19] benutzten sie als Vorlage, mit nur geringen Modifizierungen. Bei aller Treue zum Stilprinzip kommt es dabei zu aufschlußreichen Zwischenfällen. Kaiser, der die bedeutendsten Brechtaufführungen zu Beginn der 1960er Jahre Revue passieren läßt, weiß über Peter Palitzschs Inszenierung der *Courage* in Köln Folgendes zu berichten:

»Die stärkste Szene des Stücks wurde in der Kölner Aufführung [...] durch ein bühnentechnisches Unglück zerstört. Die Katholischen [!] legten auf die« – übrigens von einem zu niedrigen, mit den langen Lanzen leicht zu erreichenden Dach trommelnde – »Kattrin an. Kattrin brach erschossen nieder, noch bevor man Lärm aus der Stadt gehört hatte. Einige Sekunden eines schweigenden, rührenden Requiems vergingen. Dann fiel mit donnerndem Getöse der tödliche Schuß, dem Kattrin irrtümlicherweise vorschnell weggestorben war. Die Verwirrung war unbeschreiblich. Fröhliches Gelächter rann durchs Haus. Selbst die Mörder lachten, weil sie nicht anders konnten und wohl auch dachten, man sähe sie nicht.«[20]

Aus diesem medialen Auseinanderfall von Bild und Ton und der Reaktion rheinischen Frohsinns könnte man leicht einen bewußten Verfremdungseffekt zaubern. Zurück jedoch zur Rezeption der beiden Dramen in der Zeit des Nachexils, einem Zeitraum, der im vorliegenden Falle die Produktionsphase bis zum Anfang der 1960er Jahre umfaßt; nicht bis zu Brechts Tod also, sondern bis zu jenem Zeitpunkt, an dem seine Rezeption als Klassiker einsetzt.

17 Ebd.
18 Willi Fetz, Piscator inszeniert Brecht, in: Deutsche Woche 10 (1960) 10, S. 9.
19 Volker Canaris, Den Brecht ändern?, in: Theater heute 7 (1966) 11, S. 48-50.
20 Joachim Kaiser, Schwierigkeiten beim Brecht-Spielen, Anm. 16.

Wie sieht demgegenüber die Situation in Frankreich aus? Rückblickend auf die 1950er Jahre wird sie etwa in einem Gespräch von fünf bedeutenden französischen Regisseuren beleuchtet, das erstmals in *Les Lettres françaises* im Juni 1960 erschien und das die Münchener Zeitschrift *Die Kultur* einen Monat später nachdruckte.[21] Es handelt sich um Pierre Abraham, Jean Vilar, Roger Planchon, André Steiger und Jacques Roussillon. Anlaß ist der durchschlagende Erfolg des Berliner Ensembles auf den Pariser Bühnen. Vor allem Steiger betont die Beispielwirkung der Aufführung der *Mutter Courage* und rät den französischen Kollegen, ihr nachzueifern. Während sich also auch hier die Modellwirkung – die Brecht ja mit »sanfter Erpressung«[22] eingestandenermaßen durchsetzen wollte – Bahn bricht, bietet sich André Müller im *Sonntag* die willkommene Gelegenheit, auf den Gegensatz hinzuweisen, der sich zwischen der französischen und der (west)deutschen Rezeption auftut:

>»Zur gleichen Zeit, da in der BRD die Boykotthetze gegen Brecht begann, feierte Brecht auf den französischen Bühnen Triumphe. Niemand hat hier daran gedacht, dessen Dramen wegen der Augustereignisse in Berlin [gemeint ist der Bau der Mauer, E.S.] abzusetzen.«[23]

Er weist darauf hin, daß mehr als 300 französische Kritiker begeisterte Rezensionen über die *Schwejk*-Inszenierung von Roger Planchon verfaßten. Trotz seiner polemischen Argumentation ist der Artikel aufschlußreich hinsichtlich der Beschreibung des Erfolges, den Brechts Stücke auf den Bühnen Frankreichs erzielten:

>»Der große Erfolg Brechts im französischen Theater begann vor fünf Jahren, bis dahin war er nur einem kleinen, eingeweihten Kreis bekannt. Die Gastspiele des *Berliner Ensembles* machten Brecht über Nacht populär. Die Theater öffneten Brecht ihre Bühnen, die Kritik begann sich eingehend mit ihm zu beschäftigen. [...] Für die französischen Studenten der Germanistik ist Brecht als Pflichtautor in das Prüfungsprogramm zum Staatsexamen aufgenommen worden [...]. Sogar nach den neuesten Steuergesetzen gilt Brecht als ein klassischer Autor: Normalerweise werden Steuererleichterungen nur gewährt, wenn ein Werk im Urtext aufgeführt wird und sein Autor fünfzig Jahre tot ist; nur in besonderen Fällen werden Ausnahmen bereits fünf Jahre nach dem Tod eines Autors gemacht – Brecht ist selbst für die französischen Steuerbeamten eine solche Ausnahme.«[24]

21 Bertolt Brecht und die Franzosen. Fünf bedeutende Regisseure nehmen anläßlich des großen Erfolgs des Berliner Ensembles in Paris Stellung zum Werk von Bert Brecht, in: Die Kultur, München, Juli 1960, S. 8.
22 Bertolt Brecht, Couragemodell 1949, in: BFA, Bd. 25, S. 386-398 [Anhang], hier S. 393.
23 André Müller, Brecht in Frankreich. Eine Ausnahme sogar für das Finanzamt, in: Sonntag 17 (1962), S. 42.
24 Ebd.

n davon, daß Foucault wohl seine helle Freude an dem hier
ımmenhang zwischen Urheberrecht, Steuergesetzgebung und
‹ gehabt hätte – der große Protagonist der Brecht-Rezeption
ler 1950er Jahre ist zweifellos Roland Barthes gewesen, sein
ᵒenspieler. Erst 2002 sind seine Schriften zum Theater unter
dem schönen Titel *Ich habe das Theater immer sehr geliebt, und dennoch gehe
ich fast nie mehr hin* in deutscher Übersetzung erschienen.[25]

III. Bert Brecht und Roland Barthes

Dem Literatur- und Kulturtheoretiker, Semiologen und Mythenforscher
Barthes ist die Auskunft zuzuordnen, es habe sich im Falle des deutschen
Dichters Brecht um den wohl überaus seltenen Fall »eines Marxisten« gehan-
delt, der »über die *Wirkungen des Zeichens*«[26] nachgedacht habe. Daß ein an-
gehender Semiologe aus Frankreich sich für das Verhältnis des Zeichens zur
Bühne, für die Performanz des theatralischen Akts interessiert, dürfte niemanden überraschen. Daß eine solche Aussage diesem Autor gilt, zunächst
schon. Die Formulierung, die Barthes' 1957 veröffentlichtem Interview *Kritik
und Wahrheit* entnommen ist, betont entschieden die Rolle der dramatur-
gischen Instrumente, die den Aufführungscharakter der Dramentexte mit den
Mitteln der Bühne, des Dialogaufbaues und der Inszenierung unterstreichen;
die also zeigen, in welcher Weise die Darstellung der Welt im Theater zum
Funktionieren gebracht wird. Die Bedeutung dieser Mittel ziele auf die
»Durchquerung« einer »Schreibweise« – Barthes' berühmte *écriture* klingt
hier an – die »möglicherweise«, wie er an anderer Stelle hervorhebt, »einmal
unser Jahrhundert kennzeichnen wird.«[27] Ebenso ist der Hinweis mit der
Frage verknüpft, ob nicht der spezifisch literarische Charakter der Brechtschen
Dramen sich nur »innerhalb einer allgemeinen Theorie der Zeichen postulieren« läßt, deren Diskurs dazu zwinge, »an eine anthropologische Kultur [zu]
appellieren.«[28]

Bereits in seinem Aufsatz *Brecht ›übersetzt‹*, veröffentlicht im März 1957 in
der Zeitschrift *Théâtre populaire*, wo er zusammen mit Bernard Dort »eine
kleine Geschichte der Einbürgerung von Brechts Theater in Frankreich«[29]

25 Jean-Loup Rivière (Hg.), Roland Barthes, »Ich habe das Theater immer sehr geliebt,
    und dennoch gehe ich fast nie mehr hin«. Schriften zum Theater. Aus d. Frz. v. Dieter
    Hornig. Berlin 2002.
26 Roland Barthes, Kritik und Wahrheit, Frankfurt/M. 1967, sowie in: Œuvres com-
    plètes, Band I-III, Bd. II, Paris 1994, S. 1291ff., hier S. 1312; vgl. dazu Ottmar Ette, Ro-
    land Barthes. Eine intellektuelle Biographie, Frankfurt/M. 1998, S. 139, Anm. 13.
27 Ebd., S. 59.
28 Ebd., S. 48.
29 Barthes, »Ich habe das Theater immer sehr geliebt« (Anm. 25), S. 171.

liefert, merkt er an, daß »die szenische Umsetzung von Brechts Theater ausschlaggebend für den Sinn des Werks« sei. Kritik übt er daher besonders an der Inszenierung des *Kreidekreises* von Dasté. Dieser habe daraus eine »optimistische Ode auf die natürliche, ewige Mutterschaft« gemacht, »wo doch das präzise Anliegen des *Kreises* gerade darin« bestehe, »der natürlichen Mutterschaft eine künstliche, historische, durch die Arbeit und die Erziehung verliehene Mutterschaft gegenüberzustellen und uns, wie im ganzen Brechtschen Theater, zu einer Infragestellung der Natur hinzuführen.«[30] Im Gegensatz »zu allem, was über die Brechtsche ›Armut‹ geäußert wurde«, erfordere eine Inszenierung Brechts aber »einen sehr großen Reichtum: nicht einen seelischen Reichtum, sondern beim Schauspieler einen gestischen Reichtum, einen handwerklichen Reichtum«[31] – während »unsere Schauspieler«, wie er hinzufügt, die französischen, immer nur geliebt sein wollten.

Verstärkt wird in dem Aufsatz *Brecht, Marx und die Geschichte* im Dezember 1957 Bezug auf die »Geschichtskonzeption« der *Mutter Courage* genommen: »Es steht fest, daß das Theater Brechts dem Marxismus viel verdankt«, schreibt Barthes; aber es sei auch richtig zu sagen, daß der Marxismus Brecht viel verdanke, »der die Marxsche Vorstellung vom historischen Theater *nicht* ausdrücklich umsetzt.«[32] Anders gesagt, in der Sprache der Repräsentation:

»Das Theater Brechts will nie die offen historische Erklärung von Klassenkonflikten liefern. Seine Figuren gehören alle einer bestimmten Klasse an, aber man kann nicht sagen, daß sie sie *repräsentieren*, wie der Bauer auf einem Schachbrett oder wie das Zeichen einer historischen Algebra.«[33]

Mutter Courage zum Beispiel spiele zwar während des Dreißigjährigen Krieges; doch sei der Dreißigjährige Krieg nicht Gegenstand von *Mutter Courage.* Vielmehr ziele Brechts Theater auf jene »schmale Zone« ab, »in der der Dramatiker *eine Verblendung*« vorführe; das heißt mit anderen Worten, für Barthes bewegt es sich auf der Zwischenebene von Erklärung und Ausdruck der menschlichen Empfindung.

Daß dieser Zeichencharakter des Ausdrucks und der Kundgabe für den Semiotiker von besonderer Bedeutung gewesen sein muß, zeigt ein drittes Beispiel. Im Anschluß an das Gastspiel des Berliner Ensembles 1957 in Paris kommentiert Barthes unter dem Titel *Sieben Modellphotos von ›Mutter Courage‹* die mit dem Teleobjektiv gemachten Aufnahmen von Roger Pic – eine »photographierte Geschichte« der *Mutter Courage,* die etwas völlig Neuartiges für die

30 Ebd., S. 174f.
31 Ebd., S. 177.
32 Vgl. dazu aus heutiger Sicht Italo Michele Battafarano, Brechts Maternisierung von Grimmelshausens *Courasche,* in: Simpliciana, in. Verb. mit d. Vorstand d. Grimmelshausen-Gesellschaft hrsg. v. Dieter Breue, XXIII (2001), S. 128.
33 Barthes, »Ich habe das Theater immer sehr geliebt« (Anm. 25), S. 186.

Theaterkritik Frankreichs darstellt. Den Semiologen interessiert daran offenbar nicht nur die Unterbrechung des Pathos durch die »politische Bedeutung« der einzelnen Geste, sondern vor allem der eher implizite Zusammenhang von Detail und Bedeutung:

> »Denn die Photographie offenbart genau das, was von der Aufführung selbst hinweggefegt wird, nämlich das Detail. Das Detail ist jedoch der eigentliche Ort der Bedeutung und das Detail ist im Theater Brechts von solcher Wichtigkeit, weil sein Theater ein Theater der Bedeutung ist.«[34]

Bedenkt man die zentrale Rolle des Details für die Fototheorie in Roland Barthes' *Die helle Kammer*, so müssen die Brecht-Aufführungen in Frankreich als eine der wesentlichen Anregungen gelten. Das Zusammenspiel von Detail und Bedeutung in der Inszenierung auf der Bühne beschreibt Barthes in *Kritik und Wahrheit* darüber hinaus als die ›subversive‹ Wirkung einer zweiten Sprache, die das Geschehen in besonderer Weise prägt.[35] Es liegt daher nahe, den Begriff der Performanz ins Spiel zu bringen, der »eine Neubewertung des menschlichen Körpers als eines kulturellen Faktors«[36] vornimmt, um den Fokus in spezifischer Weise auf das Ereignis der Aufführung zu lenken.

Um noch einmal daran zu erinnern: Es handelt sich lediglich um zwei Gastspiele, deren Präsenz auf den Bühnen Frankreichs Barthes' Darstellung zufolge eine Umwälzung auf allen Gebieten der dramatischen Kunst eingeleitet habe, eine »révolution brechtienne«, wie er sagt.[37] *Mutter Courage und ihre Kinder* wurde in Paris Ende Juni/Anfang Juli 1954 anläßlich des ersten Internationalen Festivals der dramatischen Kunst im *Théâtre Sarah Bernhardt* aufgeführt, *Der kaukasische Kreidekreis* als Gastspiel des Berliner Ensembles vom 20. bis 24. Juni 1955. Zu ihrer bleibenden »Entdeckung« trug bei, daß sie, wie eine Arbeit über die französische Brecht-Rezeption ausführt, die Art der »Verwendung« von »szenischen Elementen«, das Zusammenspiel von »Harmonie und Nützlichkeit« – eben ihren »Zeichencharakter«[38] in den Mittelpunkt stellten.

Empathie und Begeisterung der Aufnahme sind vielleicht aus heutiger Sicht schwer nachvollziehbar. Dennoch ist festzuhalten, daß der Semiologe Roland Barthes dem literarischen Werk Brechts auch später eine erstaunliche Wirkung auf seine eigene Arbeit eingeräumt hat. So benutzt er den Autornamen Brecht signifikanterweise zur Kennzeichnung der Kategorie des »In-

---

34 Ebd., S. 203f.
35 Vgl. Barthes, Kritik und Wahrheit (Anm. 26), S. 23f.
36 Erika Fischer-Lichte, Ästhetische Erfahrung. Das Semiotische und das Performative, Tübingen, Basel 2001, S. 13.
37 Barthes, Die Brechtsche Revolution, in: »Ich habe das Theater immer sehr geliebt« (Anm. 25), S. 1275ff.
38 Agnes Hüfner, Brecht in Frankreich 1930-1963. Verbreitung, Aufnahme, Wirkung (Germanistische Abhandlungen, Bd. 24), Stuttgart 1968, S. 44.

ter-Textes«[39] in seinen *Mythen des Alltags* – ein Band, den man inzwischen zu den Klassikern der Zeichen- und Kulturtheorie zählen darf. Von hier ausgehend hat der Begriff Intertextualität in den letzten zwanzig Jahren innerhalb der Literaturwissenschaft eine steile Karriere gemacht. Als ›Intertext‹ bezeichnet Barthes jene Form der »kulturellen Osmose«, die sich mit dem »unkontrollierten Zirkulieren von Ideen« verbindet.[40] Er kennzeichne »nicht unbedingt ein Feld von Einflüssen« – vielmehr handele es sich um »eine Musik von Figuren, Metaphern, Wort-Gedanken«; es ist, so Barthes, »der Signifikant als Sirene«.[41] Der Gesang der Sirene aber bedarf des Hörens, des Hinhörens vor allem auf Tonlage und Rhythmus, auf jene Materialität, die das Sprechen erst in Kraft setzt. Zu ihrer Beschreibung führt Barthes den Terminus des Lauschens ein, des »Lauschens«, so heißt es wortwörtlich, auf einen »Diskurs«.[42] Kein Zufall, daß auch Brecht im *Kleinen Organon* den Begriff des Lauschens benutzt. »Schauen und Hören sind Tätigkeiten, mitunter vergnügliche, aber diese Leute scheinen von jeder Tätigkeit entbunden und wie solche, mit denen etwas gemacht wird«,[43] schreibt er über das »Theater der Entrückung«. Bei beiden, bei Barthes wie bei Brecht, ist die Steuerung des wahrnehmenden Aktes bewußter Bestandteil der Bühnenästhetik: »Eine Lösung«, so Barthes,

»ist möglich: *die Ästhetik*. Bei Brecht geht die Ideologiekritik nicht *direkt* vonstatten (sonst hätte sie erneut einen abgedroschenen, tautologischen, militanten Diskurs geschaffen), sie nimmt ihren Weg über ästhetische Weitergaben; die Gegen-Ideologie schiebt sich unter die Fiktion, durchaus keine realistische, sondern eine *richtige*. Vielleicht ist das die Rolle der Ästhetik in unserer Gesellschaft: die Regeln eines indirekten und transitiven Diskurses bereitstellen (er kann die Sprache verwandeln, stellt jedoch nicht seine Herrschaft, sein gutes Gewissen heraus)«.[44]

Die Regeln dieses Diskurses stehen für den Semiotiker ganz im Gegensatz zu den Gewohnheiten des Hörens und Schauens in einem Raum, den er, wie Brecht, der »traditionellen Gesellschaft« zuordnet. Diese kenne nur »zwei Orte des Zuhörens«, »zwei entfremdete: das arrogante Zuhören des Ranghöheren und das servile Zuhören des Untergebenen (oder ihrer Statthalter)«

---

39 Roland Barthes, Über mich selbst, München 1978, S. 158. Auf diese Verknüpfung verweist der Kommentar in der englischen Übersetzung des Textes hin, vgl. Roland Barthes, The Task of Brechts Criticism (1956), in: Terry Eagleton, Drew Milne (Hg.), Marxist Literary Reader, Oxford, Cambridge, Massachusetts 1996, S. 136ff.

40 Bettina Lindorfer, Roland Barthes, Zeichen und Psychoanalyse, München 1998, S. 27.

41 Barthes, Über mich selbst (Anm. 39), S. 158.

42 Ebd., S. 114.

43 Brecht, Kleines Organon für das Theater, in: BFA, Bd. 23 (Schriften 3), S. 65-97, S. 75f.

44 Barthes, Über mich selbst (Anm. 39), S. 114.

– genannt werden an anderer Stelle die Figuren des Gläubigen, des Schülers und des Patienten.[45] Aus unterschiedlichen Perspektiven arbeiten der Theatermacher und der Semiotiker die Veränderbarkeit solcher Orte heraus. Die Wirkung des Zeichens wird historischer Betrachtung unterworfen: »Es gibt eine Geschichte des Zeichens, die die Geschichte der Arten seines Bewußtseins ist«,[46] so Barthes in *Die Imagination des Zeichens.* Auch von dieser Seite her kann seine Theorie zur Zeugenschaft für eine Wirkungsgeschichte Brechts herangezogen werden, deren Wurzeln im skandinavischen und amerikanischen Exil liegen und deren Intertextualität sich erst in der Zeit des Nachexils entfaltet.

IV. Visuelle und akustische Zeichen

Anna Fierling, die fahrende Marketenderin, die ›sehen muß, wo sie bleibt‹, wird in der ersten Szene des ersten Bildes folgendermaßen eingeführt: »Meine Lizenz beim Zweiten Regiment ist mein anständiges Gesicht, und wenn Sie es nicht lesen können, kann ich nicht helfen. Einen Stempel laß ich mir nicht draufsetzen.«[47] Die Aufforderung gilt dem Lesen des Gesichts als eines der differenziertesten Zeichenträger. Die Mimik der Schauspielerin steht hier nicht für die Decodierung eines Seelenapparats ein, wie dies die traditionelle Affektenlehre vorschreiben würde. Der Ruf nach Beglaubigung zielt vielmehr auf eine Ökonomie des Sichtbaren, auf ein Feld der menschlichen Beziehungen. Dennoch impliziert er nicht gleichzeitig die »Sichtigkeit«[48] der Figur selbst, wie Brecht an anderer Stelle ausführt; und schon gar nicht ihre Einsichtigkeit; auch wenn der *Courage* im Stück wenig später »das Zweite Gesicht«[49] zugesprochen wird, die Gabe nämlich, in der Zukunft zu lesen, ohne sie zu erkennen.

Ausdruck, nicht Erklärung ist es, was das »Theater des wissenschaftlichen Zeitalters«[50] sein will. Damit hebt es sich ab von einer Auffassung des Geschichtsdramas, die in den wesentlichen Grundzügen bereits im 19. Jahrhundert in der Debatte um Lassalles *Franz von Sickingen* herausgearbeitet worden ist.[51] Im Entwurf der Titelfigur sieht Barthes demgegenüber eine eigentümliche Blindheit. Sie sei, so sagt er, »eine duktile Substanz« – sie sieht nichts, aber wir

---

45 Roland Barthes, Zuhören, in: ders., Der entgegenkommende und der stumpfe Sinn. Kritische Essays III, Frankfurt/M. 1990, S. 249-263, hier S. 262.

46 Roland Barthes, Die Imagination des Zeichens, in: ders., Literatur oder Geschichte, Frankfurt/M. 1969, S. 36-43, hier S. 38.

47 Bertolt Brecht, Mutter Courage und ihre Kinder. Eine Chronik aus dem Dreißigjährigen Krieg, in: BFA, Bd. 6 (Stücke), S. 7-86, hier S. 11.

48 Vgl. Brecht, Kleines Organon (Anm. 43), S. 77.

49 Brecht, Mutter Courage (Anm. 47), S. 14.

50 Brecht, Kleines Organon (Anm. 43), S. 65.

51 Vgl. dazu Hüfner, Brecht in Frankreich (Anm. 38), S. 133 sowie Eva-Maria Siegel, High Fidelity – Konfigurationen der Treue um 1900, München 2004, S. 153f.

sehen durch sie hindurch. Wir begreifen sie nur aufgrund ihrer »dramatischen Evidenz«. [52] Diese weitreichende Überlegung zur Herstellung von Evidenz ist an weiteren Bildern des Stücks zu überprüfen. Kattrin, der Tochter, die mit Stummheit geschlagen ist, bescheinigt die *Courage* in der neunten Szene aufgrund ihrer Albträume, sie leide »am Mitleid«. [53] Das *Lied gegen die Tugenden* leitet über zur nächsten Szene, deren Regieanweisung den Satz enthält: »Der Stein beginnt zu reden.« [54] – ein vorausschauender Hinweis auf die berühmte Trommelszene. Kattrin funktioniert das ursprünglich militärische Instrument um und verwendet es für den Weckruf an die Stadt. Dieser stellt das Geschehen auf der Bühne gleichsam still – eine der impliziten Voraussetzungen dafür, daß sich Schuß und Fall, akustischer und visueller Eindruck, auf der Kölner Bühne in dieser Weise widersprechen konnten. Was in ihm aber zur Darstellung gelangen soll, ist ein Innehalten: Der Moment der Zeichenlosigkeit selbst wird zum Zeichen. Gleiches gilt für den stummen Schrei, der Anna Fierling beim Anblick der toten Körper ihrer Kinder entfährt. Das Entsetzen läßt den Laut als Äußerung nicht mehr zu. Die Eindrucksbildung tritt an Stelle des Ausdrucks. Hier wird gleichsam die anthropologische Dimensionierung einer Affektquelle angezapft, die im Grunde genommen einer dyadischen Konstellation – Mutter und Kind – entspringt und für die die Spielsituation lediglich einen Transfer ins Publikum herstellt.

Die Verbindung von Spielelementen und dem ›Vor-Augen-Führen‹ von anthropologischen Details verweist auf Elemente der Katharsis. Es sind Ausdrucksformen der Angst, es geht um Furcht und Schrecken. Brechts episches Theater durchweht die Stimmlosigkeit der Angst fast ebenso heftig wie ihre Leugnung an der Textoberfläche, für die der ›couragierte‹ Ton der Eingangsszene als eines von vielen Beispielen steht.

V. Blick und Stimme: Der ›soziale Gestus‹

Interpreten vor allem des Brechtschen Frühwerks haben die semiotische Dimension seiner Stücke an den Begriff des sozialen Gestus geknüpft, eine Bezeichnung, die Walter Benjamins Studien aus den zwanziger und frühen dreißiger Jahren entstammt. »Das epische Theater ist gestisch«, erklärt Benjamin, »die Geste ist sein Material und die zweckmäßige Verwertung dieses Materials seine Aufgabe.« [55] Und an anderer Stelle heißt es: »Die Geste demonstriert die

---

52 Roland Barthes, Die blinde Mutter Courage, in: »Ich habe das Theater immer sehr geliebt« (Anm. 25), S. 305.
53 Brecht, Mutter Courage (Anm. 47), S. 74.
54 Ebd., S. 79.
55 Walter Benjamin, Was ist das epische Theater? Eine Studie zu Brecht [1. Fassung], in: ders., Versuche über Brecht, hrsg. mit e. Nachw. v. Rolf Tiedemann, Frankfurt/M. 1966, S. 7-21, hier S. 9.

soziale Bedeutung und Anwendbarkeit der Dialektik. Sie macht die Probe auf die Verhältnisse der Menschen.«[56] Barthes hingegen spricht von einer »Signalektik«,[57] die sich vor allem dadurch auszeichne, daß sie die »Trennung in Affekt und Zeichen, in die Emotion und ihr Theater«[58] nicht kennt. Dennoch schreibe sich in sie »eine Ordnung, ein System, ein strukturiertes Feld von Wissen«[59] ein. Denn das Theater, so lautet das Argument, sei jene privilegierte »Praxis«, die von vornherein einkalkuliert, daß und »wo die Dinge *gesehen werden.*«[60] Implizit ist damit die Aussage verbunden, daß kathartische Elemente auf dem Theater nicht einfach nur mimetisch sein können. Die Bühne gibt dem mimetischen Verfahren vielmehr einen Rand. Sie fängt den Blick des Zuschauers ein, um ihm jenen »sozialen Gestus« zu präsentieren, der ein Bündel von Zeichen ist, aus denen »sich eine ganze soziale Situation herauslesen läßt«[61] – gleichsam Wolfgang Heises ›gesellschaftliches Geschehen‹. Nicht alle Gesten sind demnach sozial. Aber alles Soziale ist demnach gestisch.

Das läßt sich am Beispiel des *Kaukasischen Kreidekreises* leicht zeigen. Im Vorspiel, das in der Pariser ebenso wie in der Aufführung in Frankfurt am Main weggelassen worden war, unterwirft das Gesetz den Streit um das Land dem Dienst am wissenschaftlichen Fortschritt: »Daß wir Maschinen und Projekten nicht widerstehen können hierzulande«,[62] heißt es vorausschauend. Die epische Situation des Erzählens ist damit hergestellt. Sie spiegelt sich im vierten Akt innerhalb einer Binnenhandlung wieder, in der der Schreiber Azdak den als Bettler verkleideten flüchtigen Großfürsten und ehemaligen Grundbesitzer an der Art erkennt, wie er beim Essen die Hände hält. Der Schauspieler, der anschließend dem Fürsten das Essen beibringt »wie ein armer Mann«,[63] muß beides spielen können: das Sehen der Hände und das Erblicken jenes geschichteten semantischen Feldes, das sich mit der Kulturtechnik des Essens verbindet. Entscheidend ist der Umstand, daß zwischen

---

56 Walter Benjamin, Studien zur Theorie des epischen Theaters, in: ebd., S. 32; zum Gestus vgl. auch Carrie Asman, Die Rückbindung des Zeichens an den Körper, Benjamins Begriff der Geste in der Vermittlung von Brecht und Kafka, in: The other Brecht II, The Brecht Yearbook 18 (1993), S. 105-120, hier S. 105ff.; aus musikwissenschaftlicher Sicht Jürgen Engelhardt, Gestus und Verfremdung, Studien zum Musiktheater bei Strawinsky und Brecht/Weill, München, Salzburg 1984.

57 Barthes, Über mich selbst (Anm. 39), S. 192.

58 Ebd.

59 Ebd., S. 129.

60 Roland Barthes, Diderot, Brecht, Eisenstein, in: ders., Der entgegenkommende und der stumpfe Sinn (Anm. 45), S. 94 (Hv. ebd.).

61 Ebd.

62 Brecht, Der kaukasische Kreidekreis (Anm. 7), S. 12. Zu Einzelaspekten vgl. Bernard Fenn, Characterisation of women in the plays of Bertolt Brecht, Frankfurt/M. u.a. 1982; Jen-Te Chen, Der Kreidekreis in der deutschen Dramenliteratur vor, bei und nach Brecht – unter besonderer Berücksichtigung der Gerichtsszene in formaler und inhaltlicher Hinsicht, Frankfurt/M. u.a. 1991.

63 Brecht, Der kaukasische Kreidekreis (Anm. 7), S. 61.

beiden die winzige Differenz einer Geste bestehen bleibt. Sie motiviert den Vortrag jenes Liedes, das der Sänger auf der Bühne als Zeichen der ihm verliehenen Macht und im Namen der neuen Gerichtsbarkeit vorträgt: »Ach, was willig, ist nicht billig, und was teuer, nicht geheuer / Und das Recht ist ne Katze im Sack. / Darum bitten wir nen Dritten, daß er schlichtet und's uns richtet / Und das macht uns für nen Groschen der Azdak.«[64]

Azdak, diese schillernde Figur also, »sitzt« auf dem Gesetzbuch und kann daher mit Fug und Recht behaupten, er habe es »immer benutzt«.[65] Im Drama hat er den Streit um das ›hohe Kind‹ zu schlichten.

»Die Kreidekreisprobe des alten chinesischen Romans und Stückes sowie ihr biblisches Gegenstück, Salomons Schwertprobe, bleiben als Problem des Muttertums (durch Ausfindung der Mütterlichkeit) wertvoll, selbst wenn das Muttertum anstatt *biologisch* nunmehr *sozial* bestimmt werden soll«[66]

– so heißt es in den *Notaten*, in ähnlicher Formulierung auch im Programmheft. Der Gegensatz von Muttertum und Mütterlichkeit wird evident und eine Zeichenordnung des Geschlechts kann ihm nicht äußerlich bleiben.[67] Was gibt der Text dazu preis?

Im *Kaukasischen Kreidekreis* ist die Gouverneursfrau beschäftigt mit ihrer Auswahl an Kleidern für die Flucht aus der Stadt und läßt ihr Kind allein zurück. Seine ›feine‹ Herkunft verrät sich für das Dienstmädchen Grusche durch das »feine Linnen«,[68] in das es eingewickelt ist. Das, was Grusche an ihm reizt, ist jedoch etwas anderes, es ist ein winziges körperliches Detail. Seine Bedeutung motiviert ihren so symbolischen wie buchstäblichen ›Gang über den Abgrund‹.[69] Das gleiche Detail leitet auffälligerweise auch die Wahrnehmung des Azdak während des Richterspruchs. Azdak muß entscheiden, wer die ›wahre‹ Mutter des Kindes ist. Mit Barthes gesprochen scheint diese Einzelheit einen Status der Nicht-Entfremdung zu markieren; es ist ein Detail, das ›besticht‹. Was das Objekt des Begehrens für Grusche ist, bindet sich demnach nicht an »verfeinerte Züge«, wie der Text sagt, das heißt an ein biologisches Erbe. Und dennoch entfaltet sich darin ein bestimmendes Moment. Denn wenn die Rede davon ist, daß das Kind schlichtweg »eine Nase im Gesicht«[70] gezeigt hat, eröffnet sich ein anthropologischer Denkraum, der sich nicht auf dem ›Erlebnis der durchschnittenen Nabel-

---

64 Ebd., S. 72.
65 Ebd., S. 78.
66 Bertolt Brecht, [Notate] zu Der kaukasische Kreidekreis (Anm. 6), S. 341f. (Hv. v. Vfn.)
67 Vgl. dazu Barbara Vinken, Die deutsche Mutter, Der lange Schatten eines Mythos, München, Zürich 2001.
68 Brecht, Der kaukasische Kreidekreis (Anm. 7), S. 33.
69 Ebd., S. 54.
70 Ebd., S. 86.

schnur‹ begründet – um eine treffende Formulierung Aby Warburgs zu gebrauchen, sondern der vielmehr mit dem Rätsel des materiell Feststellbaren auf die Loslösung des einen Geschöpfes vom anderen verweist. Diese Verlassenheit bewirkt eine Aufhebung des entfremdeten Moments. Sie bedingt allerdings auch, daß, wie Brecht in seinen *Notaten* vermerkt hat, Grusches »Produktivität in Richtung ihrer eigenen Destruktion«[71] zu wirken droht. Die »berühmte Probe«[72] mit dem Kreidekreis, das heißt die Abschlußszene, greift diese Konstellation erneut auf. Dem Anwalt der Gegenseite erscheinen »die Bande des Blutes« als die »stärksten aller Bande«,[73] obgleich es bei dem Streit durchaus um ein Erbe im handfesten ökonomischen Sinne geht. Demgegenüber argumentiert Grusche gegen das ›Zerreißen‹ des Kindes im Kreis mit der Gabe von Zeit. Bei Brecht wie bei Barthes gilt sie als das stärkste Argument für die Anwesenheit von Liebe. Grusche hat ihre Zeit mit der Fähigkeit ausgefüllt, das Kind sprechend zu machen – es jene Rede zu lehren, zu der es auf der Bühne nicht ermächtigt ist. Das ist der Grund für die Behutsamkeit, mit der sie sich ihm nähert und für die Unmöglichkeit, es mit physischer Gewalt auf ihre Seite zu ziehen.

Stummheit und Blindheit, Nichtverbalität also, aber auch die Fähigkeit zu sprechen, sind die Zeichen, die Brecht in der Zeit des Nachexils als Bühnensprache einsetzt, um jene semiotische Kraft zu entfalten, die ihm Roland Barthes als postmoderner Theoretiker bescheinigt hat. Die Zeichen zielen auf das veränderbare Verhältnis von Natur und Kultur, das selbst als ein soziales, ein veränderbares aufgefaßt wird.[74] Als bedeutendste Stücke der Exilzeit bieten die beiden Dramen vielfältige Gelegenheit, in diesem Sinne dem Gestus des Zeigens, seiner »imaginären Intersubjektivität«[75] nachzugehen. Dazu bedarf es des erneuerten Blicks in die Archive. Aber es bedarf auch der erneuten Annäherung an einen Sinn, der niemals wieder stillgestellt werden darf. Ich habe zwei Wege der »Hervorbringung dieses Sinns«[76] zu erläutern versucht: Während die Dynamisierung von außen kommt, aus der internationalen Kontextualisierung des Werks, verklammern sich die beiden Hauptstränge während des Nachexils ineinander in einer Art und Weise, die beide deutsche Rezeptionsweisen für lange Zeit aufeinander fixiert. Diese zeitweilige Rezeptionsblockade im Nachexil mag aber auch die Bedingung dafür sein, jenseits aller biographischen Rekonstruktionen einen neuen Zugang zu diesem großartigen Werk zu eröffnen – sowohl im Hinblick auf die Texte als auch auf ihren Aufführungscharakter.

71 Brecht, [Notate] zu Der kaukasische Kreidekreis (Anm. 6), S. 346.
72 Brecht, Der kaukasische Kreidekreis (Anm. 7), S. 79.
73 Ebd., S. 83.
74 Vgl. dazu bereits Reinhold Grimm, Brecht und Nietzsche, in: ders., Brecht und Nietzsche oder Geständnisse eines Dichters, Fünf Essays und ein Bruchstück, Frankfurt/M. 1979, S. 156-245, hier S. 158.
75 Roland Barthes, Auge in Auge, in: ders., Der entgegenkommende und der stumpfe Sinn (Anm. 45), S. 318.
76 Barthes, Diderot, Brecht, Eisenstein (Anm. 60), S. 95.

BERNHARD SPIES

Hans Sahl. Remigration als doppeltes Exil

Die kalendarischen Daten von Sahls Remigration können die Behauptung eines wiederholten Wechsels zwischen Deutschland und dem Exil ohne weiteres belegen. Zum Kriegsende hielt sich der Exilant in New York auf, wohin er 1941 gelangt war. 1947 verbrachte er drei Monate in Zürich, wo er am Drehbuch zu dem Film *Die Vier im Jeep* mitarbeitete. Den ersten Europaaufenthalt nach der Flucht aus Marseille schloß er mit einer kurzen Reise nach München ab. 1949 fuhr er wieder von New York nach Zürich, um bei den Dreharbeiten an *Die Vier im Jeep* zu assistieren, und danach wieder zurück. Im Jahr 1953 wurde ihm die US-Staatsbürgerschaft gewährt; im gleichen Jahr remigrierte er in die Bundesrepublik Deutschland. Die Remigration hatte eine Verfallszeit von fünf Jahren. 1958 ging Sahl in die USA zurück. 1989, im Alter von 87 Jahren, übersiedelte er nach Tübingen, wo er 1993 verstarb.

Meine Überlegungen beginnen nicht erst mit der Frage nach den Gründen für Sahls Entscheidung, die Remigration für gescheitert zu erklären und sich wieder an den Ort seines Exils zu begeben, sondern mit der Frage danach, aus welchen Gründen und mit welchen Absichten Sahl überhaupt den ernsthaften Entschluß zur Remigration faßte. Es versteht sich nämlich keineswegs von selbst, daß Exilanten nach der militärischen Zerschlagung der Nazi-Herrschaft sich in das Land zurückbegaben, aus dem sie vertrieben worden waren. Erklärungsbedürftig ist weniger ein langer Aufschub der Rückkehr oder gar deren Verweigerung, sondern mehr noch der Wille zur Remigration. Den meisten Exilanten war bewußt, daß sie bei einer Rückkehr das Land, das sie unfreiwillig verlassen hatten, nicht mehr vorfinden würden.[1] Insofern mußte es für jeden zur Rückkehr Entschlossenen einen spezifischen Grund geben, die Verbindung zum Herkunftsland zu erneuern. Das gilt auch für

---

1   Oft ist es die Lyrik, in der Exilautoren dieser bedrückenden Gewißheit Ausdruck verleihen. Sahls einschlägiges Gedicht hat den Titel *An die Schwester im Elend:* »Wie werde ich dich wiederfinden, / du meine Schwester im Elend? / Werde ich den Mantel um deine Blöße schlagen / und dich aufheben, wenn sie dastehen / und auf dich zeigen wie auch ich / auf dich gezeigt habe?« Hans Sahl, Wir sind die Letzten. Der Maulwurf. Gedichte, Frankfurt/M. 1991, S. 46. Das Gedicht entstand 1945/46. Erstveröffentlichung in: Die Neue Rundschau 1945/46, H. 3 (April 1946), S. 344f.

Sahl. Der erste Teil meiner Überlegungen wird darauf zielen, diesen Grund zu verdeutlichen. Eine solche Klärung ist Voraussetzung dafür, das Scheitern von Sahls Remigration zu begreifen. Zur Re-Remigration in die USA lautet meine These, daß es sich auch hier nicht um eine Auswanderung handelt, sondern um einen Zustand des Exils: Der doppelt Zurückgewiesene definiert sich nach wie vor im Verhältnis zu seinem Herkunftsland Deutschland und hält, offenbar unter neuen Bedingungen, an einer ursprünglichen, aber nur aus der Ferne zu lebenden Zugehörigkeit weiterhin fest. Diese Behauptung will ich im dritten Teil erhärten und dabei vor allem einen Blick auf Sahls späte Dramen werfen; sie sind ungedruckt und daher unbekannt, aber gerade für das Thema der Remigration aufschlußreich.

Sahls Exil im Exil und die Annäherungsversuche 1947-1949

Der Bericht, den Sahl in seiner Autobiographie vom mehrfachen Ansatz einer Remigration nach Deutschland gibt, ist eher subtil, aber genau kalkuliert.

»Ich frage mich, warum ich so lange gezögert habe, vom Ende des Krieges zu berichten. Das Ende des Krieges war das Ende unseres Kampfes gegen Hitler, aber der Kampf um Deutschland ging weiter. Das Ende des Krieges war auch das Ende eines Provisoriums, das Amerika hieß. Sollte man es verewigen? Die politische Emigration packte die Koffer. [...] Die so lange Unbeschäftigten wurden plötzlich sehr geschäftig, man wollte nicht das Nachsehen haben, wenn man auf der Namenliste derjenigen, die eine Antwort wußten, fehlte. Der Dichter Bert Brecht wußte sie, die Antwort. Er bestieg nach seiner Vernehmung durch das Committee on Unamerican Activities das Flugzeug und begab sich über die Schweiz nach Ostberlin, nachdem er die österreichische Staatsangehörigkeit angenommen hatte. Der Philosoph Ernst Bloch blieb dem ›Prinzip Hoffnung‹ treu und folgte einem Ruf an die Leipziger Universität. Zurück blieben die Zauderer, die Zweifler, die Unentschlossenen, die auf die Frage ›Was ist die Antwort?‹ mit Gertrude Stein antworteten: ›Was ist die Frage?‹«[2]

Es folgen einige Sätze über das dreimonatige Engagement 1947 in Zürich, um mit Richard Schweizer am Drehbuch des Films *Die Vier im Jeep* zu schreiben, und dann übergangslos der erste Eindruck von der Weiterfahrt nach München.

»Mein Wiedersehen mit Deutschland fand auf einem schwäbischen Marktplatz kurz nach Mitternacht statt. [...] Fachwerkbauten. Mondschein. [...] Ich erschrak vor der Antwortlosigkeit dieser Szene im Mondschein. Was war

2 Hans Sahl, Das Exil im Exil. Memoiren eines Moralisten II, Frankfurt/M. 1991, S. 153f. Zitate aus dieser Ausgabe werden künftig nachgewiesen als MM II, gefolgt von der Seitenzahl.

die Frage? Ich hatte sechzehn Jahre versucht, sie zu finden. Ich fuhr weiter nach Stuttgart und München und tröstete in den Baracken des zerstörten Landes die Überlebenden einer Bombennacht, die mir ihr Leid klagten, mit dem Hinweis auf das eigene, ebenfalls kaum erfreuliche Schicksal, was jedoch nur wenig Beachtung fand. Je mehr man aufeinander einredete, desto mehr redete man sich auseinander, sie wußten alle Antworten – es hatte sich nichts geändert. Ich fuhr nach Amerika zurück [...].«[3]

Diese Erzählung steuert von vornherein die nochmalige Rückkehr nach New York an und deutet die Umstände, auf die der Entschluß zurückgeht, nur an. Dennoch sind Rückschlüsse auf Sahls Neigung möglich, trotz seiner trüben Erwartungen, die Rückkehr nach Deutschland zu betreiben. Sahl bezeichnet die Zeit nach 1938 als sein »Exil im Exil«. Einst, in den späten 1920er und frühen 30er Jahren, hatte er dazugehört, nämlich zur literarischen Intelligenz der Weimarer Zeit, die kritisch war und zu großen Teilen wie selbstverständlich links. Daraus wurde er vertrieben, zunächst von Hitler, aber bald – und für seine Wahrnehmung schlimmer und folgenreicher – von den linken Mitexilanten, die ihrem Bedürfnis nach Rückversicherung bei einer relevanten politischen Macht ihren moralischen Rigorismus unterordneten, sich mit der Sowjetunion der Schauprozesse arrangierten und damit Sahls moralischen Anspruch verfehlten. Damit erhält in seiner Optik das Exil einen neuen Sinn, der weit über den Gegensatz zu Hitler und zum Nationalsozialismus hinausgeht. Aus der Retrospektive der Autobiographie wird dieser Sinn folgendermaßen formuliert:

»Die Geschichte des Exils war nicht zuletzt auch die Geschichte einer Gewissensbefragung, die jeder an sich vollziehen mußte und bei der es darum ging, ob man sich noch mit einer Partei identifizieren oder auch nur mit ihr zusammenarbeiten konnte, die jede Selbstkritik als den Verrat eines gemeinsamen Kampfes gegen den politischen Feind, Adolf Hitler, denunzierte.«[4]

Die linke ›Selbstkritik‹, d.h. die Abwendung von der Sowjetunion sowie der Bruch mit jeglicher politischen Organisation, die kommunistisch orientiert ist oder für solche Orientierungen bekannte Personen zur Mitarbeit zuläßt, ist für Sahl etwa ab 1938 der neue Sinn des Exils, die einzig adäquate »geistige Haltung« für die »Bewährungsfrist« Exil – so die bekannten Formulierungen aus einer Stellungnahme Sahls im *Neuen Tagebuch* 1935.[5] Für den Exilanten Sahl kann diese Selbstkritik der Linken sich nicht am aktuellen gemeinsamen Kampf gegen den Nationalsozialismus relativieren. Analoges gilt für ihn

3   MM II, 154f.
4   MM II, 21.
5   Das Neue Tagebuch, Jg. 3, Heft 2, 12. Januar 1935: Abgedr. in: Hans Sahl, »Und doch...« Essays und Kritiken aus zwei Kontinenten, Frankfurt/M. 1991, S. 108f.

erst recht nach dem Ende der NS-Herrschaft und der Kriegskoalition gegen Hitler. Von diesem Moment an ist der Nationalsozialismus für Sahl in jeder Hinsicht erledigt, die vielen deutschen Befehlsempfänger stellen für ihn kein besonderes Problem dar – er hat sie längst als Opfer des Nationalsozialismus eingeordnet, so z.B. in einer Denkschrift für Eleanor Roosevelt.[6] Der Antitotalitarismus hat nur noch einen Gegner, und Sahls politisch-moralische Entwicklung im Exil darf sich durch die Nachkriegsgeschichte mit den Anfängen des Kalten Krieges und der Westintegration der Bundesrepublik ins Recht gesetzt sehen. Wie viel das persönliche Rechtbehalten gewogen haben mag, kann man ermessen, wenn man seine Überzeugung in Betracht zieht, daß die »Emigrationsliteratur [...] vor allem [...] die verloren gegangene Einheit von Mensch und Werk wiederherstellte«.[7]

Mit der deutschen Realität des Jahres 1947 konfrontiert, muß Sahl jedoch feststellen, daß man seine Erfahrung des Exils und die daraus abgeleitete politisch-moralische Autorität des Exilanten nicht respektiert. Im Gegenteil. Ihm treten einheimische Literaten entgegen, unter denen die Stereotypen der NS-Propaganda gegen die Emigranten noch wirksam sind: Feigheit, Verschiebung von Kapital ins Ausland, Landesverrat, so lauten die Vorwürfe gegen die Exilanten.[8] Auch die Schriftsteller, die sich gerade zur Gruppe 47 zusammenfinden, definieren sich über ihre Generationszugehörigkeit und ihr Kriegserlebnis, sehen darin eine Rechtfertigung der Dienste, die sie dem Nazi-Staat geleistet haben, und zugleich ein Opfer, das sie auszeichnet. Sie sind nicht geneigt, Emigranten irgendeinen Wissens- oder Gewissensvorsprung zuzubilligen.[9] Sahl bemerkt an dieser Haltung, die er zunächst überhaupt nicht begreifen kann, vor allem die Differenz zu seinen Prioritäten und Werten. Diese Differenz stilisiert er ein wenig, wenn er, der ja auch seine festen

---

6   Sahl verfaßte die Schrift im Jahr 1943 und ließ sie durch Paul Tillich Eleanor Roosevelt, der Frau des amerikanischen Präsidenten überreichen. Dort heißt es: »Wenn Hitler nicht mehr ist, werden die Deutschen wissen, was vorher nur die Besten unter ihnen gewußt haben. Hitler war der große Aufklärungsprozeß, der sie über ihr Wesen belehrt hat. Er war die tollste Teufelsaustreibung, die je ein Volk durchgemacht. Mit ihm hat der Deutsche den Hitler in sich selber für alle Zeiten erkannt und – ausgeschieden.« Hans Sahl, »Und doch« (Anm. 5), S. 13f.

7   MM II, 197. Der Abschnitt hat die Überschrift: »Über das Schreiben von Gedichten im Exil«.

8   Vgl. Frithjof Trapp, Logen und Parterreplätze. Was behinderte die Rezeption der Exilliteratur. In: Ulrich Walberer (Hg.), 10. Mai 1933. Bücherverbrennung in Deutschland und die Folgen, Frankfurt/M. 1983, S. 259; Stephan Braese, Nach-Exil. Zu einem Entstehungsort westdeutscher Nachkriegsliteratur, in: Exilforschung. Ein internationales Jahrbuch, 19 (Jüdische Emigration zwischen Assimilation und Verfolgung, Akkulturation und jüdischer Identität), München 2001, S. 227-253, bes. S. 227-231.

9   Helmut Peitsch, Die Gruppe 47 und die Exilliteratur – ein Mißverständnis, in: Justus Fetscher, Eberhard Lämmert u. Jürgen Schutte (Hg.), Die Gruppe 47 in der Geschichte der Bundesrepublik, Würzburg 1991, S. 108-134, hier 111-113.

Grundsätze hat, sich als den offen Fragenden hinstellt und in anderen Positionen sofort Dogmatismus ausmacht.

Vor allem aber verdächtigt er alle, die nicht seine Prioritätensetzung anerkennen, der Blindheit gegenüber dem Totalitarismus, wenn nicht der Befangenheit in ihm: »Es hatte sich nichts geändert.«[10] Mit dieser Enttäuschung fährt Sahl zurück nach New York, allerdings nur fürs erste.

Der Fortgang der *Memoiren eines Moralisten* zeigt, daß zumindest aus der autobiographischen Ex-post-Perspektive die 1947 wie 1949 nach wenigen Monaten erfolgende Rückkehr ins Exil nur eine Zwischenstation darstellen sollte. Sahl hat zwei Möglichkeiten, zwischen denen er noch nicht entschieden ist. Er kann die Differenz zwischen seiner Vorstellung dessen, was für Deutschland nötig sei, und dem, was dort faktisch geschieht, zum Anlaß einer endgültigen Abkehr von diesem Land machen. Er kann die nämliche Differenz aber auch als einen neuen Auftrag für seine publizistische und literarische Tätigkeit auffassen. Diese Doppeldeutigkeit der Situation zwischen 1947 und 1953 signalisiert die Autobiographie mit narrativen Mitteln. In ihrer Erzählung empfängt der Staatenlose unmittelbar nach der Rückkehr nach New York zwei entgegengesetzte Signale, die zusammen eine sehr ambivalente Botschaft ergeben: Er erhält den beantragten US-Paß und zugleich die Kündigung seiner Wohnung. Im allmählich entmieteten Haus, in der neuen Welt wieder vereinsamend und herunterkommend, schreibt er *Die Wenigen und die Vielen* zu Ende. Dann verläßt er »das sterbende Haus«.[11] In dieser Version des Geschehens schrumpft die Zeit zwischen 1949 und 1953 zu einer Episode, für die eine Buchseite ausreicht, und über den Exilroman ist klargestellt, daß er mit der Perspektive einer Rückkehr nach Deutschland verfaßt wurde.

Remigration 1953, ihr Scheitern 1958

Im Jahr 1953 ist Sahl wieder in Berlin, »diesmal mit einem Reisepaß und 200 Dollar.« Dieses Mal findet er verständnisvollere Freunde.

»Ich saß mit ihnen unter den Bäumen und hob das Glas und wußte, daß auch sie nach so vielen Antworten die Fragen suchten, sie dichteten, malten, bauten Häuser, sie saßen in der Philharmonie und hörten Karajan Bach dirigieren oder Mahler«.[12]

Was hatte sich aus Sahls Perspektive in den letzten Jahren verbessert? Das erhellt ein Brief, den Sahl am 2. August 1950 an Hans Werner Richter schrieb – Sahl war Richter als Redaktionsmitglied des amerikanischen *Ruf,* der ehemaligen

10   S. Anm. 3.
11   MM II, 155.
12   MM II, 156.

Kriegsgefangenen-Zeitung, bekannt; seit 1949 gab es einen Briefkontakt zum Gründer und Organisator der Gruppe 47. Sahl reagiert mit dem Brief auf die Veröffentlichung der englischen Übersetzung von Richters Roman *Die Geschlagenen* unter dem Titel *Beyond Defeat* im Juli 1950. Er spendet Richter hohes Lob, vergleicht den Roman mit seinem eigenen, der noch nicht veröffentlicht ist, und hebt ihn weit über Stefan Andres' *Die Sintflut.* Schließlich formuliert Sahl doch noch eine Kritik: In einer Hinsicht weise Richters Roman eine substantielle Lücke auf, die bei nächster Gelegenheit zu schließen sei:

»Es ist Ihnen vielleicht, sowohl im Lager in Amerika als in der Freiheit in Deutschland, entgangen, daß die Kommunisten überall in der Welt, vor allem in Amerika, für die These von der Kollektivschuld, für den Morgenthau-plan, kurz, daß sie antideutsch und gegen eine Unterscheidung zwischen Nazis und Anti-Nazis während des Krieges waren [...]. Heute wissen wir, daß Morgenthauplan, Bedingungslose Kapitulation etc. durch kommunistische Mittelsleute inspiriert wurden, und ich kann Ihnen versichern, daß unsere Bemühungen, das deutsche Problem auf eine ehrliche Weise darzustellen, am heftigsten von der sog. ›Linken‹ in Amerika bekämpft wurden, während man unter den Gemäßigt-Konservativen häufig weit mehr Verständnis für die Komplexität des deutschen Problems antreffen konnte. Noch heute wird der, der an den Terror erinnert, den Hitler gegen sein eigenes Volk ausübte, als verkappter Nazi von denjenigen denunziert, die ein Interesse daran haben, das amerikanische Volk mehr und mehr gegen die Deutschen aufzubringen, damit eines Tages, falls die rote Armee in Berlin oder West-Deutschland einmarschieren sollte, der ›Mann auf der Straße‹ sich für desinteressiert erklärt: ›Geschieht ihnen ganz recht‹!«[13]

Sahl nähert sich hier an Entlastungs-Argumente an, die auch in der deutschen Debatte eine Rolle spielen; Argumente, denen zufolge alle, die nicht militante Protagonisten der NS-Politik waren, ohne Vorwurf bleiben, wenn nicht gar als deren Opfer gelten müßten. Auffälliger noch ist Sahls Theorie einer kommunistischen Weltverschwörung gegen Deutschland, einer Verschwörung, der vom Morgenthauplan über die Definition der alliierten Kriegsziele alles Übel anzulasten und der auch die bewußte ideologische Vorbereitung einer kampflosen Übernahme Westdeutschlands durch die Sowjetunion zuzutrauen sei. Bei Richter wird Sahl mit dem Vorschlag vorstellig, diese Bedrohung künftig deutlicher herauszustellen. Postwendend, nämlich mit Datum vom 9. August 1950, erhält Sahl von Richter einen Brief, der ihm in allem ohne Einschränkung recht gibt.[14] Solche Erfahrungen bestätigen Sahls antikommunistisches Sendungsbewußtsein und versprechen ihm eine Heimat

---

13 Hans Werner Richter, Briefe, hrsg. v. Sabine Cofalla, München, Wien 1997, S. 118.
14 Ebd., S. 120f.

in einem Land, das sich auch kulturell in die Konfrontationslinie des Kalten Krieges einreiht. Wenn Sahl von seiner skeptischen Haltung gegenüber Westdeutschland im Jahre 1949 abrückt, dann folgt er keineswegs bloßer Einbildung. Wie Helmut Peitsch in einem Aufsatz über die Gruppe 47 und das Exil gezeigt hat, verbesserte der Kalte Krieg ganz generell die Wirkungsmöglichkeiten von »liberalen Humanisten, die in der Besatzungszeit nicht heimgekehrt waren«.[15] Hermann Kesten, Walter Mehring und eben Hans Sahl sind hier zu nennen. Sahl pflegt Verbindungen zu Teilnehmern am Kongreß für kulturelle Freiheit 1950 in Berlin, der nach Ende der ersten Berlinblockade veranstalteten Kalte-Kriegs-Tagung von Kulturschaffenden, hält aber auch Kontakt zur Gruppe 47; auf deren 14. Tagung im April 1954 in Cap Circeo liest er Passagen aus seinem Exil-Roman. Allerdings kann er sich nicht anfreunden mit der literarischen Richtung, welche in dieser Zeit die Kahlschlag-Literatur ablöst: die Bewegung weg, vom politisch motivierten Moralisieren hin zu einer sprachkritischen, sich allen Ideologien programmatisch verweigernden, ästhetisch auf Autonomie angelegten Literatur. An dieser Richtung kritisiert Sahl zweierlei: Zum ersten vermißt er das antitotalitäre politische Engagement, das nach seinen Maßstäben *den* Auftrag von zeitgenössischer Dichtung ausmacht;[16] zum zweiten findet er bei Protagonisten dieser Richtung für seinen Geschmack entschieden zu viel Gesprächsbereitschaft mit Intellektuellen aus dem falschen Lager. In einem Brief an Hans Werner Richter vom 5. April 1956 bezeichnet er Mitglieder der Gruppe 47, die sich zu ostdeutschen Schriftsteller-Tagungen einladen lassen, als Brandstifter, und zwar als sehr raffinierte,

»die mit der einen Hand einen Brand löschen, während sie mit der andern einen neuen entfachen. [...] Wird die Feuerspritze auch gegen sie gerichtet? Oder begnügt sich die ›heimatlose Linke‹ damit, statt ihrer früheren linken Heimat den Kampf anzusagen, die alte, viel zu einseitige Parole

15 Peitsch, Die Gruppe 47 und die Exilliteratur (Anm. 9), S. 115.

16 Sahl übersieht immer wieder die Parallele zwischen seinem subjektiven Skeptizismus, der Ideologiefreiheit gewährleisten soll, und dem generellen Pathos der Ideologiefreiheit in der Nachkriegsliteratur. Wie nah er in vielem der Nachkriegsliteratur stand, von der er sich zugleich ausgeschlossen fand, erhellt u.a. aus seinem Versuch, sich das Desinteresse an seinem Exilroman zu erklären: »Mein Roman *Die Wenigen und die Vielen* enttäuschte vor allem jene, die bei einem heimkehrenden Emigranten den Trost des Aufruhrs, der revolutionären Verbrüderung erwarteten, nicht aber Sätze wie diese: ›Nichts als gegeben hinnehmen, alles noch einmal überdenken...‹, ›Immer an die Hütte denken, bevor man das Haus baut...‹ Mein Appell an die Vernunft war gleichzeitig meine Absage an gewisse Fragestellungen, die ich für überholt hielt. Literatur von Enttäuschten für Enttäuschte, die einmal begeistert waren und nicht aufhören, darüber nachzudenken, warum sie es nicht mehr sein können...« (Hans Sahl, Das Exil im Exil, Frankfurt/M. 1990, S. 199.) Über die Ablehnung jeglicher ›Begeisterung‹ war bis in die 1960er Jahre hinein leicht Konsens herzustellen – wenn es nur darum gegangen wäre.

›Der Feind steht rechts‹ zu wiederholen, für die sie übrigens heute noch
die Mehrheit des deutschen Volkes ohnehin hinter sich hat?«[17]

Die Aufgabe der Linken besteht für Sahl im Kampf gegen ihre frühere politische Heimat, andernfalls sie als Brandstifter am Haus der Demokratie zu gelten haben, und an der Mehrheit des deutschen Volkes hat er auszusetzen,
daß es den Antifaschismus übertreibe und dabei die einzige, die linke Gefahr
übersehe. Mit dieser Position stand Sahl zwar nicht allein, aber doch eher am
Rand der damaligen Literaturszene. Viel besser als in diese Szene paßte er in
das große Ganze der Adenauer-Republik, gerade in den Jahren, da die KPD
verboten wurde und die Bundesrepublik ihre Westorientierung mit dem Bei-
tritt zur NATO und den Aufbau einer deutschen NATO-Armee vollendete.
Angesichts dieser Rückendeckung enthält Sahls 1958 gefaßter Entschluß, die
Bundesrepublik zu verlassen, durchaus ein Rätsel. Warum gab er es auf, bei
den Schriftstellern und Intellektuellen, diesen unsicheren Kantonisten, für
seine Überzeugung zu werben und gegen entgegenstehende Meinungen zu
polemisieren – so wie er es doch fünf Jahre lang getan hatte? Was war an der
Bundesrepublik des Jahres 1958 für den Remigranten schlechter als an der des
Jahres 1953?

Für Sahls Entscheidung, die Bundesrepublik zu verlassen und nach New
York zurück zu gehen, gab es einen äußeren Anlaß und einen inneren
Grund. Als er nach Deutschland kam, hatte er soeben die US-amerikanische
Staatsbürgerschaft erhalten. Sie wäre nach fünfjähriger Abwesenheit von den
USA erloschen. 1958 mußte Sahl also Bilanz ziehen und eine Entscheidung
treffen. Was für ihn dabei entscheidend ins Gewicht fiel, war die Zurückweisung, die er als Exilant mit seinem aus dem Exil abgeleiteten Geltungsan-
spruch erfahren hatte. Die Zurückweisung zeigt sich eklatant an zwei Publi-
kationsprojekten, die er nicht realisieren konnte. Trotz der Unterstützung
durch Hans Werner Richter fand er keinen Verleger für die *Anthologie der Emi-
grationslyriker*, die er schon 1938 im Auftrag von Hubertus Prinz von Löwen-
stein für die *League for German Cultural Freedom* zusammengestellt hatte.[18]
Und, noch wichtiger: fünf Jahre lang war kein Verlag bereit, Sahls *Roman einer
Zeit*, den Roman seines Lebens und einen der wichtigsten des Exils, *Die Wenigen und die Vielen,* in der Bundesrepublik Deutschland zu publizieren.
Diese beiden Fehlschläge stehen dafür, daß Sahl, der sich mit vielem Gehör
verschaffen konnte – so z.b. mit einer Polemik gegen die abstrakte Malerei[19] –,
seine Erfahrung des Exils nicht öffentlich vermitteln konnte. Um Fuß zu fassen,

17 Richter, Briefe (Anm. 13), S. 221.
18 Richter, Briefe (Anm. 13), S. 210, 212.
19 Die Auseinandersetzung wurde 1955 vor allem in der Zeitschrift *Der Monat* ausgetra-
    gen. Vgl. Gregor Ackermann u. Momme Brodersen, Hans Sahl. Eine Bibliographie
    seiner Schriften, Marbach 1995, S. 134.

hätte er sich damit abfinden müssen, daß aus dem Exil eine bloß private Erinnerung wird. Das war sein Scheitern im Jahr 1958, das eine paradoxe Konsequenz hatte: Hans Sahl wurde überhaupt erst ein Schriftsteller deutscher Sprache, als er 1958 Deutschland nach New York verließ, um seine amerikanische Staatsbürgerschaft zu erhalten.

Die Re-Remigration und der Auftrag, den Sahl ihr entnimmt

Die schriftlichen Zeugnisse der zweiten Übersiedlung in die USA, die wir kennen, sind aus erheblichem zeitlichen Abstand verfaßt. Aber auch wenn man diesen Abstand in Rechnung stellt, überrascht immer noch, wie sorgsam Sahl jeden Vorwurf an eine deutsche Adresse – an welche auch immer – vermeidet. Statt dessen zeichnet er vom Leben und Arbeiten in New York nach der Re-Remigration ein Bild, in dem die zwei Momente jeglicher Exilerfahrung – das Bewußtsein einer Trennung und zugleich einer fortdauernden Verbindung – nach beiden Seiten des Atlantiks gleichmäßig ausgebildet sind. Sahl wird nicht zum Emigranten, der ein Land verläßt und sich ganz und gar in ein anderes begibt. Er bleibt ein Exilant, der gegenüber der Alten Welt seine Heimat in der Neuen Welt hat und gegenüber der Neuen in der Alten. Er wird ein Ausnahme-Exilant, insofern er geltend machen kann, daß dieses schwierige Verhältnis seiner Person vollkommen entspricht – seiner Vita und namentlich seiner singulären Exilbiographie. Und er hat dieser Lage einen neuen und spezifisch auf ihn zugeschnittenen schriftstellerischen Auftrag entnommen. Das alles wird dem Leser der *Memoiren* in wenigen Sätzen mitgeteilt.

»Ich war ein exterritorialer Mensch geworden, ein ›Gast in fremden Kulturen‹, wie ich es für Hermann Kestens Sammelband *Ich lebe nicht in der Bundesrepublik* formuliert habe. Ich versuchte, der Alternative zwischen zwei Provisorien ein Ende zu machen, indem ich mich für das entschied, was mir vertrauter geworden war. Ich ging also nach Amerika zurück, nicht mehr als Flüchtling, sondern als Berichterstatter deutscher Zeitungen. Erst als ich mich entschlossen hatte, nicht mehr von Amerika zu leben, schloß ich Frieden mit Amerika.

Eines Tages bekam ich einen Telefonanruf. ›Hier ist Thornton Wilder‹, sagte die Stimme.«[20]

Die Autobiographie behauptet nicht ausdrücklich, suggeriert aber, daß die Zusammenarbeit Sahls mit Thornton Wilder, zumindest ihre fruchtbarste Phase, in die Zeit nach der endgültigen Rückkehr aus Deutschland fällt. Die Suggestion ist nicht als kalendarische Angabe zu verstehen – als solche wäre

20 MM II, 156.

sie falsch[21] –, sondern als Sinnstiftung des verdoppelten Exils. Sahl zeichnet sich als einen Menschen, der aufgrund des mehrfach gestaffelten Exils gleichen Abstand zu allen Kulturen hält, in denen er sich zugleich frei bewegt. Daß er über diese kulturelle Unabhängigkeit nach allen Seiten tatsächlich verfügt, wird unter Beweis gestellt durch die materielle Unabhängigkeit, die er nach seiner Rückkehr nach New York in einem seit 1933 ungekannten Maße genießen darf, und durch die kontinuierliche Kooperation mit *der* Größe des zeitgenössischen amerikanischen Theaters, die stets auf gleicher Augenhöhe erfolgt.

Worin der Auftrag besteht, den der doppelte Exilant dieser Lage entnimmt, ist weniger leicht anzugeben. Der »Gast in fremden Kulturen« begreift sich als Mittler zwischen ihnen. Diese Mittler-Tätigkeit versteht Sahl aber nicht wie die Aufgabe eines Dolmetschers, der jeder der beiden Seiten das kulturelle Idiom der anderen in der je eigenen Sprache begreiflich macht. Er bemüht sich auch nicht um das bunte Nebeneinander eines Multikulturalismus, auch wenn ihm am amerikanischen Multikulturalismus vieles behagt. Die Mitte, die Sahl zu finden oder zu erfinden sucht, beschreibt er am eindringlichsten in der Darstellung seiner Zusammenarbeit mit Thornton Wilder. Mit ihm konnte Sahl auf Anhieb kooperieren. Wilder war für Sahl *der* Amerikaner, ein Typus Mensch, der gerade für die Europäer eine mögliche Leitidee repräsentierte. Ich zitiere aus einer Passage, die keineswegs zufällig unmittelbar auf den Bericht von der Re-Remigration folgt.

»Wilder sprach von Amerika, von der Höflichkeit und Freundlichkeit der Menschen im Umgang miteinander, und ich sagte ihm, es sei mir immer so vorgekommen, als wisse hier jeder, wie schwer das Leben sei, und deshalb sei man freundlich zueinander, wie Boxer oder Tennisspieler, die einander vor und nach dem Kampf die Hände reichen. Und zugleich liege darin auch eine uneingestandene Anerkennung gewisser Spielregeln, die wohl mit der Größe und Einsamkeit des Landes zusammenhingen [...]. In Europa wird die Einsamkeit zum tragischen Erlebnis der Vereinzelung, wie bei Hölderlin oder Kafka. Hier ist sie nichts anderes als das Erlebnis des ungeheuren Raumes, in den wir gestellt sind, und der menschlichen Vielfalt und Massenhaftigkeit, die uns umgibt und an der wir teilhaben

---

21 Sahls Übertragung von Wilders *Our Town*, mit der die Zusammenarbeit begann, wurde 1950 als Bühnenmanuskript veröffentlicht. Das zweite von Sahl übersetzte Stück dieses Dramatikers, *The Matchmaker*, erschien ebenfalls zuerst als Bühnenmanuskript 1955. Sahls Übertragungen von Theatertexten aus dem Englischen bzw. Amerikanischen ins Deutsche beginnt 1950 und erweitert sich kontinuierlich über die fünf deutschen Jahre bis in die siebziger Jahre hinein. Die Erweiterung ergibt sich durch die Einbeziehung weiterer Dramatiker, von Wilder über Maxwell Anderson und John Osborne zu Tennessee Williams und Arthur Miller, um nur die prominentesten zu erwähnen. Vgl. Ackermann, Brodersen, Hans Sahl (Anm. 19), bes. S. 232-239.

[…]. Wir wissen, daß wir viele sind und doch ist jeder unersetzbar einmalig.
Gertrude Stein, von der wir alle, Hemingway und Sherwood Anderson
und ich, so viel gelernt haben, Gertrude Stein sagt irgendwo: ›Für einen
Amerikaner ist die Menge eins plus eins plus eins… Für einen Europäer ist
sie 250 oder 6789.‹«[22]

Mit Wilder betrachtet Sahl Amerika nicht als soziales System, auch nicht als
politische Nation, sondern sogleich als eine Lebensart, in der die Bewohner
ihre Geschichte, ihre sozialen Gegebenheiten und ihre natürlichen Voraussetzungen zu einem *way of life* zusammengeführt haben, der einerseits eine
genuin amerikanische Ausprägung darstellt, andererseits aber eine Methode
menschlichen Zusammenlebens mit universellem Vorbildcharakter. Den
Kern dieser Methode bilden Höflichkeit und Freundlichkeit, sprich: die
grundsätzliche gegenseitige Anerkennung aller Individuen, durch die ein
moralisches Gegengewicht gegen die Schwierigkeiten des Lebenskampfs ent-
stehe. Durch sie zähle jeder, auch wenn er untergeht, als eine Größe gleich
jedem anderen. Als antizipiere Sahl die Frage, wer denn die andauernden
Schwierigkeiten verursache, wenn nicht die gegeneinander konkurrierenden
Menschen selber, präsentiert er einen natürlichen Grund für den Lebens-
kampf. Er führt ihn auf Naturgrößen zurück: den Raum, d.h. die Weite des
Landes, und die Vielzahl seiner Einwohner.[23] Als weitere große Leistung wird
Amerika die Integration so verschiedener Volksseelen zu einem »neuen Be-
wußtsein« attestiert.[24] Beides zusammen ergibt einen »neue[n] Typus
Mensch«, der nicht mit vorhandenen Maßstäben zu messen ist, statt dessen
selber ein neuer Maßstab alles Menschlichen wäre:

»Man darf es den Amerikanern nicht verübeln, daß sie nicht allen Erfor-
dernissen ›hoher Kultur‹ genügen, denn sie haben sich einer Aufgabe un-
terzogen, die sie sehr in Anspruch nimmt, nämlich einen neuen Menschen zu finden. Dieser neue Typus Mensch ist noch nicht klar erkennbar
[…], aber er ist neu.«[25]

Sahl vermittelt den *American way of life*, jedenfalls in der gemeinsamen Version
mit Thornton Wilder, als universellen Maßstab von Menschlichkeit, durch
dessen Nachahmung das diskreditierte Deutschland nur gewinnen könne.

22 MM II, 158f.
23 MM II, 158.
24 MM II, 160.
25 MM II, 159. In dieser Passage zitiert Sahl sich selbst, nämlich eine von ihm verfaßte
Fortsetzung einer von Thornton Wilder begonnenen Schrift über den Amerikaner als
Individuum und Kollektiv. Der deutsche Exilschriftsteller verfaßt die Fortsetzung der
Selbstreflexion des Amerikaners, so die Erinnerung des Autobiographen, auf aus-
drücklichen Wunsch Wilders. Damit ist bewiesen, wie vollkommen die Überzeugun-
gen des amerikanischen Erfolgsautors und des deutschen Exilanten übereinstimmen.

Er unterstützt also durchaus einen amerikanischen Führungsanspruch in po-
litisch-moralischer Hinsicht, der sich an der ›hohen Kultur‹ des alten Europa
nicht mehr messen lassen muß. Indem er diese Geltungsansprüche als selbst-
verständliche und absichtslos praktizierte Lebensweise, eben als *American
way of life* faßt, erscheint alles, was in Amerika geschieht, als Beitrag dazu.
Dem entspricht, was Sahls Vermittlertätigkeit zu leisten hat: zunächst und
vor allem Berichterstattung über die amerikanische Kultur- und Theatersze-
ne, ihre eigenen Einfälle und Moden, auch ihre Befassung mit europäischen
und deutschen Themen und Stoffen. In den späteren 1960er und 70er Jahren, als die parallelen Jugendrebellionen in Nordamerika und Europa eigens
veranstaltete Brückenschläge eher obsolet erscheinen lassen, nehmen in Sahls
publizistisch-feuilletonistischer Tätigkeit die Rückgriffe auf Personen, Motive
und Stoffe der zwanziger Jahre und des Exils zu. Auch hier kommt er einem
aktuellen Interesse auf beiden Seiten des Atlantiks nach, und auch hier richtet er seine Aufmerksamkeit an der Devise aus, daß alles, was in Europa interessant und gültig war, mittlerweile in die amerikanische Kultur eingegangen sei – wie die Kunst seines Freundes George Grosz. So bleibt Sahl ein
deutscher Exilant in Amerika – der Herkunft verbunden durch die Trennung
von Deutschland und Amerika verbunden, weil es nicht nur Zuflucht bietet,
sondern allen, auch den Exilanten, die Aufnahme in die weit gefassten kulturellen Normen gestattet.

Der literarische Ertrag

Die Re-Remigration oder das doppelte Exil hatte einen literarischen Ertrag
jenseits der Übersetzungen. Die Entwicklung von Sahls Kurzprosa ist in den
beiden 1987 und 1992 veröffentlichten Bänden gut zu verfolgen.[26] Während
die Erzählungen aus den zwanziger und dreißiger Jahren eine ironische Be-
schreibungskunst kultivieren, überwiegen nach der Vollendung des Romans
Geschichten, die auf einer Situation oder Konstellation beruhen, in der alles
schon entschieden ist, so daß die Erzählung nur noch ausführt, was der
Grundeinfall eigentlich schon besagt, und auch die ›Moral von der Ge-
schicht‹ immer eindeutiger formuliert wird. In der Lyrik gewinnt Sahl einen
größeren Abstand zum Tonfall Bertolt Brechts, der ihm als Person verhaßt,
als Lyriker aber ein übermächtiges Vorbild war.[27] Bemerkenswerte Zeugnisse

26 Hans Sahl, Umsteigen nach Babylon. Erzählungen und Prosa. Mit einem Vorwort
    von Claudia Steinberg und einem biographischen Aufsatz von Sigrid Kellenter, Zü-
    rich 1987; ders., Der Tod des Akrobaten. Erzählungen. Hamburg, Zürich 1992.
27 Zur literarischen Entwicklung Sahls vgl. meine Ausführungen: Bernhard Spies, »Hans
    Sahl, ›Bruder im Zweifel‹«, in: Schriften zur Verleihung der Carl-Zuckmayer-Medaille
    des Landes Rheinland-Pfalz, Bd. 1: Hans Sahl, Landau 1994, S. 25-60.

des fortdauernden Deutschlandbezugs aus der Fremde stellen zwei späte Dramen dar, *Hausmusik,* 1977/78 verfaßt und seit 1979 einige Male aufgeführt,[28] und das letzte Drama *Rubinstein oder der Bayreuther Totentanz,*[29] entstanden am Ende der achtziger Jahre. Die Stücke thematisieren die Frage der jüdischen Identität und das Verhältnis von deutscher Nation und Judentum. Sie sind in New York geschrieben, stilistisch an Thornton Wilders Version des epischen Theaters angelehnt, aber inhaltlich sind sie auf Entwicklungen in der Bundesrepublik bezogen, die Mitte der siebziger Jahre mit dem Erfolg der Holocaust-Serie einsetzten: Bei der Auseinandersetzung mit der nationalsozialistischen Vergangenheit verlagerte sich das Zentrum der Aufmerksamkeit vom – unterlassenen oder geleisteten – politischen Widerstand gegen die Nazis auf die Opfer, vor allem auf die namenlosen Massen, die in den KZs ermordet wurden.[30] Daß Sahl sich dieser Tendenz anschloß, versteht sich keineswegs von selbst. Gerade für ihn war in den Jahrzehnten nach 1945 der politische Widerstand gegen den Totalitarismus das alles beherrschende Anliegen. Da er zugleich ein entschiedener Gegner der Kollektivschuldthese in jeglicher Form war, hatte der Hinweis auf die Massenvernichtung der Juden für ihn etwas Zwiespältiges:[31] Einerseits sollte der Skandal dieses Völkermords gebührend herausgestellt werden; andererseits begründeten die Siegermächte die kollektive Schuldzuschreibung an alle Deutschen mit der Judenvernichtung. In den späten siebziger Jahren hatte Sahl die Befürchtung nicht mehr, daß durch die aus feindlicher Berechnung erfolgende Erinnerung an den Völkermord die deutsche Nation pauschal und in seinen Augen ungebührlich herabgesetzt werde. Aber nicht nur im Hinblick auf den Zeitpunkt, zu dem Sahl das Sujet aufgreift, auch durch die Weise seiner Behandlung agiert er in den beiden späten Dramen als deutsch-jüdischer Autor: Er sieht keine andere

28 Ackermann, Brodersen, Hans Sahl (Anm. 19), S. 28 u. 212; Sigrid Kellenter, biographisches Nachwort zu Hans Sahl, Umsteigen nach Babylon (Anm. 26), S. 155. Die Angabe der Entstehungszeit folgt Erich Wolfgang Skwara, Hans Sahl. Leben und Werk, New York 1986, S. 197.

29 Das Drama entsteht Ende der 1980er Jahre. Teilabdruck in Semit, Jg. 2 (1989), S. 50-51. Der vollständige Text liegt vor als Bühnenmanuskript, Bad Homburg: Stefanie Hunzinger Bühnenverlag, 1990. Uraufführung am 31. Oktober 1991 in Tübingen. Vgl. Ackermann, Brodersen, Hans Sahl (Anm. 19), S. 30, 217.

30 Eine analoge Fokusverschiebung wurde in der wissenschaftlichen Exilforschung vollzogen. Vgl. Ernst Loewy, Zum Paradigmenwechsel in der Exilliteraturforschung, in: Itta Shedletzky u. Hans Otto Horch (Hg.), Deutsch-jüdische Exil- und Emigrationsliteratur im 20. Jahrhundert, Tübingen 1993 (=Conditio Judaica 5), S. 15-28, hier S. 21.

31 Das gilt keineswegs nur für Sahl, sondern für viele Zeitgenossen, so z.B. für die meisten Mitarbeiter am *Ruf.* Vgl. Stuart Pardes and John J. White (Hg.), The Gruppe 47. Fifty Years on a Re-Appraisal of its Literary and Political Significance, Amsterdam – Atlanta, GA 1999; darin folgende Beiträge: Wilfried van de Will, The Agenda of Reeducation and the Contributors of Der Ruf 1946-47, S. 1-14; Clare Flanagan, Der Ruf and the Charge of Nationalism, S. 15-24.

Möglichkeit, die jüdische Identität zu fassen, als sie im Verhältnis zur deutschen zu bestimmen. *Hausmusik* ist ein Stück dramatisierter Autobiographie. Ein Mann jüdischer Herkunft kommt nach dem Krieg in das Haus seiner Kindheit und Jugend zurück und erlebt rückblickend Szenen aus diesem Lebensabschnitt, so daß ein szenischer Bilderbogen entsteht, der das Problem der jüdischen Identität einerseits aus verschiedenen Blickwinkeln beleuchtet, andererseits zur inneren Bewegung ein und desselben Subjekts zusammenfaßt. In dieser Bewegung gibt es einige konstante Motive. Das wichtigste besteht in der Gewißheit, daß es ein Judentum gebe, auch wenn die meisten Juden keine Verbindung mehr dazu erkennen und niemand im Drama, auch die Rabbiner-Figur nicht, angeben kann, worin es bestehe. Der stets aufs Neue wiederholte Versuch, mit durchaus inkommensurablen Vorstellungen einen Inhalt zu kreieren – das Judentum sei »die Einheit von Geist und Wirklichkeit, von Idee und Tat«,[32] oder auch »ein Kompaß, der die Himmelsrichtung angibt, wenn wir den Weg suchen«, oder »Ehrfurcht vor dem Unvergänglichen in uns oder auch nur das Gefühl, zu etwas zu gehören, das vor uns da war und nach uns sein wird«[33] –, belegt die Substantialität jener Gewißheit. Hinzu kommt die Überzeugung, daß die Assimilation speziell der deutschen Juden den Antisemitismus der Deutschen anstacheln mußte und insofern ein unfreiwilliger Beitrag der Opfer zu ihrer Vernichtung war.[34] Schließlich wird die Geschichte und Vorgeschichte des Holocaust als eine deutsch-jüdische Verstrickung, als Beweis einer wechselseitigen Anziehungskraft und in gewisser Weise sogar als tragische Schicksalsgemeinschaft verstanden. Diese Überzeugung hegte Sahl schon in den fünfziger Jahren, ohne sie öffentlich zum Ausdruck zu bringen.[35] In *Hausmusik* wird sie mehrfach umschrieben, ebenso in den beiden Bänden

---

32 Hans Sahl, Hausmusik. Eine Szenenfolge. Bühnenmanuskript, Bühnenverlag Stefanie Hunzinger, Bad Homburg 1980, S. 71.

33 Ebd., S. 68.

34 So der Rabbiner in seiner Gestalt als jüdischer Geistlicher: »Es ist etwas Seltsames um euch deutsche Juden. Wenn ihr klug seid, seid ihr klüger, wenn ihr kultiviert seid, seid ihr kultivierter, und wenn ihr menschlich seid, seid ihr menschlicher als andere Menschen. Wehe euch, wenn die Andern das eines Tages merken. Niemand möchte dauernd beschämt werden. Einmal werden sie vor euch hintreten und sagen: Ihr seid schlechter, dümmer, miserabler als wir. Ihr seid Schädlinge des Volkes. Hinaus mit euch. An den Galgen.« Ebd., S. 63f.

35 Ich sehe hier von inhaltlich vergleichbaren Aussagen im Roman *Die Wenigen und die Vielen* ab, die aus der Figurenperspektive formuliert sind. Daneben gibt es informelle Äußerungen Sahls aus den fünfziger Jahren. In einem Brief vom 3. August 1955 an George Grosz bezichtigt Sahl sich eines etwas übertriebenen Bekenntnisdrangs, der in lebenspraktischer Hinsicht hinderlich sei. Selbstironisch beschließt er die Passage: »ABER ICH MUSS IMMER ›BEKENNEN‹. Schrecklich. Eine Art von mental disease. Sehr deutsch. Aber auch sehr jüdisch. (Was dasselbe ist, denn die Deutschen haben die Juden und die Juden die Deutschen erfunden.)« George Grosz, Hans Sahl, So long mit Händedruck. Briefe und Dokumente, hrsg. v. Karl Riha, Hamburg 1993, S. 74.

der Autobiographie,[36] im letzten Stück aber, *Rubinstein oder Der Bayreuther Totentanz* bildet sie das zentrale Thema. In den einleitenden »Anweisungen für die Schauspieler« heißt es:

> »Rubinstein, und mit ihm Hermann Levi, sind davon überzeugt, daß das Judentum am Ende seiner Geschichte angekommen ist, daß es nur noch eine Lösung gibt – die Flucht in die deutsche Kultur, die sie als wesensverwandt empfinden, die totale Assimilation, während Wagner ihnen sogar diese Alternative abspricht und selbst die Möglichkeit einer physischen Ausrottung nicht ausschließt.«[37]

Auf der einen Seite stehen zwei jüdische Musiker, die Richard Wagner mehr oder minder ihr Leben widmen – der Pianist Rubinstein, der für viele Jahre ein unverzichtbarer Mitarbeiter Wagners war, begeht nach dessen Tod Selbstmord. Der Komponist wird ihnen als monströser Antisemit gegenübergestellt, zugleich aber keineswegs als menschliches Monster gezeichnet. Sein Antisemitismus ist »ein Ausdruck einer ins Neurotische verdrängten Sucht nach nationaler Identifizierung«,[38] wobei er eine von Sahl im Grunde anerkannte und historisch nach der Reichsgründung irgendwie auch nötige Sache[39] nur übertreibt. Wirklich fatal wird erst die Kombination eines jüdischen ethnischen Kollektivismus, der für seinen Selbsthaß gar keine Ausgrenzung durch eine feindliche Umwelt mehr braucht, mit einer noch schwachen Nationalität, die für ihre Selbstfindung auf Ausgrenzungen angewiesen ist. Kurz vor Wagners Tod und Rubinsteins Selbstmord sagt der Jude zum Deutschen:

> »Wie unsicher muß der Deutsche sein, wie ungewiß seiner selbst, wenn er sich so fürchtet vor dem, was anders ist, vor dem Unbekannten, dem Fremden, und wie sich diese Furcht umsetzen muß in das Gegenteil, wie derjenige, der sich angegriffen fühlt, selbst zum Angreifer wird. Die Welt fürchtet sich vor den Deutschen, die sich vor der Welt fürchten, sie sehen hinter jeder Mauer, jeder Grenze den Feind, sie müssen überfallen, bevor er sie überfällt, sie müssen ihm zuvorkommen, sie machen Kriege, nicht weil sie Kriege lieben, sondern weil sie Angst vor dem Frieden haben, denn der Friede das ist Angst, Unsicherheit, Bedrohung. Warum glauben die Deutschen so wenig an sich? Sie wissen nicht, wie sehr sie geliebt werden, sie wollen es nicht wissen, sie lieben das Tragische, weil sie mit dem Tod einen Bund für's Leben geschlossen haben. Erlösung dem Erlöser! Wovon wollen sie eigentlich erlöst werden? Von sich selber. O, wie gleichen

36 Vgl. z.B. die Kritik an Karl Kraus in: Memoiren eines Moralisten. Erinnerungen I, Zürich 1983, S. 91f.
37 Hans Sahl, Rubinstein oder Der Bayreuther Totentanz. Eine Antioper in zwei Akten. Bühnenmanuskript, Stefanie Hunzinger Bühnenverlag, Bad Homburg 1990, S. 5.
38 Ebd.
39 Ebd.

sie doch den Juden, die mit erhobenen Händen umhergehen und betteln: liebt uns, liebt uns! Auch Sie sind ein Ruheloser, ein Bettler.«[40]

In dieser Zuspitzung wird die Vernichtung der Juden in die Nähe einer Tragödie gerückt, in der beide Seiten zugleich Opfer und Täter sind und ein Vorwurf an die Täter nicht mehr möglich scheint. Dem wirkt der Autor des Stücks entgegen, indem er die Selbstverurteilung der jüdischen Figuren, die den härtesten antisemitischen Klischees recht gibt,[41] in der Darstellung der Personen relativiert. Die jüdischen Musiker sind besonders sensible, perfektionistische und – wie in der Anweisung für Schauspieler ausdrücklich verlangt wird – besonders gut aussehende Männer. Der Antisemit Wagner sagt zu seinem Gehilfen Rubinstein ausdrücklich:»Ich liebe Sie, Rubinstein.«[42] Dennoch bleibt die Konstellation einer unauflösbaren Paradoxie, die beide Seiten, Deutsche und Juden, einschließt. Das geschieht keineswegs unabsichtlich. In der pathetischen vorletzten Szene dirigiert Hitler die Götterdämmerung, behauptet, er sei gänzlich von Wagner inspiriert, wogegen Nietzsche darauf besteht, daß Wagners Musik doch mehr und besseres enthalte. Über diese Musik hat etliche Szenen zuvor eine andere Bühnenfigur, der Autor, der als Spielleiter und auch als Sprachrohr seines Erfinders fungiert, bereits ein Bekenntnis abgelegt:

»Ich bin ratlos. Hier ist eine Musik, die mich betört, und den Mann, der sie geschrieben hat, verstehe ich nicht, mehr noch, er mißfällt mir. Ich finde ihn abstoßend, und doch verdanke ich einen Teil meiner Menschlichkeit seiner Musik.«[43]

Gerade bei der Auseinandersetzung mit dem deutschen Antisemitismus ist Sahl nicht nur Kritiker und betroffen nicht nur als Jude, sondern auch auf eine ihm unauflösliche Weise zusammengeschlossen mit den kritisierten Deutschen. So konserviert er gerade in einem weiteren Akt des Abstandnehmens von Deutschland eine ihm offenbar unverzichtbare Verbindung zu dieser Nation. Insofern war es nicht ganz ohne poetische Gerechtigkeit, daß der doppelte Exilant die letzten fünf Jahre seines Lebens, in Deutschland geehrt wie in seinem Leben noch nicht, in einer deutschen Provinzstadt verbrachte, in die er von Berlin aus nie gezogen wäre.

40 Ebd., S. 60f.
41 So entgegnet Rubinstein auf Wagners Forderung, die Juden seien physisch zu vernichten:»Ich stimme Ihnen zu, es gibt keine Alternative mehr, ich stelle mich dem Untergang zur Verfügung, wir sind am Ende unsrer Geschichte angelangt. Wir geben das Zeichen der Erleuchtung an euch weiter.« Ebd., S. 19.
42 Ebd., S. 18.
43 Ebd., S. 37.

DIETER LAMPING

»Die Rückkehr des Geistes«.

Alfred Andersch und die literarische Remigration

I.

In seinem Beitrag für den von Hermann Kesten 1964 herausgegebenen Band
Ich lebe nicht in der Bundesrepublik hat Ludwig Marcuse erklärt, warum er,
»ein alter, jüdischer Rausgeworfener und Wiedergekommener«,[1] in der Bundesrepublik lebe – und zugleich doch nicht.

Marcuse war vergleichsweise
spät, erst 1960, nach Deutschland zurückgekehrt, aus dem er 1933, gleich
nach dem Reichstagsbrand, geflohen war, und er hatte gerade vier Jahre in
der Bundesrepublik gelebt, als er seinen Essay schrieb. Die erste Bilanz seiner
Remigration fiel genauso nüchtern aus wie fünf Jahre später die zweite, die er
in seinem vorletzten Buch *Nachruf auf Ludwig Marcuse* formulierte.

Marcuse nannte seine neue deutsche Existenz anspielungsreich »innerste
Remigration«.[2] Folgt man seiner Selbstauskunft, dann war es – neben besonderen Lebensumständen, zu denen u.a. die Emeritierung gehörte – vor allem
sein Wunsch, wieder Anschluß an den deutschen Literaturbetrieb zu finden,
der ihn nach Deutschland zurückgeführt hatte: »Ich wollte die Jahre, die ich
noch habe«, schreibt er, »deutsch-literarisch verbringen, nicht amerikanisch-
akademisch«.[3] Die Hoffnungen, die er mit seiner Rückkehr verbunden hatte,
waren jedoch unerfüllt geblieben. Mochte er auch auf die eine oder andere
Weise einen Weg zurück in das »Land der Sprache, die ich spreche und
schreibe«,[4] gefunden haben – den Zugang zum deutschen Literaturbetrieb
empfand er als für sich versperrt. »Der deutsche Literatur-Betrieb«, formulierte Marcuse aphoristisch knapp, »ist die letzte geschlossene Gesellschaft in
unserer Welt«.[5]

1   Ludwig Marcuse, Lebe ich oder lebe ich nicht in der Bundesrepublik? In: Hermann
    Kesten (Hg.), Ich lebe nicht in der Bundesrepublik, München 1964, S. 107-113, hier
    S. III.
2   Ebd.
3   Ebd., S. 112.
4   Ebd., S. 107.
5   Ebd., S. 110.

Marcuses bittere Bilanz ist typisch für Exilanten und Remigranten seiner Generation.[6] Ähnlich wie er, dabei im Ton sogar noch schärfer, haben sich auch andere Emigranten über ihr Verhältnis zur deutschen Nachkriegsliteratur geäußert, in Kestens Band etwa Walter Mehring. Sie alle mußten feststellen, daß sie nicht die Rolle im deutschen Literaturbetrieb der 1940er, 50er und 60er Jahre spielten, die sie sich erhofft hatten. Ihre Klage darüber, daß sie keine literarische Heimat in der Bundesrepublik fanden, ist geradezu topisch geworden. Die Frage bleibt, wie dieses Faktum letztlich einzuschätzen ist.

Dafür, daß sich die deutsche Literatur nach 1945 anders entwickelt hat, als die emigrierten und remigrierten Autoren gewünscht hatten, haben sie selbst gelegentlich eine schlechte, vor allem ideologische und politische Kontinuität verantwortlich gemacht. Die sahen sie, nicht ohne Grund, in der Präsenz und in dem Erfolg von belasteten Autoren,»die Nationalsozialisten waren oder in der SS oder in der Partei oder Gedichte zu Hitlers 50. Geburtstag veröffentlichten«,[7] wie Hermann Kesten schrieb, der in seinem Essay *Andere Völker – andere Sitten* einen langen Katalog solcher Schriftsteller zusammenstellte. Nicht zu übersehen ist auch die Dominanz ästhetisch und ideologisch konservativer Literatur in Westdeutschland während der 1940er und 50er Jahre. Viele der Autoren und Autorinnen, die man ihr zurechnen kann, hatten schon vor 1945, z. T. sogar vor 1933 veröffentlicht, und sofern sie sich selber einer ›Inneren Emigration‹ (welcher Art auch immer) zugehörig fühlten, hielten sie Abstand zu den Vertretern der Exilliteratur, bekanntlich selbst zu einem Thomas Mann.

Manche remigrierte Autoren wie eben Marcuse haben allerdings auch auf die schon eher *neue* deutsche Literatur jüngerer Autoren als ein Hindernis für ihre Integration in den Literaturbetrieb der Bundesrepublik hingewiesen.[8] Damit war durchweg die Gruppe 47 als literarische Institution gemeint. Die Enttäuschung, ja Verbitterung über sie mag bei manchem sogar noch größer gewesen sein als die über die offizielle Anerkennung ehemaliger Nationalsozialisten, weil zu ihr eine ideologische Nähe bestand, die die gemeinsame Gegnerschaft gegen politisch und ästhetisch konservative und reaktionäre Autoren einschloß. Umso enttäuschter waren Remigranten wie Marcuse,

---

6   Zu den Schwierigkeiten literarischer Remigranten vgl. vor allem Peter Mertz, Und das wurde nicht ihr Staat. Erfahrungen emigrierter Schriftsteller mit Westdeutschland, München 1985; außerdem Exilforschung. Ein internationales Jahrbuch 9 (Exil und Remigration), München 1991.

7   Hermann Kesten, Andere Völker – andere Sitten, in: ders., Filialen des Parnaß. 31 Essays, Frankfurt/M., Berlin, Wien 1984, S. 263-272, hier S. 266.

8   Vgl. etwa Helmut Peitsch, Die Gruppe 47 und die Exilliteratur – ein Mißverständnis? In: Justus Fetscher, Eberhard Lämmert und Jürgen Schutte (Hg.), Die Gruppe 47 in der Geschichte der Bundesrepublik, Würzburg 1991, S. 108-134. Vgl. auch Dieter Lamping, Von Kafka bis Celan. Jüdischer Diskurs in der deutschen Literatur des 20. Jahrhunderts, Göttingen 1998, S. 132ff.

daß zur Gruppe 47, die in den 1960er Jahren den deutschen Literaturbetrieb dominierte, keiner von den Autoren, die schon in der Weimarer Republik veröffentlicht hatten, Zugang hatte (allenfalls jüngere Emigranten wie Peter Weiss und Wolfgang Hildesheimer). Damit sahen sie sich vollends zu einer mehr oder weniger randständigen literarischen Existenz verurteilt. Die Gründe für diese Konstellation liegen jenseits persönlicher Fehden. Zweifellos wurden auch Feindschaften auf beiden Seiten gepflegt; auf der Seite der emigrierten Autoren etwa entwickelte sich Robert Neumann zum fleißigsten Polemiker gegen die Gruppe 47, der dabei, als Rezensent, Erzähler und Parodist, alle Register seines Könnens zog. Marcuse dagegen zeigte eher Zurückhaltung, auch wenn er ansonsten Polemiken nicht abgeneigt war: In den 1960er Jahren rezensierte er kaum ein Werk der westdeutschen Literatur, griff selten in laufende literarische Debatten ein und kultivierte eher seinen Ruf als Außenseiter. Sowenig wie er zum Literaturbetrieb der jungen Bundesrepublik gezählt wurde, fühlte er sich ihm seinerseits zugehörig.

Marcuse, der den neuen deutschen Antisemitismus durchaus wahrnahm,[9] hat es später in seinem Autonekrolog abgelehnt, für seine Isolation im Deutschland der 1960er Jahre vermeintliche oder tatsächliche Ressentiments gegenüber Juden unter den deutschen Nachkriegsautoren verantwortlich zu machen. Es gab auch »Ex-Emigranten, Juden und alte Männer, vor welchen die deutsche Elite als den großen Manitous ihr Untertanen-Kotau machte«,[10] schrieb er 1969. Den Grund dafür, daß er und seinesgleichen als Autoren ausgeschlossen blieben, hat Marcuse vielmehr in den Besonderheiten des westdeutschen Literaturbetriebs und der westdeutschen Literatur der 1950er und 60er Jahre gesehen.

Es mag nützlich sein, einmal diesem Hinweis nachzugehen und weniger nach den – längst erörterten – politischen und kulturpolitischen[11] als den literarischen oder ästhetischen Gründen zu forschen, die Remigranten die Rückkehr in die deutsche Literatur schwer gemacht haben. Dies soll allerdings nicht mit dem Anspruch geschehen, damit das einzige relevante Hindernis für die Integration der emigrierten und remigrierten Autoren in die deutsche Nachkriegsliteratur zu beschreiben. Doch wäre die Aufzählung der verschiedenen Schwierigkeiten nicht nur einfach unvollständig, sondern auch verzerrt, ließe man gerade diese aus.

Diese Hemmnisse haben mit der – gleichfalls längst bemerkten – Heterogenität der deutschen Nachkriegsliteratur zu tun, die tiefer geht als der zunehmend politisch und propagandistisch aufgeladene Unterschied zwischen

9   Vgl. Ludwig Marcuse: Nachruf auf Ludwig Marcuse. München 1969, S. 73ff.
10 Ebd., S. 76.
11 Vgl. dazu etwa Jost Hermand, Der Kalte Krieg in der Literatur. Über die Schwierig-
     keiten bei der Rückeingliederung deutscher Exilautoren und -autorinnen nach 1945,
     in: Argonautenschiff 4 (1995), S. 26-44.

der west- und der ostdeutschen Literatur. Sie hat ihren Grund wesentlich in
den spezifischen, im Ganzen divergenten Entwicklungen der deutschen Literatur seit 1933, die zu verschiedenen literaturgeschichtlichen Ungleichzeitig-
keiten führten. Wenn im Folgenden das Verhältnis eines Nachkriegs-Autors
zu literarischen Remigranten näher untersucht wird, dann können dabei
auch exemplarisch solche literarischen Bedingungen erkennbar werden, auf
die remigrierte Autoren trafen. Als Fallbeispiel bietet sich aus mehreren Gründen Alfred Andersch an.
Selbst ein Verfolgter des Nationalsozialismus, war er fast von Anfang an Mitglied der Gruppe 47, zudem ein zeitweise erfolgreicher und einflußreicher
Autor, ein literarischer Entdecker mit großem Horizont, der auch als Rezensent und Essayist eine Vermittlerrolle übernahm, alles in allem also ein wichtiger Vertreter der neuen deutschen Literatur nach 1945. In seinem Werk hat
seit seinem ersten Roman *Sansibar oder der letzte Grund* darüber hinaus ein
Motiv eine besondere Bedeutung erlangt, das allen Emigranten vertraut und
auch ein Topos der Exilliteratur war: die Flucht aus dem nationalsozialistischen Deutschland. Insofern wird man ihm kaum völliges Unverständnis für
die Situation verfolgter und vertriebener Autoren unterstellen können, und
tatsächlich mag sein Fall auch Anlaß zu einem differenzierteren Urteil über
das Verhältnis von Autoren seiner Generation zur literarischen Remigration
wie zu einzelnen Remigranten geben.

II.

Alfred Anderschs Biographie ist der eines Emigranten in mancher Hinsicht
gleichermaßen ähnlich und unähnlich.[12] Er selbst ist nicht emigriert. Er hat
fast die ganze Zeit der nationalsozialistischen Herrschaft in Deutschland verbracht, obwohl er schon im März 1933 als kommunistischer Funktionär verhaftet und im KZ Dachau interniert wurde. Während der 1930er Jahre hat er
drei Auslandsreisen unternommen, zwei nach Italien, eine in die Schweiz,
und ist jedesmal nach Deutschland zurückgekehrt. 1935 heiratete er eine
Frau, die nach der nationalsozialistischen Rassenarithmetik als ›Halbjüdin‹
galt, ließ sich aber 1943 von ihr scheiden. 1944 nutzte er, inzwischen Soldat
an der italienischen Front, eine Gelegenheit zur Desertion. Im Herbst 1945
kehrte er aus amerikanischer Kriegsgefangenschaft zurück, die er, als Gegner
des Nationalsozialismus, z. T. in ›reeducation camps‹ verbracht hatte. 1957 ist
er dann, nicht zuletzt enttäuscht von der politischen Entwicklung der jungen
Bundesrepublik, in die Schweiz ausgewandert.

---

12 Vgl. dazu im Detail Stephan Reinhardt, Alfred Andersch. Eine Biographie, Zürich
1990.

Von seiner eigenen Biographie her mag Andersch ein anderes Verhältnis zur Emigration gehabt haben als mancher Autor seiner Generation, der kein Verfolgter des Dritten Reichs war. Und doch erscheint sein Lebenslauf im Vergleich mit dem eines Emigranten auch merkwürdig asynchron, ja sozusagen anti-zyklisch: Als vor allem jüdische Autoren Deutschland verließen, blieb er; als manche Emigranten nach Deutschland zurückkehrten, verließ er es.

Literarisch ist der junge Andersch, der Mitte der 1930er Jahre zu schreiben begann, der ›Inneren Emigration‹ zuzurechnen: als Lyriker ein Rilke-, als Erzähler ein Thomas-Mann-Epigone, bald auch ein eifriger, aber nicht unkritischer Ernst-Jünger-Leser. Vor allem seine Erzählungen und Romane, die er nach 1945 veröffentlichte, verraten jedoch eine intensive Auseinandersetzung mit der internationalen Moderne. In der Kriegsgefangenschaft entdeckte er die amerikanische Literatur des 20. Jahrhunderts neu, später auch die antifaschistische und neorealistische italienische Literatur und orientierte sich fortan gut drei Jahrzehnte lang, mehr oder weniger stark, allerdings nie ausschließlich, an Autoren wie Ernest Hemingway und William Faulkner, Elio Vittorini und Giorgio Bassani. Nicht ohne Grund gilt er als ein Kronzeuge für die Entstehung der deutschen Nachkriegsliteratur in den amerikanischen Kriegsgefangenenlagern.[13]

Was Andersch von der deutschen Exilliteratur vor 1945 gelesen hat, ist im nachhinein schwer zu ermitteln. Als die Wohnung seiner Mutter 1943 ausgebombt wurde, stellte er für einen Entschädigungs-Antrag eine Liste seiner verlorengegangenen Bücher zusammen. Es ist, was die literarischen Texte betrifft, vor allem eine Liste von Werken der Weltliteratur, die Homer und Sophokles, Dante, Boccaccio und Villon, Goethe, Kleist und Hölderlin, Balzac, Stendhal und Gogol, Flaubert, Baudelaire und Rimbaud, Proust, Joyce und Saint-Exupéry aufführt. Auf ihr stehen auch manche moderne Autoren, u.a. Ernst Jünger und Rudolf Borchardt, selbst Schriftsteller der amerikanischen Literatur wie Sinclair Lewis und Thomas Wolfe, aber kein Exilant, nicht einmal Thomas Mann. Aus dieser Tatsache kann man allerdings nicht ohne weiteres schließen, daß Andersch solche Literatur nicht gelesen hatte. Durchaus denkbar ist vielmehr auch, daß er sie zwar gekannt und besessen hatte, aber, verständlicherweise, in einem Antrag an eine nationalsozialistische Behörde nicht aufführen wollte.

Anderschs großes Lese-Erlebnis bei Kriegsende war aber sicher nicht die deutsche Exilliteratur, sondern die amerikanische Literatur. In seinem späten autobiographischen Text *Der Seesack* hat er wieder eine Liste zusammengestellt, dieses Mal der Literatur, die er in seinem Seesack aus der amerikanischen Kriegsgefangenschaft mit nach Deutschland gebracht hatte. Es sind

---

13 Vgl. dazu Volker Wehdeking, Der Nullpunkt. Über die Konstituierung der deutschen Nachkriegsliteratur (1945-1946) in den amerikanischen Kriegsgefangenenlagern, Stuttgart 1971.

durchweg amerikanische Autoren, die er dabei erwähnt, von Jefferson, Emerson und Thoreau über Henry James, Hemingway und F. Scott Fitzgerald bis etwa zu Faulkner, Wilder und Steinbeck. »Unter all diesen amerikanischen Büchern«, schreibt Andersch, »befand sich nur ein einziges deutsches: Ernst Jüngers *Auf den Marmorklippen*; ich habe es zwischen zwei Kontinenten hin und her geschleppt.«[14] Die Lektüre oder Relektüre der Exilliteratur mag bei ihm später eingesetzt haben.

In seinem 1947 als Broschüre erschienenem Essay *Deutsche Literatur in der Entscheidung* hat Andersch zwar, aus naheliegenden Gründen, der »inneren Emigration«[15] besondere, und zwar kritische Aufmerksamkeit gewidmet, doch gleichfalls die Exilanten zu würdigen versucht, allen voran Thomas Mann, dann auch Autoren wie Döblin, Heinrich Mann und Arnold Zweig, die er unter den Begriff »Realistische Tendenzkunst«[16] subsumierte, weiter Bert Brecht, schließlich sogar »Die proletarischen Schriftsteller«,[17] zu denen er Oscar Maria Graf, Willi Bredel, Anna Seghers und Theodor Plievier zählte. Die deutliche Berücksichtigung der Exilliteratur war Andersch wichtig: »Denn deutsche Literatur«, stellt er schon zu Beginn seines Essays fest, »soweit sie den Namen einer Literatur noch behaupten kann, war identisch mit Emigration, mit Distanz, mit Ferne von der Diktatur.«[18]

In den späteren Jahren spielen jedoch emigrierte und remigrierte Autoren in Anderschs umfangreicher literarischer Essayistik – mit zwei Ausnahmen – fast keine Rolle mehr. Rezensiert hat er, in den 25 Jahren seiner kritischen Tätigkeit, zunächst vor allem deutsche Gegenwartsautoren wie Hans Werner Richter, Günter Eich, Heinrich Böll, Hans Magnus Enzensberger, Arno Schmidt und Peter Weiss, aber auch Wolfgang Koeppen und, immer wieder, Ernst Jünger. Daneben galt sein Interesse zeitgenössischen italienischen Autoren wie Vittorini, Lampedusa und Bassani und amerikanischen wie Hemingway und Thornton Wilder. Ihnen allen hat er große Essays gewidmet. Nur mit einem Vertreter der Exilliteratur hielt er es ebenso: *Thomas Mann als Politiker* würdigte er in einem langen Aufsatz, der ursprünglich das Nachwort zu einer Sammlung der politischen Schriften Manns bilden sollte, deren Veröffentlichung aber im letzten Moment an dessen Veto scheiterte.

Andersch hat sich allerdings gleichwohl auch für Remigranten eingesetzt. Als Rundfunk-Redakteur gewann er für sein legendär gewordenes ›Abendstudio‹ zunächst bei Radio Frankfurt, später beim Hessischen Rundfunk etwa Hans Mayer, Theodor W. Adorno und Max Horkheimer als Mitarbeiter. In

---

14 Alfred Andersch, Gesammelte Werke in 10 Bdn. Kommentierte Ausgabe, hrsg. von Dieter Lamping, Zürich 2004, Bd. 5, S. 415.
15 Andersch, Gesammelte Werke (Anm. 14), Bd. 8, S. 189.
16 Ebd., S. 204.
17 Ebd., S. 208.
18 Ebd., S. 191.

seiner Zeitschrift *Texte und Zeichen,* die er von 1955 bis 1957 herausbrachte, gab er Emigranten und Remigranten wie wiederum Adorno und Horkheimer, auch Robert Neumann und Erich Franzen die Möglichkeit zu veröffentlichen.

Einigen dieser Autoren hat Andersch kleine literarische Denkmäler gesetzt; Adorno etwa hat er in seiner Erzählung *Mein Verschwinden in Providence* kurz porträtiert, und zahlreiche Bezüge zu Brecht, zumal zu dessen *Tagen der Commune,* ziehen sich wie ein kleines Leitmotiv durch Anderschs dritten Roman *Efraim.*

III.

Anderschs Verhältnis zu literarischen Remigranten war somit nicht eindeutig. Es sind vor allem zwei Namen, die für diese im ganzen differenzierte Beziehung stehen: Robert Neumann und Jean Améry. Mit beiden war Andersch bekannt, mit beiden hat er korrespondiert, auf beide hat er sich literarisch bezogen, allerdings durchaus unterschiedlich. An seinem Verhältnis zu ihnen läßt sich exemplarisch ablesen, welche ästhetischen Bedingungen es zumindest auf seiner Seite für eine Affinität zu remigrierten Autoren gab.

Mit Robert Neumann verband Andersch eine wechselvolle, insgesamt eher schwierige Beziehung. Neumann muß Andersch schon früh bekannt gewesen sei, und zwar als literarischer Parodist. In seiner frühen Kurzgeschichte *Cadenza finale* aus dem Band *Geister und Leute* findet sich eine Anspielung auf Neumanns Parodie der Forsythe-Saga.[19] Im Juli 1959 lernten sie sich auch persönlich kennen, nachdem sie bereits miteinander korrespondiert hatten. Beide wohnten zu dieser Zeit schon im Tessin, Andersch in Berzona, wohin er 1957 von Stuttgart aus umgesiedelt, Neumann in Locarno, wohin er aus dem englischen Exil gezogen war. Sie gerieten »in einen freundlichen Streit über die Avantgarde, über Tachismus, Beckett und Ionesco«[20] und vereinbarten, ihn literarisch in zwei Aufsätzen für *Die Zeit* auszutragen. Neumanns durchaus freundlicher, ja witziger Artikel *Ionesco und Beckett auf dem Klavier,* der am 21. August erschien, erzürnte jedoch Andersch wegen einiger Details aus seinem Familienleben, die er nicht veröffentlicht sehen wollte. Andersch antwortete am 4. September mit seinem Essay *Gestern Büchner, heute Beckett* – alles in allem sicher keine seiner wichtigeren essayistischen Arbeiten.

Der kleine Streit, in den dann auch noch Wolfgang Hildesheimer mit seinem Beitrag *Die Jüngeren schwören auf Beckett* vom 12. Oktober 1959 eingriff, mag heute wie eine literaturgeschichtliche Petitesse anmuten, zumal er bislang kaum literaturwissenschaftliche Beachtung gefunden hat. Und doch ist er

---

19 Vgl. Andersch, Gesammelte Werke (Anm. 14), Bd. 4, S. 348.
20 Reinhardt, Alfred Andersch (Anm. 12), S. 322.

mehr. Was vorderhand wie eine historisch gewordene Auseinandersetzung über die internationale Avantgarde aussieht, ist in Wirklichkeit auch ein Dokument der Fremdheit zwischen Autoren der Nachkriegs- und solchen der Exilliteratur. Es läßt exemplarisch erkennen, was sie mehr ästhetisch als ideologisch voneinander trennte.

Neumann zumindest hat die kleine Kontroverse mit Andersch auch in dieser Weise symptomatisch verstanden. Als er den Text später in seine Autobiographie *Ein leichtes Leben* unter dem Titel *Mein Feind Andersch* aufnahm, hat er sie als Beispiel für seine Auseinandersetzungen mit den »jungen Dichtern in Deutschland« angeführt. »Es waren junge Menschen nach meinem Herzen«, schreibt Neumann da, »für das, was sie sich da an Gedankengut eroberten, hatte ich allerlei auf mich genommen, ein nicht immer ganz leichtes Leben lang, es stand in meinen Büchern, aber sie kannten die Bücher nicht.«[21] Aus dem »schlechten Gewissen einer nicht vollzogenen Revolution, einer versagten Bewährung« heraus hätten die jungen Autoren »einen großen Strich« gemacht »gleich hinter ihren Fersen« und verkündet: »Bei diesem Strich fängt es an; was vorher war, ist niemals gewesen.« Dieser Haltung wegen habe er das Gefühl bekommen, er sei »zurückemigriert in eine schwerere Emigration, da es eine Emigration nach Hause war.«[22] Neumann unterstellt Andersch also vor allem die mit Ignoranz notwendig verbundene Überheblichkeit der jungen gegenüber der älteren Generation – und ansonsten einen etwas bedenklichen, weil dogmatischen und historisch ahnungslosen literarischen Geschmack.

Andersch hat in seinem Artikel die Akzente deutlich anders gesetzt. Er hat Neumann zu denen gerechnet, die »uns, den Autoren der mittleren Generation«, vorwerfen, »daß alles, was wir machten, schon längst von den Expressionisten und Experimentellen der zwanziger Jahre gemacht worden sei.« Und er fügt, in einem mitunter etwas trotzigen Ton, hinzu:

»Das ›Haben wir schon gehabt‹, auf eine Perspektive von dreißig Jahren projiziert, langweilt uns nachgerade zu Tode. *Innerhalb dieser dreißig Jahre* haben wir Beckett noch nicht gehabt – das ließe sich leicht nachweisen. Ganz abgesehen davon, daß wir keinen Rat annehmen von Leuten, die sich gestern über Joyce lustig machten und uns heute auf seine Größe hinweisen wollen.«[23]

21   Robert Neumann, Ein leichtes Leben. Bericht über mich selbst und Zeitgenossen, Wien, München, Basel 1963, S. 504. Erstdruck unter dem Titel: Ionesco und Beckett auf dem Klavier. Ein literarisches Streitgespräch zwischen Alfred Andersch und Robert Neumann, in: Die Zeit v. 21. August 1959.
22   Ebd., S. 505.
23   Alfred Andersch, Gestern Büchner, heute Beckett. Die andere Seite eines literarischen Streitgesprächs mit Robert Neumann, in: Die Zeit v. 4. September 1959.

Andersch wendet sich dann gegen Neumanns Versuch, die »immerwährende und fesselnde Dialektik« zwischen »Klassizisten« und »Rebellen« »zu einem engbegrenzten Generationenproblemchen« umzudeuten. Neumann rechnet er als Autor, »der sozusagen konstitutionell etwas gegen die ganze existentielle Literatur hat«, den ›Klassizisten‹ zu, schreibt ihm eine »gewisse Neigung zur Platitüde« zu und spricht ihm am Ende sogar ›geistigen Rang‹ ab: »Geistiger Rang wird daran erkannt, daß einer für den anderen ›mitdenken‹ kann.«[24] Was als harmloses Gespräch bei Kaffee und Kuchen begann, entwickelte sich so zu einer literarischen Kontroverse, in der am Ende zumindest einer, Andersch, einigermaßen unversöhnlich blieb. Es ist schwer zu entscheiden, wieweit es dabei wirklich um Beckett ging – und nicht eher darum, literarische Abgrenzungen vorzunehmen und, schließlich, Gründe für das gegenseitige Nicht-Verstehen zu finden. Erkennbar ist auf jeden Fall das – auch nicht ganz von Stilisierung freie – Selbstverständnis Anderschs als eines ›experimentellen‹ Autors und ›Existentialisten‹ und seine Einschätzung Neumanns als eines, je nachdem, ›klassizistischen‹ oder einfach nur konventionellen Schriftstellers, der nie auf der Höhe der Moderne gewesen sei. Damit mag dann verständlich werden, warum hier keine literarische Allianz – neben der möglichen politischen – zustande kommen konnte.

Ein Jahr später, im Oktober 1960, hat Neumann Anderschs Roman *Die Rote* für *Die Zeit* rezensiert – zwar teilweise kritisch, aber wiederum nicht unfreundlich, ja sogar auch lobend. Am Anfang und am Ende der Besprechung spielt er auch kurz auf ihre Kontroverse an. »Die ›Avantgardisten‹«, schreibt er über den Roman, »sind also enttäuscht. Mit Recht. Andersch hat in Wirklichkeit niemals zu ihnen gehört. Er redet sich das nur ein.« Neumann, der Andersch, einmal mehr, Mangel an Humor vorwirft, schließt mit der werbenden Frage: »Vielleicht ist mein Feind Andersch dann gar nicht mehr so sehr mein Feind?«[25]

Andersch ist später auf die kleine Kontroverse mit Neumann nicht wieder zurückgekommen. In seinem 1966 veröffentlichten Gedicht *Zeilen schinden für die Gruppe* gibt es jedoch einen kleinen polemischen Seitenhieb auf den »gross-schmock von locarno«.[26] Manches spricht dafür, daß damit Neumann gemeint war, der sich inzwischen weiter in Polemik gegen die Gruppe 47 geübt hatte, etwa mit seinem in Heft 5 von *konkret* 1966 erschienenen Artikel *Spezis. Gruppe 47 in Berlin*. Die Kontroverse mag alles in allem im Ton nicht sehr scharf gewesen sein. Sie hatte jedoch ästhetische Differenzen enthüllt, die offenbar nicht zu überwinden waren.

---

24 Ebd.
25 Robert Neumann, Mein Feind Alfred Andersch. Eine Besprechung des Romans *Die Rote* und einige höchst persönliche Bemerkungen, in: Die Zeit vom 28. Oktober 1960.
26 Andersch, Gesammelte Werke (Anm. 14), Bd. 6, S. 18.

IV.

So schwierig Anderschs Verhältnis zu Neumann, so positiv war das zu Jean Améry.[27] Davon legt nicht zuletzt die umfangreiche, bis heute unveröffentlichte, 1967 einsetzende Korrespondenz zwischen ihnen Zeugnis ab. Der eine hat auch jeweils Werke des anderen rezensiert, immer respektvoll, mitunter sogar enthusiastisch. Andersch hat Améry einen großen Essay gewidmet wie sonst keinem anderen Emigranten, Thomas Mann ausgenommen. Den Essay *Rückkehr des Geistes als Person*, eine lange, ins Grundsätzliche gehende Rezension der autobiographischen Schriften Amérys, die zuerst 1969 im *Merkur* erschien, hat Andersch 1972 in seinen Essayband *Norden Süden rechts und links*, dann 1979 in die neue Taschenbuchausgabe von *Die Blindheit des Kunstwerks* aufgenommen; er beschließt bezeichnenderweise diesen Band, der mit dem Thomas-Mann-Essay einsetzt.

Der zunächst etwas maniert anmutende Titel *Rückkehr des Geistes als Person* bedarf der Erläuterung. Immerhin läßt er sogleich erkennen, daß Andersch Améry als einen ›Rückkehrer‹ in die deutsche Literatur betrachtet hat. Auch dieser Ausdruck muß allerdings differenziert werden, schon weil Améry kein Remigrant im physischen Sinn war: Er ist nicht nach Österreich zurückgekehrt, wo er geboren wurde, sondern hat nach dem Krieg seinen Wohnsitz in Brüssel genommen. Améry war auch kein Remigrant im literarischen Sinn, weil er vor 1933 als Schriftsteller noch nicht hervorgetreten war. Wofür er bei Andersch steht, ist die »Rückkehr des Geistes«, und dies ist nicht *ein* Geist, etwa der oft beschworene ›jüdische Geist‹ – auf den »jüdische[n] Aspekt von Amérys Existenz«[28] geht Andersch ausdrücklich nicht weiter ein –, es ist *der* Geist: das Prinzip des Geistes. Dieser Begriff ist für Andersch mehr oder weniger identisch mit Subjektivität. Améry verkörpert für ihn als Schriftsteller gerade in seinen autobiographischen Essays authentische oder genauer »radikale Subjektivität«:

> »Radikale Subjektivität [...] ist eine – und vielleicht die einzige – Methode des Menschen, die Wahrheit über sich selbst herauszufinden. Sie mißt alle Erkenntnisse an den persönlichen Erfahrungen, und wie dies bei Améry geschieht, mit welcher Dringlichkeit, mit welchem Nachweis der objektiven Bedeutung gerade seiner Erfahrung, braucht nicht noch einmal ausgeführt zu werden.«[29]

Dieser radikale Subjektivismus, den Andersch mit Sartre auf Descartes' *Cogito, ergo sum* zurückführt, ist ideologiekritisch. Das Subjekt ist für ihn das Maß

---

27 Vgl. dazu vor allem Irene Heidelberger-Leonard, Schein und Sein in *Efraim*. Eine Auseinandersetzung von A. Andersch mit Jean Améry, in: *Études Germaniques* 36 (1981), 2, S. 188-197.
28 Andersch, Gesammelte Werke (Anm. 14), Bd. 10, S. 134.
29 Ebd., S. 127.

der Erkenntnis, es prüft an sich und für sich die Sätze der großen Systeme. Er steht »heute quer zu dem Geschiebe der objektivierenden Systeme, sowohl der Restbestände der Idealismen und der dogmatischen Religionen wie des Marxismus, der Psychoanalyse, des Strukturalismus und anderer«,[30] und er ist verbunden mit dem Sartreschen Existentialismus, in dessen Nachfolge Andersch Améry sieht und der auch sein eigenes Werk nach 1945 wesentlich geprägt hatte.

Es ist nicht schwer zu erkennen, daß das Lob des Autobiographen Améry und seiner programmatischen ›radikalen Subjektivität‹ bei Andersch in den Kontext seiner Auseinandersetzung mit dem Marxismus, der Psychoanalyse, dem Strukturalismus und vor allem dem ›literarischen Strukturalismus‹ des Nouveau roman gehört, den er während der 1960er und frühen 70er Jahre auf verschiedenen Feldern geführt hat; essayistisch etwa in seiner Kritik an Alain Robbe-Grillets Roman *Die blaue Villa in Hongkong* in *Lady Avas elegante Hand* und in seinen Notizen *Aus der grauen Kladde*; literarisch besonders in seinem erzählerischen Werk seit *Ein Liebhaber des Halbschattens* und selbst noch in der Titelgeschichte des letzten Erzählungsbandes *Mein Verschwinden in Providence*. Am deutlichsten aber ist sie in seinem dritten Roman *Efraim*.

V.

Efraim ist Anderschs kompliziertester Roman, der schon deshalb manchen Mißverständnissen ausgesetzt war und ist.[31] Die Geschichte des deutsch-jüdischen Emigranten Georg Efraim, der nach Berlin zurückkehrt, sich vom Journalismus ab- und der Schriftstellerei zuwendet, auf Reisen den richtigen Ort zum Leben und zum Schreiben sucht, ist vieles zugleich: wenn kein Exil-, so doch ein Exilanten-Roman, ein psychologischer Roman, ein Reiseroman, ein Zeitroman, schließlich ein ›Roman über die Entstehung eines Romans‹ – und dies alles in der kunstvoll-kunstlosen, in ihrer Diskontinuität mitunter verwirrenden Form der Aufzeichnung. Verwirrend mag auch sein, daß Andersch die Form der Ich-Erzählung gewählt hat – und doch auch die Irrtümer und Befangenheiten des Ich-Erzählers darstellen will. Efraim beschreibt sich selbst als einen neurotischen Charakter mit sexuellen Problemen, so daß Erhard Schütz ihn etwa »als zutiefst narzißtisch gestört« bezeichnet hat.[32] Die »Darstellung in ihrer endlos reflektierenden [sic] sich widersprechenden, zurücknehmenden, verschleiernden Struktur« entspricht Schütz zufolge Efraims schwierigem »Charakter«.[33]

---

30 Ebd.
31 Vgl. Andersch, Gesammelte Werke (Anm. 14), Bd. 2, S. 436ff.
32 Erhard Schütz, Alfred Andersch, München 1980, S. 74.
33 Ebd., S. 75.

Innerhalb der deutschen Literatur nach 1945 ist *Efraim* zumindest in einer Hinsicht ein besonderes, fast paradigmatisches Werk: als erster Roman eines nicht-jüdischen deutschen Autors, der aus der Perspektive eines Juden erzählt wird. Durch diese Konstruktion unterscheidet sich der Roman grundlegend von anderen Darstellungen zumeist nur peripherer, durchweg aus der Außenperspektive gesehener jüdischer Gestalten etwa in Heinrich Bölls *Wo warst du, Adam?*, Wolfgang Koeppens *Treibhaus* oder Günter Grass' *Blechtrommel*.[34] Mit dem Versuch, eine jüdische Perspektive zu übernehmen, stellt Anderschs Roman die Verbindung zwischen jüdischem und nicht-jüdischem Diskurs in der deutschen Nachkriegsliteratur her.[35] *Efraim* gestaltet zudem erstmals Motive, die sich dann in der neuen jüdischen Literatur deutscher Sprache seit den 1980er Jahren wiederfinden lassen; zu ihnen gehören die Exterritorialität des jüdischen Protagonisten, die mit der metaphysischen ›Unbehaustheit‹, wie sie in der Nachkriegsliteratur und noch mehr in der literarischen Kritik der 1940er und 50er Jahre reflektiert wurde, wenig zu tun hat; sein Leben zwischen verschiedenen Sprachen und Kulturen; schließlich die durchaus problematische Identitätssuche.

Das Interesse an – nicht nur deutschen – Juden und ihren Biographien teilt der Roman außerdem mit einer Reihe von essayistischen Schriften Anderschs, wie vor allem *Giorgio Bassani oder vom Sinn des Erzählens, Auf den Spuren der Finzi-Contini* oder *Mr. Blumenfelds Inferno*. Trotz des Gewichts, das diese Texte haben, stellt aber *Efraim* Anderschs größte Annäherung an eine jüdische Lebensgeschichte dar, auch über die beiden Romane *Die Rote* und *Sansibar* und das Hörspiel *Biologie und Tennis* hinaus, in denen jüdischen Figuren jeweils eine wichtige Rolle zukommt.

Efraim ist allerdings ein Jude, der weder eine religiöse noch eine nationale Identität hat. »Soweit ich Jude bin«, schreibt er,

»bin ich es durch das Erbe meiner Eltern und durch die Erziehung geworden, die mein Onkel Basil mir angedeihen ließ, einerseits also in der grellen Helligkeit eines Schreckens, für den es keine Erklärung gibt, andererseits in einem Halblicht von mystischer Toleranz, in dem transparenten Schatten Spinozas.«[36]

Efraim ist, im Sinn Anderschs, ein heimatloser jüdischer Intellektueller, der weder in einer Religion noch in einer Ideologie, einem Land oder einer Stadt zu Hause ist.

Er ist auch kein Remigrant, der auf der Suche nach der verlorenen Heimat wäre. Er kehrt nach Berlin zurück, um zunächst einen journalistischen Auf-

---

34 Vgl. Dieter Lamping, Die Darstellung von Juden in der westdeutschen Nachkriegsliteratur. Das Beispiel Alfred Anderschs, in: Argonautenschiff 6 (1997), S. 224-237.
35 Vgl. Lamping, Von Kafka bis Celan (Anm. 8), S. 149.
36 Andersch, Gesammelte Werke (Anm. 14), Bd. 2, S. 216.

trag zu erfüllen, nämlich die Auswirkungen der Kuba-Krise auf die geteilte Stadt darzustellen, dann auch um nach Esther Bloch, der Tochter seines Freundes und Chefredakteurs Keir Horne und einer Bekannten seiner Eltern, Marion Bloch, zu suchen, deren Spur sich 1938 verliert. Efraim selbst scheint sonst wenig nach Berlin zurückzuziehen. Zwar benutzt er die Gelegenheit, um sein Elternhaus am Wannsee wiederzusehen, doch hat er nicht die Absicht, in die Stadt zurückzukehren; das Haus seiner Eltern ist er entschlossen zu verkaufen. Am Ende entscheidet er sich, der zwischen London, Rom und Berlin pendelt, gegen seine Heimatstadt.

Und doch ist Efraim in einer Hinsicht sehr wohl ein Rückkehrer, und zwar im sprachlichen Sinn. Während seines Berlin-Aufenthalts fängt er an, auf Deutsch Aufzeichnungen zu machen, die nicht zuletzt sprachkritische Notate sind über die fortdauernde Kontaminierung der deutschen Sprache durch den Nationalsozialismus. Diese Aufzeichnungen, deren eines formales Vorbild die *Notebooks* von Henry James sind, verarbeitet er schließlich zu einem Buch, dessen Drucklegung der Roman noch erzählt. So wird der englischsprachige Journalist zu einem deutschen Schriftsteller.

Auch *Efraim* handelt somit offensichtlich von einer »Rückkehr des Geistes«, wie Andersch sie für Améry geltend gemacht hat. Sicher ist er kein Roman über Jean Améry, aber doch über den Typus des jüdischen Intellektuellen, den Andersch in Améry verkörpert sah. Viele Charakterisierungen der autobiographischen Bücher Amérys, die sich in Anderschs Essay finden, lassen sich deshalb auf *Efraim* übertragen. Wie Améry ist auch Efraim ein Intellektueller, der »keine Lösung anzubieten« hat;[37] auch bei seiner »Sensibilität« handelt es sich um »eine nervöse Empfindlichkeit, um Idiosynkrasie«;[38] auch er redet »gegen sich selbst, und nicht zu dem Zweck, am Ende um so leuchtender dazustehen«,[39] auch er ist dezidiert »subjektiv« und »mißt alle Erkenntnisse an den persönlichen Erfahrungen«;[40] auch er bedient sich des »radikalen Aufstands einer einzigen und winzigen Individualität gegen eine monströse Begriffswelt«[41] und auch er schließlich wendet sich vehement gegen ein »Begriffsdenken, welches es erlaubt, Auschwitz ›einzuordnen‹«.[42] Nicht ohne Grund läßt Andersch seinen Ich-Erzähler den – allerdings auch zeitgeschichtlich anspielungsreichen – Roman eine »Orgie der Subjektivität« nennen.[43]

Die Ähnlichkeiten, die nicht nur zwischen Efraim und Jean Améry bestehen, sondern zwischen Anderschs ästhetischer Konzeption und der Amérys, wie er sie verstanden hat, lassen sich auf einen Begriff bringen: den des ›Existentia-

37 Andersch, Gesammelte Werke (Anm. 14), Bd. 10, S. 131.
38 Ebd., S. 132.
39 Ebd., S. 131.
40 Ebd., S. 134.
41 Ebd., S. 136.
42 Ebd., S. 138.
43 Andersch, Gesammelte Werke (Anm. 14), Bd. 2, S. 369.

lismus‹, auf den sich Andersch am Ende seines Essays emphatisch bezieht. Damit ist nicht nur der philosophische Existentialismus Sartres – im Unterschied zum Marxismus und zum Strukturalismus – gemeint, sondern auch das Eintreten für »die existentielle Bedeutung des Erzählens [...] gegen strukturale Analyse, gegen das Postulat eines abstrakt gesellschaftlichen Seins«.[44] Insofern ist es auch kein Zufall, daß Andersch sich in der Polemik gegen Neumann als einen ›Existentialisten‹ bezeichnet hat – und daß er diesen Titel seinem ›klassizistischen‹ Gegner ausdrücklich nicht zuerkennen wollte. Die Nähe zu dem, was er als ›subjektive‹ oder ›existentielle‹ Literatur ansah, war sein Kriterium für ästhetische Zeit- und Bundesgenossenschaft, auch mit emigrierten und remigrierten Autoren.

VI.

Es mag dahingestellt bleiben, ob Anderschs Verhältnis zu literarischen Emigranten und Remigranten nicht am Ende selbst subjektiv war, zusehends geleitet von seinen eigenen künstlerischen Präferenzen als Autor – gerade wenn man bedenkt, daß er ein ästhetisch eindrucksfähiger Kritiker und Vermittler war. Umso deutlicher ist seine Affinität wie seine Distanz zu älteren Emigranten und Remigranten wie Améry und Neumann. Daß die literarischen Fronten aber nicht unbedingt so starr waren, wie Marcuse, wie Neumann, wie auch Andersch suggeriert haben, zeigt im übrigen gerade die Rezeptionsgeschichte von *Efraim*. Der Roman traf bei seiner Veröffentlichung auf die scharfe Kritik Marcel Reich-Ranickis, der bezweifelte, daß Andersch dem jüdischen Thema gewachsen sei. Es waren drei jüdische Autoren, die dann den Roman gegen ihn verteidigten: nicht nur Jean Améry, sondern eben auch Robert Neumann und Ludwig Marcuse.[45] So mag *Efraim* auch ein Beispiel dafür sein, daß manchmal die Differenzen zwischen Autoren der Nachkriegs- und der Exilliteratur doch überwindbar waren, zumindest punktuell.

---

44 Andersch, Gesammelte Werke (Anm. 14), Bd. 10, S. 139.
45 Vgl. dazu ausführlicher Lamping, Von Kafka bis Celan (Anm. 8), S. 149-152.

IRENE HEIDELBERGER-LEONARD

Revolte in der Resignation.

Zur Biographie Jean Amérys

Die Bundesrepublik Deutschland war und bleibt ›fremdes Heimatland‹ für Jean Améry bis zu seinem Freitod, ja sie wird dem Neuankömmling mit jedem Jahr fremder. Amérys Präsenz in der BRD ist keine ›Remigration‹, keine Rückkehr, sondern eine Ankunft. Nur für kurze Zeit gelingt ihm im Deutschland der sechziger Jahre der Durchbruch.[1] Etwa drei Jahre lang – bis 1967 – fühlt Améry sich von seinen Hörern und Lesern verstanden. Wie sie, die Wohlintentionierten, die gegen ihre Eltern aufbegehrten, ist er besessen von der ›negativen Symbiose‹ (Dan Diner) zwischen Deutschen und Juden; wie sie wird er getrieben – nicht etwa von der Bewältigung, sondern von der Vergegenwärtigung der nationalsozialistischen Vergangenheit. Amérys »Phänomenologie des Opfers«, die ganz auf Erfahrung basiert, scheint die studentische Linke zunächst berührt zu haben. Aber die Zeit des Einklangs ist kurzlebig. Nach dem 7-Tage Krieg in Israel trennen sich ihre Wege: Die Studenten wollen von der NS-Opfererfahrung nichts mehr wissen, weichen vielmehr aus in keimfreie, dialektische Konstrukte, in der Opfer und Täter zu austauschbaren Begriffen werden.

Rasch wird Jean Amérys Ankunft in Deutschland zu einer Ankunft auf Widerruf. Eigentlich erlebt Jean Améry – so paradox dies auch klingen mag – 1945 seinen moralischen Höhepunkt: Der Sieg der Alliierten läßt ihn an die Möglichkeit eines demokratischen Neuaufbaus glauben. Aber die Restauration der 1950er Jahre mit der Rehabilitierung früherer Nazi-Größen, siehe Jean Amérys Deutschland-Kapitel aus der *Geburt der Gegenwart* (1961), flößt ihm nicht gerade Vertrauen ein. Schließlich bringt ihn die anhaltende Nicht-Anerkennung der deutschen Verbrechen zur Realisierung seiner totalen Ohnmacht. Seine radikalen Thesen, die nicht nur herausforderten, sondern auch Forderungen stellten, scheinen nun nahtlos in den Entlastungsdiskurs integriert zu sein.

Nicht das Lager Auschwitz ist es, das Jean Améry 1978 einholt, es ist das Nach-Auschwitz-Deutschland, das den abgrundtief Enttäuschten in den Freitod treibt.

---

1   Der folgende Aufsatz ist ein gekürzter Auszug aus: Irene Heidelberger-Leonard, Jean Améry. Revolte in der Resignation. Biographie, Klett-Cotta, Stuttgart 2004, Kap. 7, S. 185-259.

Jenseits von Schuld und Sühne – *Denk-Drama in fünf Szenen*

Die Legende will, daß es im Februar 1964 in Brüssel zu einer folgenreichen Begegnung kommt. Der bekannte Autor Helmut Heißenbüttel trifft – »durch Zufall«, so Améry, – den unbekannten Publizisten Jean Améry. An diesem Märchen – dem Märchen vom guten deutschen Prinzen, der das vergiftete Dornröschen von seinem Fluch befreit – hat Jean Améry tüchtig mitgeschrieben. Ein solcher »Zufall« bietet sich natürlich zur Literarisierung an: Der kriegsversehrte Heißenbüttel und der jüdische Häftling Améry bilden eine Konstellation, die man sich exemplarischer kaum denken kann. Sie hatte tatsächlich die Macht, zumindest sekundenweise, Amérys Wunsch nach der Korrektur der Geschichte zu bewahrheiten.[2] Und so legt Améry seinen ganzen Stolz darein, sich selber und die Nachwelt glauben zu machen, daß er nach Deutschland geholt worden ist.

In Wahrheit aber ist es Améry, der den ersten Schritt macht. Diesen Sachverhalt mag er im Rückblick nicht wahrhaben, weil er sich verachtet wegen dieser ›Anbiederung‹, ja, weil es ihm wie eine Prostitution vorkommt, seine Auschwitz-Schmerzen auf dem deutschen Marktplatz feilzubieten. Améry ist Bittsteller und Heißenbüttel ist sein Mäzen. Der deutsche Prinz gibt seinem Dornröschen zwar die Möglichkeit zur Entzauberung, aber entzaubern muß es sich selbst.

Tatsächlich hatte er schon Einiges unternommen, um in Sachen Auschwitz »sein Wort in die Waagschale zu werfen«. Da gibt es schon seit 1961 Primo Levi, der ihm in Deutschland mit seinem »autobiographischen Bericht« über die Welt des nationalsozialistischen Konzentrationslagers zuvorgekommen ist. In seinem Vermächtnis *Die Untergegangenen und die Geretteten* befindet dieser: »Ich [...] mußte sie verstehen... jene Deutschen, die ich aus der Nähe erlebt hatte.«[3] Levi hatte also schon gewissermaßen die Grundlage für einen Dialog mit den Deutschen geschaffen, eine Grundlage, die den Deutschen entgegenkam. Gewiß, auch Améry will verstehen, aber dabei interessiert ihn nicht die Psychologie des Täters, sondern die Verwüstung, die der Täter im Opfer angerichtet hat – und diese Perspektive kommt den Deutschen ganz und gar nicht entgegen. Auch Hannah Arendts Buch über den Eichmann-Prozeß (1961),[4] interessiert sich in erster Linie für die Psychologie des Täters.

2 Jean Améry, Jenseits von Schuld und Sühne, in: ders., Werke, hrsg. v. Irene Heidelberger-Leonard, Bd. 2: Jenseits von Schuld und Sühne, Unmeisterliche Wanderjahre, Örtlichkeiten, hrsg. v. Gerhard Scheit, Stuttgart 2002, hier S. 129-143 (Ressentiments-Aufsatz).

3 Primo Levi, Briefe von Deutschen, in: ders., Die Untergegangenen und die Geretteten, München, Wien 1990, S. 172.

4 Hannah Arendt, Eichmann in Jerusalem. Ein Bericht von der Banalität des Bösen, München 1964. Ein besonders scharfer Angriff Amérys auf Arendts Kritik an der Kollaboration der Juden befindet sich erst später in der Schrift »Im Warteraum des Todes«

So sind ihm Levi und Arendt eine doppelte Provokation – von beiden Positionen grenzt er sich radikal ab: Levi, der »verstehen« will, gehört für Améry zu den »Versöhnern«. Er selber hält es mit dem Ressentiment, der »Moral der Unterlegenen«.[5] Und bei Arendt sperrt er sich gegen die tiefere Bedeutung von der »Banalität des Bösen«, begnügt sich vielmehr damit, diese Banalität wörtlich zu nehmen. »Es gibt nämlich keine ›Banalität des Bösen‹, und Hannah Arendt, die in ihrem Eichmann-Buch davon schrieb, kannte den Menschenfeind nur vom Hörensagen und sah ihn nur durch den gläsernen Käfig [...].«[6]

Hintergrund ist vor allem der ›große‹ Auschwitz-Prozeß. Überall wird Auschwitz verhandelt, ›sein Eigentum‹, wie Améry meint, aber es ist nicht *sein* Auschwitz, das da verhandelt wird. Und so schreibt er schon am 18. Januar 1964 an Karl Schwedhelm vom Süddeutschen Rundfunk: »Ich stehe im Begriffe ein rekonstruiertes Auschwitz-Tagebuch zu schreiben, und zwar keinen Dokumentarbericht, wie es deren ja schon viele gibt, sondern Reflexionen in Tagebuchform über fundamentale existentielle Probleme des KZ-Universums und namentlich der Reaktionen eines *Intellektuellen*.«[7] Helmut Heißenbüttel, an den Schwedhelm die Anfrage weiterleitet, läßt ihn wissen, daß ihn »eine solche Arbeit« durchaus interessiere.

Ein Monat nach Heißenbüttels Annahme ist Amérys Aufsatz schon abgeschlossen. So entsteht die Auschwitz-Arbeit von 1964, die ja schon seit 1945 mit der *Psychologie des deutschen Volkes* ihren Anfang genommen hatte und 1961 mit *Im Schatten des dritten Reiches* fortgesetzt worden war, wie ein erratischer Block. Jetzt, wo man die Urfassungen kennt, weiß man allerdings auch wie lang die Inkubationszeit war. Schließlich wird der Beitrag unter dem Titel *An den Grenzen des Geistes. Versuch über die Begegnung des Intellektuellen mit Auschwitz* am 19. Oktober 1964 in Stuttgart gesendet.

(1969), in: Widersprüche, Stuttgart 1971, S. 213-232. »[...] Daher die eigentümliche Dialektik der jüdischen Solidarität, die sich im *Leiden* verwirklichte – was immer uns Frau Hannah Arendt erzählt haben mochte in ihrem bemerkenswert verständnislosen und nicht einmal relevante Sachkenntnis enthaltenden Eichmann-Buch! – [...]. Sie litten trotz allem mit ihren Opfern, die jüdischen Kapos [...]. Sie prügelten den Mitjuden und trafen dabei sich selbst.« (S. 217), und einige Seiten weiter: »Nur Unverstand, frecher Hochmut und völlige Unkenntnis der Sachlage wird den ›Kollaborations-Juden‹ verurteilen wie irgendeinen Quisling im besetzten Europa!« (S. 227).

5 Jean Améry, Werke, Bd. 2 (Anm. 2), S. 148.
6 Ebd., S. 62.
7 Brief von Jean Améry an Karl Schwedhelm 18. Januar 1964, im Nachlaß DLA, Marbach. Dr. Jörg Hucklenbroich vom Historischen Archiv des SWR hat freundlicherweise alle Sendungen des Süddeutschen Rundfunks von und mit Jean Améry aufgelistet. Daraus ist ersichtlich, daß Améry schon seit dem 27. Juni 1960 im 1. und 2. Programm (u.a. Kulturumschau, Europamagazin) kurze Beiträge gemacht hat, die er von Brüssel aus gesprochen hat. Er stellte mir die Kopien vom vollständigen Briefwechsel zwischen Jean Améry und Heißenbüttel zur Verfügung, wofür ihm hier noch einmal ausdrücklich gedankt sei.

1. Szene – Auschwitz und der Intellektuelle

Das Sonderproblem des Intellektuellen, wenn es ein Sonderproblem ist, die »Wirklichkeit und Wirkungskraft seines Geistes« an der Grenzsituation Auschwitz zu messen, ist für den damaligen Auschwitz-Diskurs in der Tat eine gänzlich neue Fragestellung.

Für Améry freilich ist sie eine alte – und in dem Sinn kein Sonderproblem, weil der Umgang des Intellektuellen mit der Gewalt der politischen Wirklichkeit von jeher Hauptnenner ist für sein Erkenntnisinteresse. Schon der Breendonk-Häftling Althager in dem unveröffentlichten Fragment *Die Festung Derloven* (1945) prüft die Macht des Geistes angesichts der Folter an seiner Fähigkeit, die Folter mit seinen ›Fiktionen‹ zu transzendieren. 1945 also, zur Zeit der Neuschreibung von *Die Schiffbrüchigen,* kennt der Geist bei Améry noch keine Grenzen.

1964 bleibt die Fragestellung die gleiche, mit dem entscheidenden Unterschied, daß Améry nach zwanzig Jahren Meditation zum entgegengesetzten Ergebnis kommt: Nun ist es die Ohnmacht des Geistes, die er vorführt; seine vorherige Transzendierungsfähigkeit demaskiert er als reine Esoterik, als läppischen ›ludus‹. Der Geist ist dem Intellektuellen im Lager nicht nur keine Hilfe gewesen, »sondern führte geradenwegs in eine tragische Dialektik der Selbstzerstörung«.[8]

Allein die Formulierung *An den Grenzen des Geistes* zeigt an, welcher Denkmethode sich der Autor von 1964 an verschreibt: Er denkt und schreibt prinzipiell immer gegen sich – und fordert auch den Leser dazu auf, gegen sich zu denken, was nicht selten zur Abwehr führt. Die Thematik des ersten Aufsatzes hätte von größerer persönlicher Brisanz kaum sein können: Man vergegenwärtige sich nur einen Moment, was ›der Geist‹ für den Autodidakten Améry existentiell bedeutet: Er hat ihn sich erarbeitet, erfunden gar, er ist seine einzige Chance, seine wirtschaftliche, psychische, vor allem aber auch seine politische Situation zu überschreiten. Auch ein Synonym für Literatur ist der Geist, bedeutet ihm Heimat, ist ihm Leben, ist für ihn um so viel wirklicher als die sogenannte Wirklichkeit. Der Geist ist für Améry, und das gilt für jedes seiner Werke, Protagonist, ein ›Du‹ und ›Er‹, des öfteren ein ›Ich‹, sein ›Ich‹, eine richtige Person eben, der einzig würdige und zuverlässige Gesprächspartner, mit dem er rechten kann. *Lebens*geschichte ist Améry zu jeder Zeit Geistesgeschichte. Und dieser Geist – so seine Bilanz – klinkt sich in Auschwitz aus, dankt ab. Genau da, wo er am meisten von Nöten gewesen wäre, läßt er ihn im Stich. Ein Verrat ohnegleichen.

Unterschwellig schwingt auch der ganze Bildungsballast mit: Deutschland, Land der Dichter und Denker, nicht eher der Richter und Henker?, schließlich die berüchtigte deutsche mésalliance zwischen Geist und Macht. In *An den Grenzen des Geistes* geht es, gewiß, auch um eine Fallgeschichte ›des Intellek-

---

8   Jean Améry, Werke, Bd. 2 (Anm. 2), S. 36.

tuellen‹, aber ein zweiter Blick genügt, um zu erfassen, daß hier strenge Autobiographie geschrieben wird – und zwar mit Herzblut. Es geht um die Person Améry, um seinen Geist, der in Auschwitz an die Grenze gekommen ist, es ist seine Geschichte, Einstieg in das erste Kapitel seiner Auto-Demolition. Man lese den Aufsatz nur einmal gegen den Strich, um sich klar zu werden, daß Améry hier in seinem Gegen-sich-Denken genau all das demontiert, was ihn bis dahin konstituiert hat.

Merkwürdig, daß niemand die bittere gegen sich selbst gerichtete Ironie herausgehört hat, die Amérys gar nicht so souveräne Erörterungen vorwärts peitschen: Der Intellektuelle, der hier beschrieben wird, der literarische zumal – natürlich geht es hier um ein gnadenloses Selbstporträt – wird mitnichten zelebriert als ein höheres Wesen, wie Primo Levi fälschlich vermutete. Ganz im Gegenteil, er wird entlarvt in seiner Nutzlosigkeit. Der »geistige Mensch« in Auschwitz, dem bei der Silbe »Lilien« der Dichter Detlev von Liliencron einfällt, der über die »höfische Dorfpoesie« eines Neidhart von Reuenthal Bescheid weiß,[9] aber verzweifelt mit dem »Bettenbau« in der Barracke ringt, der der Gewalttätigkeit seiner Vorgesetzten völlig ausgeliefert ist, dieser geistige Mensch ist ein armseliges Geschöpf, geradezu lächerlich in seiner Hilflosigkeit. »Es gab Stunden im Lager, in denen ich mich fragte, ob die Verachtung nicht zu Recht bestehe«, kommentiert er seine Lage. Der einzige Beitrag, zu dem sein analytisches Bewußtsein ihn befähigt, besteht darin, seine Selbstzerstörung zu besiegeln, denn in Auschwitz ist der Geist, hält Améry fest, nur zu einem gut: zu seiner Selbstaufhebung.

Der Titel *An den Grenzen des Geistes* ist noch ein Euphemismus, denn die Grenzen fallen mit dem Tod des Geistes zusammen. »Ich erinnere mich eines Winterabends«, heißt es am Anfang des Aufsatzes, »als wir uns nach der Arbeit im schlechten Gleichschritt der Kapos [...] ins Lager zurückschleppten und mir an einem [...] Bau eine [...] wehende Fahne auffiel. ›Die Mauern stehn sprachlos und kalt, im Winde klirren die Fahnen‹, murmelte ich assoziativmechanisch vor mich hin. Dann wiederholte ich die Strophe etwas lauter, lauschte dem Wortklang, versuchte dem Rhythmus nachzuspüren und erwartete, daß das [...] mit diesem Hölderlin-Gedicht für mich verbundene emotionelle und geistige Modell erscheinen werde. Nichts. Das Gedicht transzendierte die Wirklichkeit nicht mehr.«[10]
Der Tod des Geistes aber ist ein Synonym für den Tod schlechthin. Man halte fest: Amérys Lebensgeschichte, seine ›autobiographische Trilogie‹ setzt ein mit der Geschichte seines Todes, oder zumindest des Todes, für den er vorbestimmt war.

9   Ebd., S. 24f.
10 Ebd., S. 32.

2. Szene – An den Grenzen des Körpers

Von Euphemismus war soeben die Rede, »an den Grenzen« des Geistes halt zu machen, Grenzen, die eine Wiederbelebung nicht ausschließen. Aber bevor er die Wiederbelebung einleitet, holt er zu einem noch gewaltigeren Todesstoß aus, wo er den Geist vollends liquidiert: *Die Tortur* – so der Titel des neuen Manuskripts.

Auch dieser Aufsatz hat, wie man jetzt weiß, seine Vorgeschichte in *Die Festung Derloven*, dem Fragment aus dem Jahre 1945, in dem breit nacherzählt wird, wie es überhaupt zu seiner Folterung kommt. Minuziös beschrieben wird dort die Geschichte seiner Festnahme, seiner eigenen Tortur, auch seines Widerstehens, so, als ließen sich – unmittelbar nach dem Ereignis – in der fiktiven Person Althagers diese Verbrechen ohne weiteres sprachlich darstellen. Vorgeführt wird vom alter ego Althager der »absolute Triumph des Geistes über die Materie«.

Nicht mehr so Jean Améry im Essay von 1965: In der Reflexion über das Ereignis triumphiert jetzt die Materie über den Geist, nicht die Materie Auschwitz, sondern die Materie Körper. Fast ist es als ahme Améry den Vorgang rhythmisch nach, Hieb auf Hieb bringt er die Sache auf den Punkt: »Jeder ging an sein Geschäft«, kennzeichnet er das Geschäftszimmer in dem belgischen Konzentrationslager Breendonk, »und ihres war der Mord.«[11] Man durchschreitet das Lager mit ihm bis zu einem »fensterlosen Gewölbe [...], in dem mancherlei befremdliches Eisenwerkzeug herumliegt.« Die Beschaffenheit der Örtlichkeit, ihr Zubehör sprechen für sich, da bedarf es keines weiteren Kommentars: »Dort geschah es mir: Die Tortur«. »Es«, die Tortur geschah mir, »sie« geschah mir, die Folter, sie hat sich verdinglicht. Und verdinglicht auch das zum Objekt herabgesetzte Individuum, vergewaltigt es. Der Leser wird informiert über das Nachleben einer solchen Vergewaltigung: »Die Tortur ist das fürchterlichste Ereignis, das ein Mensch in sich bewahren kann«.[12] Erst nachdem dieser Gipfel der Beschädigung erreicht ist, wird aufgeschlüsselt – politisch, sprachlich, psychisch. Evoziert wird die Praxis der Tortur in anderen Ländern, zu anderen Zeiten. Aber Améry zieht diese Vergleichsmöglichkeiten nur heran, um an ihnen ihre Untauglichkeit zu demonstrieren. Die Tortur unter Hitler, darauf besteht er, darauf bestand er schon 1945, war und bleibt singulär. »Für dieses Dritte Reich [war] die Tortur kein Akzidens, sondern seine Essenz.«[13]

Sprachlich aber sieht der Autor die Dinge 1965 ganz anders als er sie 1945 nicht nur sah, sondern auch in seinem unveröffentlichten Roman praktizierte: So gebrochen die Inhalte 1945 auch schon waren, so ungebrochen war der Redefluß, der sie transportierte. Zwanzig Jahre später spiegelt sich die Bre-

11 Ebd., S. 56.
12 Ebd., S. 57.
13 Ebd., S. 59.

chung der Erfahrung in der Brechung der Sprache wider. Metaphern, Vergleiche sind nichts als »Alleskleber«, denn keine Einbildungskraft reicht aus zur Verbalisierung einer solchen Ungeheuerlichkeit. »Nicht darum, weil [...] das Geschehnis die Vorstellungskraft überstiege (es ist keine quantitative Frage), sondern, weil es Wirklichkeit ist und nicht Imagination. [...] Man kann ein Leben daran wenden, das Eingebildete und das Wirkliche gegeneinander zu halten, und wird dennoch niemals damit zurande kommen.« Der erste Schlag schon bringt dem Inhaftierten vollends sein Ausgeliefertsein zu Bewußtsein: Kein Arzt, keine Mutter, kein Freund, der zur Hilfe eilt. »Mit dem ersten Schlag der Polizeifaust, gegen den es keine Wehr geben kann [...], endigt ein Teil unseres Lebens und ist niemals wieder zu erwecken.«[14] Er enthält im Keim alles Spätere, die Folter, den Tod; schon er hat den indelibilen Charakter. Das Weltvertrauen, wie Améry es nennt, es ist mit ihm dahin.[15] Denn, folgert Améry weiter, Wittgensteins Diktum über die Grenzen seiner Welt variierend, »die Grenzen meines Körpers sind die Grenzen meines Ichs. Die Hautoberfläche schließt mich ab gegen die fremde Welt: auf ihr darf ich, wenn ich Vertrauen haben soll, nur zu spüren bekommen, was ich spüren will.«[16] Wo diese Hautoberfläche brutalisiert wird, wo der Mitmensch zum Gegenmenschen wird, da ist die Vernichtung Programm: »[Es] gab ein von meinem Körper bis zu dieser Stunde nicht vergessenes Krachen und Splittern in den Schultern. Die Kugeln sprangen aus den Pfannen. Das eigene Körpergewicht bewirkte Luxation, ich fiel ins Leere und hing nun an den ausgerenkten, von hinten hochgerissenen und über dem Kopf nunmehr verdreht geschlossenen Armen. Tortur, vom lateinischen torquere, verrenken: welch ein etymologischer Anschauungsunterricht! Dazu prasselten die Hiebe mit dem Ochsenziemer auf meinen Körper, und mancher von ihnen schnitt glatt die dünne Sommerhose durch, die ich an diesem 23. Juli 1943 trug.«[17] So also geschah und geschieht es ihm: die Tortur.

Auch wenn das *Wie* des Schmerzes sich der sprachlichen Kommunikation entzieht, so läßt sich über das *Was* zumindest soviel festhalten, daß der Schmerz die höchste Steigerung der Körperlichkeit ist: »In der Tortur wird die Verfleischlichung des Menschen vollständig.«[18] Es ist, als wenn der Gemarterte seinen eigenen Tod erlebt. Hier ist der Geist nicht nur an seine Grenzen gekommen, der Geist wird vom Folterer systematisch liquidiert: »Ein schwacher Druck mit der werkzeugbewegten Hand reicht aus, den anderen samt seinem Kopf, in dem vielleicht Kant und Hegel und alle neun Symphonien und die Welt als Wille und Vorstellung aufbewahrt sind, zum

14 Ebd., S.67.
15 Ebd., S. 65f.
16 Ebd., S. 66.
17 Ebd., S. 73.
18 Ebd., S. 74.

schrill quäkenden Schlachtferkel zu machen.«[19] Und dies wiederum ist der Punkt, wo selbst der Körper an seine Grenzen kommt. Eine desolate Bilanz, die zu einer ebenso desolaten Prognose führt:»Wer der Folter erlag, kann nicht mehr heimisch werden in der Welt.«[20] Unter diesem Zeichen stehen die nächsten 13 Jahre, die er sich noch zu leben gibt.»Der gemartert wurde, ist waffenlos der Angst ausgeliefert. Sie ist es, die fürderhin über ihm das Zepter schwingt.«[21]

So finster seine Meditationen über Vergangenes, so hell die Gegenwart seines schriftstellerischen Durchbruchs. Auch wenn er es nicht wahrhaben mag, er kostet sie aus, diese neue Öffentlichkeit, die Verehrung, den Beifall, den Ruhm, er genießt diese späte Ankunft in Deutschland, weit mehr als ihm recht ist. Die Freude ist groß, als Hans Paeschke, damaliger Herausgeber des *Merkur,* ihn um regelmäßige Mitarbeit bittet. Den Tortur-Aufsatz, den Améry ihm gegenüber als »einen Beitrag zur Existentialpsychologie der Gewalt« kennzeichnet (J.A. an H.P., 2. Mai 1965), rezipiert Paeschke als »eine der wichtigsten und auch intensivsten Aussagen«, die er in letzter Zeit gelesen habe. »Konfession und Analyse gehen hier eine Verbindung ein, wie sie im Nachkriegsdeutschland, das sich ja gerade um eine derartige Verbindung zu bemühen hatte, nur in Ausnahmefällen erreicht worden ist« (H.P. an J.A. 11. Mai 1965). So macht Amérys Essay *Die Tortur* Geschichte: Heißenbüttel sendet ihn am 3.Mai 1965, Paeschke bringt ihn, in leicht gekürzter Form,[22] im Juni. Der Abdruck eröffnet eine intensive Zusammenarbeit mit dem *Merkur*-Herausgeber: Zwischen 1965 und 1978 wird Améry rund 60 Beiträge schreiben, Essays, Rezensionen, Glossen, Filmkritiken, offene Briefe.

Im *Merkur* nimmt auch Adorno *Die Tortur* wahr, so intensiv wahr, daß er den Essay gar in seiner Vorlesung vom 15. Juli 1965 über *Metaphysik und Tod nach Auschwitz* an zentraler Stelle zum Gegenstand macht.»Jean Améry [...] [bringt] die Veränderungen in den Gesteinsschichten der Erfahrung, die durch diese Dinge bewirkt worden sind, in einer geradezu bewundernswerten Weise zum Ausdruck.«[23] Auch in einem späteren Brief an Ernst Fischer

19 Ebd., S. 77f.
20 Ebd., S. 85.
21 Ebd.
22 Abdruck der Merkur-Fassung, in: Jean Améry, Werke (Anm. 2), Bd. 2, S. 599-624; zu den Kürzungen vgl. Gerhard Scheit im Nachwort, S. 650-651.
23 Theodor W. Adorno: Metaphysik. Begriff und Probleme (1965), in: Ders., Nachgelassene Schriften Abt. IV: Vorlesungen, Bd. 14, hrsg. v. Rolf Tiedemann, Frankfurt/M. 1998, S. 166. Zitiert in Gerhard Scheit, Nathan der Gefolterte. Jean Améry und die Dialektik der Aufklärung, in: Jean Améry, Der Schriftsteller [internat. Tagung zum 20. Todestag in Brüssel], hrsg. v. Irene Heidelberger-Leonard u. Hans Höller, Stuttgart 2000, S. 93-105, hier S. 101; vgl. auch Gerhard Scheit, Nachwort zu Jenseits von Schuld und Sühne, in: Jean Améry, Werke (Anm. 2), Bd. 2, S. 673-677.

schreibt Adorno ausdrücklich, wie sehr er Améry »schätze«: »Ich war tief be-
eindruckt von seinem Aufsatz über die Tortur« (Zitat aus einem Brief von
E.F. an J.A., 31. Januar 1968). Er wolle ihm sogar schreiben, und bittet Ernst
Fischer zu vermitteln: »Wenn Sie etwas dazu beitragen könnten, daß diese
Beziehung sich freundlich gestaltet, so wäre ich Ihnen sehr dankbar [...]«
(Zitat aus demselben Brief von E.F. an J.A., 31. Januar 1968).

Wie soll man sich erklären, daß in der späteren gedruckten Fassung der
Meditationen zur Metaphysik, der *Negativen Dialektik,* der Name Amérys
und jeder Hinweis auf den Aufsatz getilgt worden ist, obwohl die dortigen
Überlegungen über das »perennierende Leiden« an und in Leib und Seele
sich eindeutig von ihm inspiriert haben?
Natürlich hat Améry von dieser so kurzlebigen Würdigung nie gewußt.
Kaum auszudenken, wie sich eine solche öffentliche Anerkennung auf
Amérys Leben hätte auswirken können. Mit Adorno im Rücken hätte er einen
ganz anderen Stand im deutschen Nach-Auschwitz gehabt, die studentische
Linke hätte ihn mit und neben Adorno auf Händen getragen. Nichts dergleichen: Statt dessen buhlt er um ihre Aufmerksamkeit, mißt sich an ihrem
Chef-Ideologen, fühlt sich mißachtet, und mißachtet zurück. Diese Anti-
pathie verlagert sich in eine scharfe Polemik gegen die »dialektische[n] Pirou-
etten«,[24] gegen den »Jargon[ ] der Dialektik«[25] – wohlbemerkt gegen den Jargon,
und nicht gegen die Dialektik per se polemisiert er. Adornos Jüngern gelänge
es, »die Rollen des Opfers wie des Quälers beliebig vertauschbar zu machen«[26]
und das mit »durchaus progressistischer Allüre [zu] propagieren.« Während der
Arbeit an seinem Aufsatz gesteht er dem Kollegen Horst Krüger: »[Ich] stoße
immer wieder mit der bedeutenden, aber hochgradig irritierenden Gestalt
Adornos zusammen, dem man nur eine gründliche positivistische Banalitäts-
kur wünschen kann« (J.A. an H.K., 5. Oktober 1966). Im Klartext bedeutet
das, man möge den Mut haben z.b. die Opfer Opfer zu nennen und die Täter
Täter. Adorno hat Amérys Kritik offensichtlich unangenehm berührt, denn in
einem Brief an Ernst Fischer gibt er seiner hellen Freude Ausdruck, daß Améry
ihm trotz allem »freundlich« gesinnt sei, womit er, Adorno, nach Amérys kriti-
schem Aufsatz im *Merkur* nicht gerechnet habe.

In einem späteren Brief ergänzt Jean Améry: »Noch ein Wort zu Adorno:
Zwischen ihm und mir liegt die Respektdistanz, die ein Autor, der, wenn er
auch gewichtige mildernde Umstände reklamieren kann, gleichwohl aber nur
verzweifelt wenige Veröffentlichungen von einigem Rang auf seinem Haben-
konto stehen hat, dem zeitprägenden Denker und Schöpfer eines großen Opus

24 Vgl. Jean Améry, Jargon der Dialektik, zunächst im Merkur 236, November 1967 er-
    schienen, wieder aufgenommen in: Jean Améry, Widersprüche, Stuttgart 1971, S. 53-
    78, hier S. 53.
25 Ebd., S. 55.
26 Ebd., S. 54.

schuldet. Meine Hochachtung der Leistung Adornos ist nur eine Selbstverständlichkeit. Nur freilich, weder Hochachtung noch Respektdistanz dürfen das Recht zur Kritk einschränken: Das Werk Adornos ist ein gewaltiges; nicht allem, was in diesem Werk verzeichnet ist, kann ich beipflichten« (J.A. an E.F., 7. März 1968).

Ernst Fischer leitet offensichtlich diese Botschaft an Adorno weiter, der ihm ganz erleichtert antwortet:»Belangvoller scheint mir, und hat mich wirklich sehr gefreut, daß nach Ihrer Darstellung Améry, den ich sehr schätze […], zu mir freundlich steht. Nach seinem Aufsatz in *Merkur* hatte ich damit nicht gerechnet. Sobald ich ein wenig zu mir komme, werde ich ihm schreiben.« Adornos Brief an Améry wird nie geschrieben. Ernst Fischer seinerseits leistet seinen Beitrag, indem er im gleichen Brief an Améry fortfährt:»Sie wissen, wie sehr ich mit Ihrem Aufsatz einverstanden war, und wie sehr ich Adorno schätze: Daß er seine Schwächen hat, ist unbestreitbar, doch ebenso unbestreitbar seine Bedeutung für ein geistiges Klima unter jungen Deutschen. Wenn also der Zwischenfall helfen könnte, zwischen Ihnen und Adorno – ohne Verzicht auf Kritik – freundliche Beziehungen herzustellen, wäre dies ein gutes Resultat. Kontroversen hin und her – so überreich an Männern wie Adorno und Sie sind wir nicht, und eine Republik der Geistigen brauchen wir dringend wie noch nie« (E.F. an J.A., 31. Januar 1968).

Geschichte macht der Text über die Tortur auch bei Ingeborg Bachmann, die Améry in ihrer schönsten Erzählung *Drei Wege zum See* ein bewegendes Denkmal setzt.»Viel später las sie zufällig einen Essay ›über die Tortur‹«, berichtet die Erzählerin über die Protagonistin Elisabeth,»von einem Mann mit einem französischen Namen, der aber ein Österreicher war und in Belgien lebte […]. Sie wollte diesem Mann schreiben, aber sie wußte nicht, was sie ihm sagen sollte, warum sie ihm etwas sagen wollte, denn er hatte offenbar viele Jahre gebraucht, um durch die Oberfläche entsetzlicher Fakten zu dringen […], dieser Mann versuchte, was mit ihm geschehen war, in der Zerstörung des Geistes aufzufinden und auf welche Weise sich wirklich ein Mensch verändert hatte und vernichtet weiterlebte.«[27]

Ingeborg Bachmann schreibt ihm keinen Brief, aber sie schreibt ihre Geschichte, in der es u.a. um eine Liebesbeziehung geht zwischen der Journalistin Elisabeth Matrei und einem gewissen Trotta,[28] einem»Exilierte[n]« und»Verlorene[n]«,»ein[em] Exterritoriale[n] unter den Lebenden«,»ein[em] vom Tode auf unbeschränkte Zeit Beurlaubte[n]«, der sie nach seinem Tod»langsam

27 Ingeborg Bachmann, Drei Wege zum See, in: dies., Gesamtausgabe, hrsg. v. Christine Koschel, Inge von Weidenbaum u. Clemens Münster, Bd. 2: Erzählungen, München, Zürich 1982, S. 394-486, hier S. 421.
28 Bachmann rekurriert hier auf den Trotta aus Joseph Roths Kapuzinergruft.

mit sich zog in den Untergang.«[29] Unschwer ist an dieser Diktion zu erkennen, wie Bachmann ihre Trotta-Figur in eine Améry-Figur verwandelt. Eine einfühlsamere Lektüre hätte Améry sich kaum wünschen können. Bachmann hatte ihn ja mit ihrer fiktionalen Vorstellung geadelt, nicht zuletzt, weil sie ihn mit der größten Selbstverständlichkeit einen »Österreicher« nennt, als könne er auf diese Zugehörigkeit so ohne weiteres Anspruch erheben.

Ohne es zu ahnen, rehabilitiert sie damit den realen Améry, und er kann sich auf diesem literarischen Umweg ein Stück Heimat zurückerobern, die ihm mit den Nürnberger Gesetzen so unmißverständlich abgesprochen wurde.[30]

3. Szene – Vom immerwährenden Schriftsteller-Exil [31]

Von dieser so schwer zu erlernenden Heimatlosigkeit handelt der nächste Aufsatz.

Amérys Aufriß vom Exil, denn darum geht es in seinen Überlegungen zur Heimat, unterscheidet sich grundlegend von dem so glorreichen Bild, das man sich im antifaschistischen West- und Ostdeutschland vom Exil zurechtgelegt hat. Seine These ist so einfach wie überzeugend: »Man muß Heimat haben, um sie nicht nötig zu haben.« Und wenn man keine hat, keine mehr hat, weil man aus ihr verjagt worden ist, hat man sie umso nötiger. Was bedeutet Heimat nämlich? Auf ihren Grundgehalt reduziert bedeutet sie *Sicherheit*.[32] Und Sicherheit ist nur da gegeben, wo man dem Bekannten traut und vertraut. Da aber, wo das Vertrauen so gründlich gebrochen wird, da wird man zum Verlorenen. Das Heimatland ist unwiderruflich zum Feindesland geworden, was wiederum bedeutet, daß man seine Heimat nicht nur einbüßt, sondern es wird einem beigebracht, daß man sie sich widerrechtlich angeeignet, sie niemals besessen hat. Ein solch politisch erzwungener Heimatverlust

---

29 Bachmann, Drei Wege zum See, S. 415f.
30 Vgl. Jean Amérys Nachruf auf Ingeborg Bachmann, Am Grabe einer ungekannten Freundin, in: Jean Améry, Werke, hrsg. v. Irene Heidelberger-Leonard, Bd 5: Aufsätze zu Literatur und Film, hrsg. v. Hans Höller, Stuttgart 2003, S. 125-128. Zu weiteren Bezügen zwischen Jean Améry und Ingeborg Bachmann vgl. Irene Heidelberger-Leonard, Ingeborg Bachmann und Jean Améry. Zur Differenz zwischen der Ästhetisierung des Leidens und der Authentizität traumatischer Erfahrung, und: Versuchte Nähe: Ingeborg Bachmann und Jean Améry, in: dies., Jean Améry im Dialog mit der zeitgenössischen Literatur. Essays, hrsg. v. Hans Höller, Stuttgart 2002, S. 103-116 und S. 117-128.
31 Titel eines Aufsatzes (posthum), in: Autoren im Exil, hrsg. v. Karl Corino, Frankfurt/ M. 1981, S. 254-264. Zum gleichen Thema vgl. auch Jean Améry, Die ewig Unerwünschten. Vorurteile gegenüber Emigranten, in: Vorurteile in der Gegenwart, hrsg. v. Axel Silenius, Frankfurt/M. 1966, S. 71-80.
32 Jean Améry, Werke (Anm. 2), Bd. 2, S. 94.

IRENE HEIDELBERGER-LEONARD

muß in Selbstzerstörung münden, geht er doch einher mit der systematischen Demontierung von all dem, was einen von Kindheit an konstituiert hat. Dazu gehört vor allem die Muttersprache, die sich in Mördersprache verwandelt hat. Remigration wird zur Unmöglichkeit.

4. Szene – Sehnsucht nach »Erlösung«

Heißenbüttel bleibt ihm auf der Spur, schrickt selbst nicht vor der nächsten Szene von Amérys Denk-Drama zurück. »Ein vierter (Aufsatz) wird ›Ressentiments‹ heißen«, schreibt er an Heißenbüttel. »Der ist nun«, bereitet er ihn schonend vor, »›starker Tobak‹.« Soeben fiel das Stichwort vom Irrtum der Geschichte und der Hoffnung auf seine Korrektur – um das Ausbleiben einer solchen Korrektur geht es in Amérys neuer Arbeit.

Sein ursprünglich nach außen gewandtes Rachebedürfnis, das eine durchgreifende Nachkriegs-Justiz hätte heilen können, hat sich 20 Jahre nach Auschwitz in Form von Ressentiments heillos nach innen gekehrt. Für Nietzsche, von dessen Definition des Ressentiments Améry sich abstößt, ist das Ressentiment Kennzeichen eines Krankheitsbildes, Symptom eines »verbogenen« Zustands. Für Améry trifft genau das Gegenteil zu: Ihm ist die »Verbogenheit« des jüdischen Nazi-Opfers »eine sowohl moralisch als auch geschichtlich der gesunden Geradheit gegenüber ranghöhere Form des Menschlichen.«[33] Seine Ressentiments sind da, erklärt er, damit das Verbrechen Realität wird für den Verbrecher. Ressentiments sind weder mit einem Verlangen nach Rache noch nach Sühne zu verwechseln, erklärt er weiter, sie bestehen lediglich auf Anerkennung: »Das Erlebnis der Verfolgung war im letzten Grunde das einer äußersten Einsamkeit. Um die Erlösung aus dem noch immer andauernden Verlassensein von damals geht es mir.«

Dies ist der Drehpunkt des Ressentiments-Aufsatzes. So ist die Schrift zur gleichen Zeit, man schärfe sein Gehör auf solche Gegenstimme, die genaue Umkehrung einer ›Haßtirade‹, so nämlich wurde der Text von den meisten Deutschen gelesen.[34] In ihrem innersten Kern ist sie ein glühender Appell an die Deutschen (in der Original-Szczesny-Ausgabe hieß der Aufsatz noch *Die Deutschen*), eine vor Pathos nicht zurückschreckende Sehnsucht nach »Erlösung«, nach Liebe und Gegenliebe, die ihn aus »diesem noch immer andauernden Verlassensein« »erlösen« könnte.

---

33 Ebd., S. 127.
34 Sehr zu empfehlen als Gegenentwurf zur gängigen Lesart ist folgender Kommentar zu dem Ressentiments-Aufsatz: Horst Meier, Hitler zurücknehmen. Zum antinazistischen Imperativ bei Jean Améry, in: Jean Améry, Ressentiments, Hamburg 1995, S. 47-87.

Wo der Täter seine Untat eingesteht, wo das Ressentiment des Opfers als legitim anerkannt wird, da begegnen sich »Überwältiger und Überwältigter am Treffpunkt des Wunsches nach Zeitumkehrung und damit nach Moralisierung der Geschichte. Die Forderung, erhoben vom deutschen [...] Volke, hätte ein ungeheures Gewicht, schwer genug, daß sie damit schon erfüllt wäre. Die deutsche Revolution wäre nachgeholt, Hitler zurückgenommen. Und am Ende wäre wirklich für Deutschland das erreicht, wozu das Volk einst nicht die Kraft oder nicht den Willen hatte [...]: die Auslöschung der Schande.«[35]

Wie sehr Améry sich hier utopischen Vorstellungen hingibt, ahnt er schon zur Zeit der Niederschrift. Der Beweis läßt nicht lange auf sich warten, und zwar in Form eines Schlagabtausches mit dem Schriftsteller Hans Egon Holthusen, einer der bedeutendsten Rechtsintellektuellen der sechziger Jahre, der ihn im *Merkur* mit seiner flott geschriebenen Apologie *Freiwillig zur SS* zu einer Stellungnahme provoziert.[36]

Holthusens Retrospektive ist ein Stück Autobiographie, in der er sich wohlwollend über den törichten »Grünschnabel« beugt, der er gewesen ist, als er sich 1933 freiwillig zur SS meldet. Den nationalsozialistischen Ideen habe er sich nie verschrieben, und »das Motiv« des Antisemitismus, wie er es schöngeistig bezeichnet, »war gleichsam abgeblendet.« Eitelkeit und Trotz hätten ihn bewogen, sich bei der SS zu bewerben. Man möge ihm diese seine »Fahrlässigkeit« verzeihen.

Woher Amérys Ressentiments rühren und wie legitim sie sind, könnte kein Text besser veranschaulichen als diese so unfruchtbare Konfrontation mit Holthusen. Amérys Antwort will sich gelassen geben.[37] »Lieber Generationskamerad,« spricht er den gleichaltrigen Kollegen an. »Ich las [...] Ihre Aufsätze [...] zunächst nicht ohne Sympathie«, um dann umso sarkastischer gegen dessen Süffisanz auszuholen. »Sie gingen zur SS, freiwillig. Ich kam anderswohin, ganz unfreiwillig.« Aber, fragt er: »Was haben Sie eigentlich gelernt aus dem Irrtum von dazumal?« Darum geht es Améry ja auch in den »Ressentiments«, die nur deshalb sich beim Opfer einschleichen, weil, selbst da, wo es einen Anschein von Bekenntnis zur geschichtlichen Verantwortung gibt, dieses ein Lippenbekenntnis bleibt. Nichts als kalligraphische Übungen zur eigenen Entlastung, kein Gran Verunsicherung in Gegenwart und Zukunft. »Sie verlieren das Gleichgewicht«, fährt Améry fort, »wenn Sie verärgert von den ›klugen Kindern der Wohlstandsgesellschaft mit Nickelbrille und Brechtfrisur‹ reden [...]. Diese klugen Kinder müssen ja wahre Intelligenz-

35 Jean Améry, Werke (Anm. 2), Bd. 2, S. 143.
36 Hans Egon Holthusen, Freiwillig zur SS, in: Merkur 223, Oktober 1966, S. 921-939 und 224, November 1966, S. 1037-1049.
37 Jean Améry, Fragen an Hans Egon Holthusen – und seine Antwort, in: Merkur 229, April 1967, S. 393-395.

bestien sein, ganz so wie jene anderen mit Hornbrille und schwarzem Kraus-
haar, von denen damals immer gesprochen wurde. Hat Ihr Irrtum Sie nicht
gelehrt, daß man dergleichen Formulierungen seinen Nerven nicht gestatten
und denen seiner Gegner nicht zumuten darf?«, kontert er.

Die Kontrahenten Améry und Holthusen werden somit zu einem ersten
deutsch-jüdischen Paradigma, wie nach ihnen etwa Saul Friedländer und
Martin Broszat oder Ignaz Bubis und Martin Walser. Was der Austausch mit
Holthusen vor allem zeigt, ist, daß es zweierlei Gedächtnis gibt. Und daß da,
wo die subjektiven Prämissen dieser Antinomie nicht klar ausgesprochen
werden, es keinen Austausch geben kann.

5. Szene – Zur »Psychoanalyse des Judeseins«

Daß die jüdische Erinnerung der deutschen polar entgegengesetzt ist, darum
geht es Améry in seinem fünften und letzten Aufsatz *Über Zwang und Unmöglichkeit, Jude zu sein.* Die Analyse seiner eigenen Identitätsbildung und
-findung bietet sich auch als Modell an für andere Varianten von historisch-
gesellschaftlichen Fremdbestimmungen, denn nur als solche erkennt Améry
den Juden in sich. Heißenbüttel begrüßt diese abschließende Arbeit als
Amérys»exponierteste« und ist zu recht der Ansicht, daß»sich ja hier erst der
Schlüssel [findet]« zu den vier anderen (H.H. an J.A., 11. Februar 1966).
So ist Amérys Judesein der absolute Fluchtpunkt, darauf läuft alles hinaus.
Aber, weil er nichts von jüdischer Tradition, geschweige denn vom jüdischen
Glauben weiß, ist es in gleichem Maße auch unmöglich. Es definiert sich ein-
zig über seine geschichtliche Determiniertheit. »Judesein«, definiert der
Améry von 1966, »das hieß für mich von diesem Anfang an, ein Toter auf Ur-
laub sein, ein zu Ermordender, der nur durch Zufall noch nicht dort war, wohin er rechtens gehörte.«[38] Von dem Würdeentzug spricht er, den eine solche
Morddrohung mit sich bringt. »Unser einziges Recht, unsere einzige Pflicht
war, uns selber aus der Welt zu schaffen.«[39] Seine Auschwitznummer ist ihm,
dem»Katastrophenjuden«, zur Grundformel seiner jüdischen Existenz geworden. Judesein kann demnach, auch nach dem Ereignis, nur ein negatives
Faktum sein, eine Fremdheit,»eine schleichende Krankheit«, die allerdings
nicht unähnlich dem Ressentiment, auch in ein Positivum umschlagen kann.

In der Revolte gegen sein Judesein macht Améry aus der Fremdbestim-
mung eine Selbstbestimmung, der existentielle Außenseiter, zu dem ihn Hitler
ein für allemal geschlagen hat, mutiert zum intentionellen Außenseiter: Die
Fatalität des Judeseins wird überwunden, nicht in der Verleugnung, sondern
in der selbstbewußten Annahme eines moralischen Auftrags in der Verbün-

38 Jean Améry, Werke (Anm. 2), Bd. 2, S. 154.
39 Ebd., S. 155.

dung mit allen Entrechteten und Unterdrückten. Jeder einzelne Essay ist nicht nur ein Versuch, sondern eine Suche, die im Zeichen dieses Paradoxes steht. Als Selbstbefragungen sind sie Zeitbefragungen, Manifestationen der Geschichte und inszenieren zugleich den Widerstand gegen sie.

Ausgangspunkt für Amérys *Über Zwang und Unmöglichkeit, Jude zu sein* sind Jean-Paul Sartres *Betrachtungen zur Judenfrage*, in denen der französische Philosoph auf 80 Seiten das »Porträt des Antisemiten« entwickelt. Dabei liefert Sartre, wie er es im Untertitel andeutet, eine »Psychoanalyse des Antisemitismus«. Amérys Betrachtungen lesen sich wie das Korrelat zu Sartres Schrift; der österreichische Autor zeichnet nun seinerseits das »Porträt des Juden«. »Nicht die Antisemiten gingen mich an«, positioniert er sich in Beziehung zu Sartre, »nur mit meiner Existenz hatte ich fertigzuwerden.«[40] So gerät ihm *Über Zwang und Unmöglichkeit, Jude zu sein* zur »Psychoanalyse« seines eigenen »Judeseins«, wie es dazu gekommen ist und wohin es führen wird. Die negativ definierte Grundthese ist beiden gemein: »Nicht der Charakter des Juden [macht] den Antisemitismus, sondern […] im Gegenteil [schafft] der Antisemit den Juden.«[41]

Eigentlich brauchte er sich Sartres Definition gar nicht mehr zu eigen zu machen, war er ihm doch schon mit der gleichen Einsicht in *Die Schiffbrüchigen* zuvorgekommen. Aber er denkt sie weiter. Für Sartres Juden gibt es nur zwei Alternativen, entweder er stellt sich dem Blick des Antisemiten: Jude ist, wen andere für einen Juden halten. Oder aber, er flieht vor ihm, verleugnet ihn. Das republikanische Modell der Assimilation-Auflösung läßt, im Namen der Menschenrechte, den Menschen nur als citoyen zu, nicht aber als Juden.

Sartre lehnt sich gegen diese abstrakte Form des Universalismus auf, plädiert für das Recht auf Differenz. So auch der Nicht-Nichtjude Améry, der bis in sein Todesjahr der Dis-similation das Wort spricht: »Was hat sich ereignen müssen, fragt er, daß ich heute nicht nur wage, über ›mein Judentum‹ zu sprechen, sondern bei jeder sich bietenden Gelegenheit sage: Ich *bin* Jude?«[42] Eben diese »Differenz« hat sich ereignet, die er in seinem Fleisch zwischen 1935 und 1945 gelebt hat. Von nun an gilt einzig diese Identitätsbestimmung, alles andere wäre Lüge.

Auch Amérys *Juden*-Aufsatz macht Geschichte, geht ein, wie vor ihm *Die Tortur*, in einen der umstrittensten Nachkriegsromane, er wird Alfred Andersch zum Ausgangspunkt für seinen Roman *Efraim* (1967).

---

40 Ebd., S. 164.
41 Jean-Paul Sartre, Betrachtungen zur Judenfrage. Psychoanalyse des Antisemitismus (1946) in: Jean-Paul Sartre, Drei Essays, mit einem Nachwort von Walter Schmiele, Berlin 1965, S. 108-190, hier S. 184.
42 Jean Améry in: Mein Judentum, hrsg. v. Hans Jürgen Schultz, Berlin 1978, S. 80-89, hier S. 80.

Das Buch schlägt ein, es erscheint genau zum richtigen Zeitpunkt. Améry wird gefeiert als *der*»Analytiker der Stunde« (A. A. an J. A., 21. Februar 1971).

Die Meditationen setzen sich ab von allen bestehenden Erklärungsversuchen, sei es der Marxismus oder der Totalitarismus, die Geschichtswissenschaft oder die Psychologie. Durch jede einzelne Fragestellung hindurch verfolgt Améry unbeirrbar seinen idiosynkratischen Weg, wo allein das Gelebte und die Introspektion mit einer sich nie zufriedengebenden Subjektivität das Sagen haben. Aber wehe dem, der der Versuchung der »unreflektierten« Identifikation mit dem Opfer erliegt – nichts als »unstatthafte Sentimentalität«! *Jenseits von Schuld und Sühne* ist bei aller dialogischen Intention ein monologisches Buch. Améry selber spricht gar von »autistisch« (J.A. an H.K., 5. Oktober 1966), ein Buch, das mit monomanischer Besessenheit jeden erdenklichen Schlupfwinkel in Richtung Beschwichtigung grell ausleuchtet. Hier hat sich jemand das Äußerste abgefordert und fordert das Äußerste von seinem Leser. Fast ist es, als habe er es darauf angelegt, den Leser abzustoßen, mal mit seiner schonungslosen Radikalität, mal mit einem Pathos, das nicht selten in Selbstmitleid umkippt.

Daß einem so durch und durch ›ungefälligen‹, einem so abweisenden Buch eine so breite und tiefe Rezeption trotzdem zuteil wurde und, wie man hofft, wieder wird, beweist, daß Améry 1966 sein Publikum gefunden hat.

Alfred Anderschs Würdigung schwingt sich zu folgender Prognose auf, sie stehe hier stellvertretend für die einhellige Wertschätzung, die das Feuilleton dem Band entgegenbringt: »Es wird sicherlich eines der Grunddokumente unserer Zeit bleiben«, schreibt er. »Das Buch ist unbedingt der Fix-Punkt, auf den sich jedes Weiterdenken in Zukunft beziehen muß, wenn es nicht Gerede bleiben will.« »Es wird ja einige Zeit dauern, bis das politische und philosophische Denken die Bedeutung Ihres Buches begreift; es ist aber unvorstellbar«, meint er, voraussagen zu können, »daß sie es nicht begreifen wird«(A.A. an J.A., 24. Juli 1967).[43]

---

43 Wie es genau um die Rezeption bestellt ist, wie sich bei allergrößtem Verständnis auch elementare Mißverständnisse einschleichen, lese man im Nachwort von Gerhard Scheit nach, in: Jean Améry, Werke (Anm. 2), Bd. 2, S. 669-692.

REGINA NÖRTEMANN

Zur Wiederentdeckung und Rezeption des Werks von Gertrud Kolmar in BRD und DDR[1]

Auf den ersten Blick legen die biographischen Daten über die Lyrikerin Gertrud Kolmar nahe, daß die Beschäftigung mit ihr und ihrem Werk eigentlich nicht in den Kontext der anderen Beiträge dieses Sammelbandes paßt. Gertrud Chodziesner, die sich als Autorin Gertrud Kolmar nannte, wurde am 10. Dezember 1894 als ältestes von vier Kindern der Eheleute Ludwig und Elise Chodziesner, geb. Schönfließ, in Berlin geboren. Sie absolvierte eine Ausbildung als Erzieherin sowie als Sprachlehrerin und erwarb ein Dolmetscherdiplom für Englisch und Französisch. Vermutlich 1915 hatte sie einen Schwangerschaftsabbruch, wahrscheinlich weil Karl Jodl, ein junger Soldat und Vater des ungeborenen Kindes, anderweitig liiert war und sie ihren Eltern die Schande ersparen wollte. Es ist nicht das einzige Mal, daß sie in Liebesbeziehungen nicht ›die eine‹, sondern die ›andere‹ war. 1916 unternahm sie einen Selbstmordversuch. Ihre Mutter begleitete sie daraufhin auf einen längeren Kuraufenthalt. Im Herbst 1917 erschien bei Egon Fleischel in Berlin ihr erster Gedichtband unter dem Titel *Gedichte*. In den zwanziger Jahren unterrichtete und betreute sie Kinder in Privathäusern in Berlin, Peine und Hamburg. Im Spätsommer 1927 besuchte sie, wahrscheinlich zusammen mit ihrer Cousine, der Studienrätin Suse Jung, einen Ferienkurs an der Universität Dijon, den sie mit einem Diplom abschloß. Danach unternahm sie eine Studienreise durch Frankreich mit Aufenthalt in Paris. Nach dieser Reise begann sie, wie sie ihrem Cousin Walter Benjamin in einem Brief mitteilte, nach siebenjähriger Schaffenspause wieder zu schreiben. Zwischen 1928 und 1934 erschienen Gedichte von Gertrud Kolmar in verschiedenen wichtigen Zeitschriften und Anthologien. Sie wurde gefördert von Walter Benjamin, Elisabeth Langgässer, Max Rychner, Ina Seidel und Victor Otto Stomps. Ab Ende 1928 lebte sie wieder kontinuierlich im Haus ihrer Eltern, wo sie zunächst ihre schwerkranke Mutter pflegte, die 1930 starb. Sie nahm an einem Notariatskurs teil und arbeitete zeitweise als Sekretärin ihres Vaters, eines renommierten Berliner

1 Der folgende Beitrag stützt sich auf den editorischen Bericht in: Gertrud Kolmar, Das lyrische Werk, hrsg. v. Regina Nörtemann, 3 Bde., Göttingen 2003, hier Bd. 3, S. 57-89 und ergänzt diesen um ausführliches Quellenmaterial.

Rechtsanwalts. 1934 erschienen in Victor Otto Stomps Verlag *Die Rabenpresse* 16 Gedichte unter dem Titel *Preußische Wappen*. Sie weist in einer kleinen Vorbemerkung darauf hin, daß diese Gedichte 1927 entstanden seien, zu einer Zeit also, als »Heimatlyrik nicht große Mode war«, wie sie es in einem Brief an Walter Benjamin ausdrückt.

Vermutlich im Jahr 1934 lernte sie den Chemiker und Dichter Karl Josef Keller persönlich kennen, der durch ihre Veröffentlichung im *Insel-Almanach* auf das Jahr 1930 auf sie aufmerksam geworden und in brieflichen Kontakt mit ihr getreten war. Sie verbrachten zusammen einige Tage in Hamburg, Lübeck und Travemünde. Ab 1936 wurden Gedichte von Gertrud Kolmar, die ihr Pseudonym nicht mehr benutzen durfte, in jüdischen Zeitungen unter dem Namen Gertrud Chodziesner veröffentlicht und bei Vortragsabenden des Jüdischen Kulturbundes vorgetragen. Gefördert wurde sie u.a. von Jakob Picard, mit dem sie sich anfreundete, von Kurt Pinthus, Erich Lichtenstein, Hugo Lachmannski und Martha Wertheimer. In diese Zeit fällt auch eine Anfrage an die Tänzerin und Schriftstellerin Leni Steinberg, ob es Chancen für sie gäbe, auf einer Geflügelfarm in Vermont zu arbeiten. Über die Antwort von Leni Steinberg ist nichts bekannt. Meist wird vermutet, daß Gertrud Kolmar aus Rücksicht auf ihren alten Vater nicht emigriert sei. Im August 1938 erschien unter dem Namen Gertrud Chodziesner die Sammlung *Die Frau und die Tiere,* die eine Auswahl aus den Zyklen *Weibliches Bildnis* und *Tierträume* enthielt und die kurz nach Erscheinen im Zusammenhang mit der Auflösung der jüdischen Verlage verramscht wurde. Ende 1938 erfolgte der Zwangsverkauf des Hauses in Finkenkrug. Daraufhin zog Gertrud Kolmar Anfang 1939 mit ihrem Vater in eine Etagenwohnung in der Speyererstraße im Bayrischen Viertel in Berlin, ein sogenanntes ›Judenhaus‹. Die Freundschaft und Brieffreundschaft mit Karl Josef Keller löste sie Ende 1939, als sie bei einem überraschenden Besuch in Ludwigshafen feststellte, daß er seit 1937 verheiratet war, ohne ihr davon Mitteilung zu machen. Kurz danach scheint sie noch einen Versuch unternommen zu haben, nach Palästina zu emigrieren. Es liegt jedenfalls eine Bewerbung vor, in der sie ihre Hebräischkenntnisse unter Beweis stellt. Ob das damit zusammenhängt, daß ihr Karl Josef Keller bei diesem Kurzbesuch riet, sich der Gefahr nicht weiter auszusetzen, wie er es später Johanna Woltmann erzählt hat, oder ob sie sich erst ab diesem Zeitpunkt von Deutschland hätte lösen können, muß dahingestellt bleiben. Jedenfalls schrieb sie auch kurz nach diesem Besuch ihre Erzählung *Susanna,* in der die Erzählerin auf ein Affidavit wartet, während die Hauptprotagonistin schließlich bei dem Versuch umkommt, ihrem nach Berlin abgereisten Geliebten auf den Eisenbahnschienen zu folgen.

Nach und nach mußten die Chodziesners die Zimmer der Wohnung bis auf eines an Fremde abtreten. Im Juli 1941 wurde Gertrud Kolmar zur Zwangsarbeit in der Rüstungsindustrie verpflichtet, zunächst in der Kartonnagenfabrik Epeco in Lichtenberg, vom Jahresende 1942 an in einer Fabrik in

Charlottenburg. Während dieser Zeit hatte sie häufigen Kontakt mit Peter Wenzel, dem Mann ihrer Schwester Hilde, die inzwischen in die Schweiz emigriert war und mit der sie einen regen Briefwechsel pflegte, mit Hilde Benjamin, der Frau ihres Cousins Georg Benjamin, der 1942 in Mauthausen umgebracht wurde, und deren Sohn Michael sowie mit Susanne Jung, die mehrere Male aus Düsseldorf zu Besuch kam. Ihnen vertraute sie Manuskripte und Typoskripte zur Aufbewahrung an. Eine erotisch gefärbte Freundschaft verband sie mit einem über fünfundzwanzig Jahre jüngeren Arbeitskollegen. Im September 1942 wurde ihr Vater nach Theresienstadt deportiert, wo er am 13. Februar 1943 starb. Gertrud Chodziesner wurde am 2. März 1943 im Verlauf der ›Fabrikaktion‹ mit dem 32. Osttransport nach Auschwitz deportiert. Dieser Tag wurde am 2. Mai 1951 vom Amtsgericht Berlin-Schöneberg als ihr Todesdatum festgelegt.

Gertrud Kolmar ist also, obwohl sie mehrere Anläufe dazu unternommen hat, nicht emigriert. Ja, man kann sie nicht einmal mit gutem Recht als ›Innere Emigrantin‹ bezeichnen, da sie als Jüdin Verfolgungen ausgesetzt war, die sie von vornherein zur Außenseiterin machten. Wenn sie Anfang der dreißiger Jahre dezidiert politische Gedichte gegen die neuen Machthaber schrieb, die sie allerdings aus naheliegenden Gründen nicht veröffentlichen konnte, so mußte sie zumindest fürchten, daß man sie bei ihr, der Cousine des Arztes und Kommunisten Georg Benjamin, der am 12. April 1933 wegen illegaler Tätigkeit für die KPD in ›Schutzhaft‹ genommen, seit Ende April in der Strafanstalt Plötzensee inhaftiert und Ende August, Anfang September in das KZ Sonnenburg überführt worden war, hätte finden können. Entsprechend heißt es in ihrem am 30. September 1933 entstandenen Gedicht:

An die Gefangenen
(Zum Erntedankfest am 1. Oktober 1933)

O, ich hab' euch ein Lied singen wollen, das die Erde erregt,
Wild aufflattern macht das schwarze Tannhaar der Berge,
Hinsausend den Schaum der Meere wie Kehricht zusammenfegt
Und flüchtende Wolken reißt – O Gott, wir Menschen sind Zwerge.

Ich habe drei kluge Worte sinnend zusammengebracht
Statt der Klänge, die heiß wie Blut aus dem Herzen spritzen,
Die rasen, wie eine Sturmglocke aufschreit um Mitternacht,
Wenn apokalyptische Reiter auf mähnigen Pferden sitzen.

Und ich sollte in eure Martern niederstoßen die Faust,
Auf daß sie verschlungen werde, zerknackt von fressender Flamme,
O, ich müßte mit euch, in Krämpfen, zerprügelt, hungrig, verlaust
Hinkriechen auf tränendem Stein, gefesselt mit eiserner Kramme.

Das wird kommen, ja, das wird kommen; irret euch nicht!
Denn da dieses Blatt sie finden, werden sie mich ergreifen.
Herr, gib, daß ich wach mich stelle deinem heiligen großen Gericht,
Dann, wenn sie an blutendem Schopf durch die finsteren Löcher mich
schleifen! […]²

Man hat diese Zeilen zu Lebzeiten Gertrud Kolmars nicht gefunden, da sie gut genug versteckt wurden, so gut sogar, daß sie erst drei Jahrzehnte nach ihrem gewaltsamen Tod, der sie nicht aus politischen, sondern aus rassistischen Gründen ereilte, wiedergefunden und veröffentlicht wurden.

Warum mein Thema dennoch in den Diskussionszusammenhang der anderen Beiträge paßt, erklärt sich aus dem Faktum der merkwürdigen Nachlaßgeschichte des Werkes von Gertrud Kolmar. Das Werk ist es nämlich, das zu großen Teilen ›emigriert‹ ist, und zwar zunächst im Laufe der dreißiger Jahre nach ›innen‹: Gertrud Kolmar ist in dieser Zeit in jüdischen Kulturkreisen äußerst präsent und dort bei mehreren Lesungen und in Zeitschriften geradezu gefeiert worden. Gleichzeitig hat sie dafür gesorgt, daß ihr Werk nach ›außen emigrieren‹ konnte. Sie schickte mehrere Konvolute an ihre in der Schweiz lebende Schwester, Teile aber auch an Freunde und Bekannte in Amerika. In Deutschland selbst vertraute sie einige Typoskripte und Manuskripte ihrer in Düsseldorf lebenden halbjüdischen Cousine zweiten Grades Suse Jung und ihrer nichtjüdischen Schwägerin Hilde Benjamin, vermutlich auch ihrem Schwager Peter Wenzel an. So kann sie in einem Brief an die Schwester vom 12. August 1940 von einem Schweizer Manuskript und einer Berliner Abschrift sprechen.

Über die ›Remigration‹ ihres zu großen Teilen bis dahin unveröffentlichten Werkes in die Bundesrepublik und die DDR soll nachfolgend berichtet werden. Ich werde mich dabei aus Zeitgründen auf das lyrische Werk beschränken, das den größten Teil ihres Œuvres ausmacht und dessen erneute Rezeption in der unmittelbaren Nachkriegszeit beginnt.

Der Initiative ihres Schwagers Peter Wenzel ist es zu verdanken, daß Gertrud Kolmar, deren Gedichte seit Anfang der 1930er Jahre in renommierten Zeitschriften erschienen waren und noch im Verlauf der Jahre 1937/1938 die überaus positive Resonanz in den jüdischen Kreisen fanden, um dann verramscht oder eingestampft zu werden und in Vergessenheit zu geraten, knapp zehn Jahre später zunächst durch die Veröffentlichung des Zyklus *Welten* im Suhrkamp-Verlag wieder ins Bewußtsein der Öffentlichkeit gelangte. Peter Wenzel war es, der die verschiedenen Personen, bei denen er Manuskripte und Typoskripte vermutete, kontaktierte und die Materialien sammelte.³ Peter

---

2 Das lyrische Werk (Anm. 1), Bd. 2, S. 365f.
3 Vgl. hierzu die Übersicht zur Verdeutlichung der Wege, die die verschiedenen Nachlaßteile genommen haben, aus dem editorischen Bericht von Regina Nörtemann in: Gertrud Kolmar, Das lyrische Werk (Anm. 1), Bd. 3, S. 76-77.

Wenzels Bemühungen um Veröffentlichung des Werks von Gertrud Kolmar beginnen im Mai 1946, als er an Ina Seidel schrieb, die er in Gertrud Kolmars Schuld wußte, weil sie 1934 den Kontakt mit Gertrud Kolmar abgebrochen hatte, und 14 Tage später an deren Schwager Peter Suhrkamp. Zunächst an Ina Seidel per Einschreiben:[4]

»Sehr verehrte gnädige Frau,
wenn jetzt in Zeitungen und auf Vortragsabenden Gedichte der in den Jahren des Schreckens ermordeten oder in der Emigration gestorbenen Dichter rezitiert werden, so vermisse ich – ohne darüber erstaunt zu sein – den Namen einer Dichterin, die, wie ich glaube, zu den eigenwilligsten und bedeutendsten Lyrikerinnen unserer Zeit gehört: Gertrud Chodziesner oder (wie sie sich nannte, solange man ihr dies erlaubte): Gertrud Kolmar. Sie kannten sie und ermunterten sie in ihrem Schaffen. Clara Viebigs Mann brachte in seinem Verlage Egon Fleischel 1917 Gertrud Kolmars ersten Gedichtband in der gleichen Reihe heraus, in der auch Sie erschienen. [...]
Gertrud Kolmar ist tot. In irgendeiner Gaskammer endete, was von ihr sterblich war. Werden ihre Gedichte leben? [...] Diese Frage habe ich mir oft vorgelegt und mein Wunsch (und die Absicht dieses Briefes) ist, vor der Gefahr des Vergessenwerdens zu bewahren, was nicht vergessen zu werden verdient.
[...] Es bleibt mir noch, Ihnen zu sagen, was mich zu diesem Brief veranlaßt hat. Neben dem ›interesselosen Interesse‹, das in uns die wahre Kunst erweckt, und welches wir anderen umsomehr mitzuteilen wünschen, je tiefer wir selbst ergriffen sind, ist es das Gefühl einer inneren Verpflichtung, der Toten zu einem kleinen Teil das wiederzuerstatten, was sie und die ihren mir als Lebende an Gutem angetan haben.
Ich war bis 1942 mit Gertrud Kolmars jüngster Schwester verheiratet, die bereits im Frühjahr 1938 Deutschland verließ (während mir das nicht mehr gelang) und seitdem mit unserer Tochter in der Schweiz lebt. Sie werden sich vielleicht an das hübsche Haus meines Schwiegervaters in Finkenkrug bei Berlin erinnern, in dem wir lange Zeit zusammen gewohnt haben. Denn meiner Erinnerung nach besuchten Sie Gertrud Kolmar dort einmal, nicht zuletzt um sich von ihrem Vater, dem einst berühmten Verteidiger der Gräfin Kwielecka und des Fürsten Eulenburg, in juristischen Angelegenheiten eine Aufklärung geben zu lassen, die Sie für Ihren »Lennacker« brauchten. Und wenn Sie vielleicht in Ihrem Gedächtnis ein Bild jenes klugen und gütigen Mannes bewahrt haben sollten, so werden Sie

---

4 Hier und im folgenden zitiere bzw. referiere ich aus Briefen, die ich im Deutschen Literaturarchiv in Marbach am Neckar, auf Mikrofilmen des Leo Baeck Instituts im Archiv am Jüdischen Museum Berlin einsehen konnte oder freundlicherweise von Johanna Woltmann und Uwe Berger in Kopie zur Verfügung gestellt bekommen habe.

verstehen, was er seinen Kindern und Schwiegerkindern bedeutete. Gertrud Kolmar, eine andere ›arische‹ Verwandte (deren Mann wenige Tage zuvor im KZ ermordet worden war [gemeint ist Hilde Benjamin, R.N.]) und ich schnürten dem 81jährigen das schmale Bündel, das er nach Theresienstadt mitnahm, wo er dann gestorben ist. Jene ›arische‹ Verwandte verwahrt übrigens m. W. eine große Anzahl mir nicht bekannter Manuskripte von Gertrud Kolmar.
Ich hoffe sehr […].«

Auf Ina Seidels Initiative hin erschien dann 1947 das frühe (und für das Gesamtschaffen von Gertrud Kolmar untypische) Gedicht *Gebet* in einer Anthologie christlich-religiöser Lyrik mit dem Titel *Licht der Welt*. Einem Brief an Karl Escher vom 31. Januar 1948 ist zu entnehmen, wie Peter Wenzel diesen Abdruck von Gertrud Kolmars Gedicht *Gebet* beurteilte. Dort heißt es: »Trude befindet sich da zwar in keineswegs schlechter, aber ihr ganz fremder Gesellschaft, weshalb ich diesen von Ina Seidel veranlaßten Vorabdruck nachträglich bedauere.«[5]
Peter Wenzels Brief an Peter Suhrkamp lautet folgendermaßen:

»Sehr geehrter Herr Doktor!
Nicht eigene Gedichte sind es, die ich Ihnen mit diesem Brief schicke, sondern Verse einer Toten.
Die Dichterin Gertrud Kolmar […] starb in irgendeiner Gaskammer. Mir, der ich Gertrud Kolmar als Schwager lange Zeit nahegestanden habe, erscheint es nicht nur als eine Pflicht der Pietät, ihre Verse vor der Vergessenheit zu bewahren. Vielmehr glaube ich, daß hier etwas Bedeutendes und Eigenartiges gerettet und dem Bestande wesentlicher deutscher Lyrik einverleibt zu werden verdient.
Dabei darf ich mich nicht nur auf Anton Kippenberg berufen, sondern unter anderen auch auf Ina Seidel und Julius Bab, der Gertrud Kolmar die bedeutendste jüdische Lyrikerin unserer Zeit genannt hat.
[…] Nun dachte ich mir, daß Sie in einer literarischen Zeitschrift oder einem der kleinen Hefte, die Sie nach Zeitungsmeldungen herauszugeben beabsichtigen, etwas von Gertrud Kolmar erscheinen lassen […] könnten. Aber ich übersehe, nachdem ich 1938 von der Reichsschrifttumskammer aus dem Buchhandel ausgeschlossen wurde, natürlich die heutigen Möglichkeiten des Verlages nur wenig. Darf ich mich einmal mit Ihnen kurz darüber unterhalten? […]
Es ist wohl deutlich, daß mich keinerlei materielle Interessen zu diesem Brief bewegen. Ansprüche könnten ja auch – wenn überhaupt – nur die

---

5 Dem Briefwechsel zwischen Ina Seidel und Peter Wenzel (Dezember 1946, Januar 1947) ist zu entnehmen, daß Peter Wenzel ganz vorsichtig auch gegenüber Ina Seidel selbst seine Bedenken angedeutet hatte.

überlebenden Geschwister von Gertrud Kolmar erheben, insbesondere ihre jüngste Schwester, meine in der Schweiz lebende frühere Frau. Doch ist dies im Augenblick eine Frage ohne Bedeutung. Übrigens verwahrt eine andere Verwandte, Frau Oberstaatsanwalt Hilde Benjamin, Berlin-Steglitz, m. W. eine große Anzahl mir nicht bekannter Manuskripte von Gertrud Kolmar. Ich würde mich freuen, von Ihnen zu hören. Mit ergebenster Begrüßung [...]«

In einem Brief von Annemarie (Mirl) Suhrkamp an ihre Schwester Ina Seidel vom 10. Dezember 1946 heißt es dann:

»Im Lektorat habe ich eben das gesammte (sic!) Werk jener Gertrud Kolmar, die wirklich ein phänomenales lyrisches Talent ist; Prosa und dramatische Versuche kommen nicht mit. Wir machen zunächst einen kleinen Vorreiter und dann einen großen Gedichtband.«

Nach dieser Mitteilung ist es wahrscheinlich, daß der Text »Lektorat über Gertrud Kolmar (Gertrud Chodziesner) Nachlaßgedichte«,[6] der bislang Peter Suhrkamp zugeschrieben wurde und den Peter Wenzel am 28. Juni 1946 in Kopie vom Suhrkamp Verlag erhalten hatte, aus der Feder Annemarie Suhrkamps stammt. Das Gutachten lautet:

»Aus dem Vergleich der früheren und späteren Gedichte zeigt sich, einen wie starken, sicheren und einmaligen Weg das dichterische Talent dieser Frau genommen hat. Stehen in den frühen einige, deren Klang oder Einzelheit aufhorchen läßt, so sind in den späteren alle Gedichte aus einem Guß. So häufig bei Lyrikern findet man das eine oder andere, das die allgemeine künstlerische Norm überragt; Inseln gleichsam. Hier sind es nicht Einzelheiten, die bestechen, sondern Bilder, die haften, hier ist es nicht das eine Gedicht zwischen weniger belangvollen, das auffällt: hier stützt und ergänzt ein Gedicht das andere, hier ist eine wirkliche Einheit in der lyrischen Gestaltung. Also ein seltener Fund.

Eine plastische Sprache, hart und immer wieder besonders gefügt, dabei ohne gewollte Manier. Keine Nachahmung männlicher Mentalität, sondern durchaus weiblich im Elementaren [...], keine Angleichung an lyrische Konventionen des letzten Jahrhunderts – das heißt also: nicht die Schönheit steht als Idee hinter dem Weltbild, sondern die Wahrheit. Die Wahrheit, in der Irrealität (Traumvision) und Realität (Erfahrungswissen) sich zum künstlerischen Ausdruck vereinigen. Die durchglühte Ekstatik und die visionäre Beladenheit des Denkens in Bildern ist gemäßigter als

---

6 Siehe Marbacher Magazin 63 (1993), Gertrud Kolmar 1894-1943, bearbeitet von Johanna Woltmann, S. 147.

bei der großen Vorläuferin Else Lasker-Schüler, aber der tiefe Passionszug des Jüdischen, der auch den Gedichten von Hew. [sic!] Kolmar das Gepräge gibt, ist nicht minder stark.«

Die Redaktion wurde dann von Hermann Kasack übernommen, der auch für »den kleinen Vorreiter« *Welten*, der 1947 in einer fünftausender Auflage erschien, das Nachwort schrieb.

Jacob Picard, ein Freund Gertrud Kolmars, der schließlich die Aufgabe übernahm, das Nachwort für den großen Band zu schreiben, stieß sich vermutlich daran, daß ohne Hinweis auf Deportationen, Konzentrations- und Vernichtungslager lediglich die banale Formulierung gewählt wurde: »Sie ist achtundvierzig Jahre alt, als sie im März 1943 gewaltsam verschleppt wird [...].« Dazu schrieb er am 11. August 1949 an Peter Wenzel:

»Was in Deutschland für sie geschieht, wissen Sie besser als ich; jedenfalls warte ich ungeduldig auf den Band, der das Gesamtwerk umschließen und im Herbst erscheinen soll. Ich fand übrigens das Vorwort [gemeint ist das Nachwort zu *Welten*, R.N.] von Kasak (sic!) etwas matt. Manchmal habe ich den Eindruck, daß selbst uns Verjagten oder Ermordeten sehr freundliche Deutsche, auch Schriftsteller und Verleger, nicht mehr wagten, ›daran‹ zu rühren.«

Kurz nach Erscheinen des Zyklus *Welten* wurde im RIAS Berlin eine Rundfunksendung ausgestrahlt, die der inzwischen remigrierte Karl Escher verfaßt hat, der ebenfalls persönlich mit Gertrud Kolmar bekannt gewesen war und mit dem Peter Wenzel in brieflichem Austausch stand. Von Karl Escher stammt auch eine der wenigen Kritiken der *Welten*, die am 4. Februar 1949 im *Aufbau* erschien. Dort heißt es:

»Diese Dichterin streift immer das Wunderbare. Ihre Sehnsucht sucht das Wunderbare. Ein schlichtes Wort, eine leise Erinnerung erweckt ihre Phantasie und wird zur Vision. Offenbar ist ihr das Geheimnis der Sprache, das Mystische des Klangs und des Reims. So wächst ihre Dichtung ins Ungewöhnliche, ins Außergewöhnliche. Auf irgendeine, kaum verständliche Weise, stehen die Erscheinungen vor ihr und münden in sie hinein.«

Im übrigen erschienen in Deutschland nur drei kleinere Besprechungen, z.T. im Rahmen von Sammelrezensionen.

Aus den Briefwechseln, die Peter Wenzel mit Peter Suhrkamp, mit dessen damaligem Lektor Hermann Kasack und mit seiner geschiedenen Frau Hilde Wenzel, der jüngsten Schwester Gertrud Kolmars, geführt hat, ist ersichtlich, welchen großen Anteil er neben Hermann Kasack an der Veröffentlichung auch einer größeren Gedichtsammlung gegen alle ungünstigen Zeitumstände hatte. Über das auffallende Zögern Peter Suhrkamps, das von ihm zunächst euphorisch begrüßte[7] und von Hermann Kasack Anfang 1949 für den Druck vorbereitete Projekt auch zu realisieren, ist viel spekuliert worden.

Genannt werden schon in den erwähnten Briefwechseln wirtschaftliche Umstände (zögerlicher Absatz der *Welten*, Blockade, Papiermangel, Trennung von Bermann Fischer) und publikumspsychologische Gründe (mangelndes Interesse an Lyrik, an dieser Art Lyrik, zu großer Umfang), wobei natürlich immer das eine mit dem anderen verknüpft ist. Nach der Einschätzung von Gudrun Jäger[8] habe sich nach der Gründung der Bundesrepublik, der Wiederzulassung der während der Besatzungszeit nicht tätigen Verlage und der Rehabilitierung von Gottfried Benn – sie betont in diesem Zusammenhang die Funktion Benns als Entlastungszeuge – das Interesse von einer Lyrik, die einen gewissen Wahrheitsanspruch beinhaltet zugunsten einer Lyrik, die das Monologische und das Prinzip des l'art pour l'art in den Vordergrund stellt, verschoben. Diese These ist im vorliegenden Zusammenhang durchaus zu bedenken. Jedoch wäre hier zu unterscheiden zwischen Verlags- und Kulturpolitik auf der einen und Publikumsinteressen auf der anderen Seite. Jäger verfährt widersprüchlich, wenn sie die Vermutung Suhrkamps, daß sich die geplante Ausgabe aus publikumspsychologischen Gründen allenfalls in hundert Exemplaren verkaufen ließe, als Faktum nimmt: weil das Publikumsinteresse sich geändert habe, habe Suhrkamp nicht gedruckt. So kommt sie in die argumentative Bredouille, wenn sie von der Tatsache berichtet, daß von der 1955 erschienenen Ausgabe nach kurzer Zeit 4000 Exemplare verkauft waren. Das erklärt sie dann kurzerhand damit, daß man sie nur gekauft habe, um sein Bedürfnis nach »Wiedergutmachung« zu befriedigen.[9] Aber – so muß man erwidern – selbst wenn es so gewesen wäre, wäre es aus verkaufstechnischen Überlegungen von seiten eines Verlegers doch nur naheliegend gewesen, eine solche publikumspsychologische Situation auszunutzen. Es bleibt also weiterhin ein Rätsel, warum Suhrkamp schließlich Abstand von dem Projekt genommen hat.

Jedenfalls kommt Peter Wenzel nicht nur das Verdienst zu, das Material zusammengetragen und für seine Vervielfältigung in Form von Abschriften gesorgt zu haben. Er hat auch beharrlich immer wieder brieflich nachgehakt, wie es denn mit der Veröffentlichung stünde. Am 19. April 1949 teilt Hermann Kasack ihm mit, daß Peter Suhrkamp Bedenken wegen des großen

---

7   Noch am 3. Januar 1948, als er ihm die *Welten* schickt, schreibt Suhrkamp an Jacob Picard:»Es schien mir richtig, zunächst und möglichst bald schon wieder die Aufmerksamkeit auf Gertrud Chodziesner zu lenken. Zusammenstellung und schließlich Herstellung der ›Dichtungen‹ werden unter den heutigen Umständen noch so viel Zeit brauchen, daß das Werk kaum vor Ende 1948 an die Öffentlichkeit gelangen wird. Ich vermute, dann werden selbst Sie über die Originalität und über die Fülle noch überrascht sein.«

8   Gudrun Jäger, Gertrud Kolmar. Publikations- und Rezeptionsgeschichte, Frankfurt/M., New York 1998 (Campus Judaica, Band 12), S. 131ff.

9   Ebd., S. 144.

Manuskriptumfangs geäußert habe, am 4. November 1949 ohne Angabe von Gründen, daß der Erscheinungstermin vom Frühjahr auf den Herbst 1950 verschoben worden sei.

Hermann Kasack, dem natürlich auch daran gelegen war, das von ihm vorbereitete Manuskript in Druck zu geben, veröffentlichte 1949 zunächst eine Auswahl in der neugegründeten Zeitschrift *Sinn und Form*. Darüber kam es zu einer Auseinandersetzung mit Suhrkamp, der einen solchen Vorabdruck nicht gutheißen wollte, während Kasack die Meinung vertrat, daß er der großen Ausgabe nur förderlich sein könnte. Ob bei dieser Diskussion der Verriß von Susanne Kerckhoff in der *Berliner Zeitung* vom 27. April 1949[10] eine Rolle spielte, die den Gedichten von Gertrud Kolmar »Kulturpessimismus«, »Ekstase in der Auflösung« und kranken Symbolismus vorwirft, ist eher unwahrscheinlich, da Suhrkamp sich kulturpolitisch wohl kaum als ›links‹ von der in den ersten Heften von *Sinn und Form* vertretenen Position situierte.

Im Frühjahr 1950 erfolgte dann die Trennung Suhrkamps und der zurückgekehrten Erben Samuel Fischers. Es wurde ein Vergleich geschlossen, bei dem 48 der in Deutschland gebliebenen Autoren votieren durften, ob sie im zu restituierenden S. Fischer Verlag bleiben oder zu Suhrkamp in dessen eigenen Verlag wechseln wollten. Hilde Wenzel entschied in dieser Situation, demjenigen Verlag die Rechte zu übertragen, der am ehesten bereit wäre, das lyrische Werk ihrer Schwester zu drucken. Es stellte sich heraus, daß dies doch eher bei Suhrkamp der Fall sein würde. Als Suhrkamp weiterhin zögerte, versuchte Hermann Kasack zunächst vergeblich, bei der von Bundespräsident Theodor Heuss ins Leben gerufenen *Notgemeinschaft der Kunst* einen Druckkostenzuschuß zu erhalten. Dann schlug Kasack den von ihm vorbereiteten Band der Literaturklasse der *Mainzer Akademie der Wissenschaften und der Literatur* zur Veröffentlichung vor, deren Gründungsmitglied er war und die die von Alfred Döblin begründete Reihe *Verschollene und Vergessene* betreute. Der Antrag wurde mit der Begründung abgelehnt, bei Gertrud Kolmar handele es sich nicht wie etwa bei Else Lasker-Schüler, Max Hermann-Neisse oder Georg Heym um eine Wiederentdeckung, sondern um eine neu zu entdeckende Autorin.

Erfolg hatte Kasack mit seinen Bemühungen schließlich im Jahre 1955 bei der *Deutschen Akademie für Sprache und Dichtung* in Darmstadt, deren Präsident er seit 1953 war. Am 16. Juli 1955 konnte er Peter Wenzel, der inzwischen in Rio de Janeiro lebte, mitteilen, »daß das lyrische Werk von Gertrud Kolmar, das vor Jahren schon im Suhrkamp-Verlag hatte publiziert werden sollen, nun von der Deutschen Akademie als deren 6. Veröffentlichung Ende Oktober vorgelegt werden soll.« Der Band *Gertrud Kolmar: Das lyrische Werk* erschien in einer Auflage von fünftausend Exemplaren, wobei die Akademie die Herstel-

---

10 Vgl. ebd. S. 201f.

lung von 600 Exemplaren finanzierte, die unentgeltlich »den wichtigsten Institutionen des In- und Auslands zur Verfügung gestellt werden« sollten, wie Hermann Kasack schon vor der Entscheidung durch die Akademie in seinem Brief an Peter Wenzel vom 11. August 1954 angedeutet hatte. Der Verleger Lambert Schneider in Heidelberg sei bereit, den für den Buchhandel bestimmten Teil der Auflage auf eigene Kosten zu produzieren. Dies wird im oben genannten Brief vom 16. Juli 1955 als gesichert bestätigt. Das Buch war in wenigen Wochen abgesetzt. Eine ›kleine Auflage‹ wurde das damals genannt. Auch die *Welten* waren in einer fünftausender Auflage gedruckt worden; nach einem halben Jahr waren viertausend Exemplare verkauft, was dem damaligen Durchschnitt bei der Verlegung von Lyrik entsprach. Berücksichtigt man diese Zusammenhänge, kann man ein wenig besser verstehen, warum Suhrkamp, der ein überdurchschnittliches Interesse an dem Bändchen erwartet hatte, über schlechten Absatz klagen konnte.[11] Bemerkenswerterweise hatte sich *Welten* so schnell verkauft, obwohl es nur wenig Resonanz erhalten hatte. Das kritische Echo auf *Das lyrische Werk* von 1955 war sehr viel größer.[12]

Das Verdienst Peter Wenzels und Hermann Kasacks um die Bekanntmachung der Lyrikerin Gertrud Kolmar kann nicht genug betont werden. Wenn nun über editorische Mängel der nicht zuletzt auch gestalterisch ansprechenden Ausgaben gesprochen werden muß, die in zeitbedingten Umständen und Einschätzungen ihre Ursache haben, soll dies in keiner Weise dieses Verdienst schmälern.

Spätestens seit der Veröffentlichung der Inhaltsangaben der Zyklen im Marbacher Magazin[13] ist bekannt, daß von Gertrud Kolmar konzipierte Zyklen auseinander gerissen und anders wieder zusammengestellt, daß überdies Gedichtüberschriften verändert und Gedichte nicht nach der Orthographie und Zeichensetzung der Handschriften, Typoskripte und Erstdrucke wiedergegeben wurden.

Angedeutet hatte dies bereits Uwe Berger 1972,[14] als er drei Gedichte aus dem Zyklus *Das Wort der Stummen* in der Zeitschrift *Sinn und Form* veröffentlichte. Neuerlich hat Marion Brandt 1993 darauf hingewiesen, daß einige der 22 Gedichte des Zyklus *Das Wort der Stummen* in *Das lyrische Werk* unter *Weibliches Bildnis, Tierträume* und *Kind* veröffentlicht wurden.[15] Das liegt

---

11 Aus der Verlagsabrechnung von 1951 geht hervor, daß am 31. Dezember 1950 noch 905 Exemplare, am 30. Juni 1951 noch 893 Exemplare vorrätig waren (der Ladenpreis war 1950 auf 1 DM herabgesetzt worden).

12 Vgl. Jäger, Kolmar (Anm. 8), S. 212ff.

13 Marbacher Magazin 63 (1993), Anhang, S. 173-182.

14 Uwe Berger, Zum Bildnis Gertrud Kolmars, in: Sinn und Form 24 (1972), S. 395-398, hier S. 398.

15 Marion Brandt, Schweigen ist ein Ort der Antwort. Eine Analyse des Gedichtzyklus *Das Wort der Stummen* von Gertrud Kolmar, Berlin 1993, S. 15.

allerdings daran, daß dem Herausgeber seinerzeit nur einzelne Gedichte aus diesem Zyklus vorlagen und er sie kurzerhand den anderen Zyklen nach inhaltlichen Gesichtspunkten zuordnete – so die Gedichte *Die Kröte* und *Lied der Schlange* den *Tierträumen*, die Gedichte *Ewiger Jude* und *Wir Juden* dem *Dritten Raum* des Zyklus *Weibliches Bildnis*, die Gedichte *Trauriges Lied* und *Garten* dem Zyklus *Mein Kind*.

Ähnliches gilt[16] für den Zyklus *Weibliches Bildnis*. Bei diesem Zyklus ergibt sich noch eine zusätzliche Komplikation, weil davon neben einem gegenüber dem beigefügten Inhaltsverzeichnis (das 51 Gedichte verzeichnet) unvollständigen Typoskript die davon stark abweichende Auswahl und Anordnung von 35 Gedichten aus der Buchausgabe *Die Frau und die Tiere* von 1938 überliefert ist. Jedenfalls entspricht die Kasacksche Zusammenstellung weder der einen noch der anderen von Kolmar autorisierten Variante.

Auch in die Reihenfolge der Gedichte über preußische Wappen wurde eingegriffen.[17] Das heißt, sie sind in der Ausgabe von 1955 nicht nach Provinzen geordnet wie in Gertrud Kolmars umfangreichem Typoskript *Das Preußische Wappenbuch* und in der 1934 erschienenen Auswahl *Preußische Wappen*, sondern alphabetisch nach den Ortsnamen unter dem Titel *Alte Stadtwappen*.

Das gleiche gilt für die Zyklen *German Sea*[18] und *Mein Kind*. In letzteren griff (nach der Feststellung von Marion Brandt) Hermann Kasack wohl am stärksten ein: »Von den 26 Gedichten des Zyklus entfernte er 13 und fügte dafür 20 andere neu ein, von denen in den folgenden Ausgaben fünf wieder herausgenommen wurden.«[19]

Auch innerhalb und zwischen den Zyklen *Weibliches Bildnis*, *Tierträume*, *Mein Kind*, (*Das Wort der Stummen*) und *German Sea* wurden umfangreiche Umstellungen und Verschiebungen vorgenommen. Die Gedichte aus *German Sea* wurden bis auf ein Gedicht in den *Dritten Raum* des Zyklus *Weibliches Bildnis* gestellt, das Gedicht *Meerwunder* dem Zyklus *Mein Kind* einverleibt. Im Zyklus *Tierträume* finden sich zwei Gedichte aus dem Zyklus *Mein Kind*,

16 Vgl. Monika Shafi, Gertrud Kolmar. Eine Einführung in das Werk, München 1995, S. 82f. und Britta Graf u. Anet Reinert, Einleitung zu den Beiträgen über Körperbilder und Ich-Konstituierung im Gedichtzyklus *Weibliches Bildnis*, in: Heidy Margrit Müller (Hg.), Klangkristalle. Rubinene Lieder. Studien zur Lyrik Gertrud Kolmars, Bern u.a. 1996, S. 69-72.

17 Vgl. Gerhard Sauder, Gertrud Kolmars Wappengedichte, in: Karin Lorenz-Lindemann (Hg.), Widerstehen im Wort. Studien zu den Dichtungen Gertrud Kolmars, Göttingen 1996, S.45-58, hier S. 47f. Sauder macht allerdings widersprüchliche Vorschläge, wie eine korrekte Edition auszusehen habe.

18 Vgl. Monika Shafi, Reise und Eros. Zu Gertrud Kolmars Gedichtfolge German Sea, in: Chryssoula Kambas (Hg.), Lyrische Bildnisse. Beiträge zu Dichtung und Biographie von Gertrud Kolmar, Bielefeld 1998, S. 69-88, hier S. 71.

19 Vgl. Marion Brandt (Hg.), Gertrud Kolmar. Orte (Katalog zur Ausstellung im Heimatmuseum Falkensee 1994/1995), Berlin 1994, Vorwort S. 5-10, hier S. 6.

im *Weiblichen Bildnis* elf aus dem Zyklus *Mein Kind*, eins aus dem Zyklus *Tierträume*, im Zyklus *Mein Kind* eins aus den *Tierträumen*. In *Mein Kind* wurden auch die Gedichte aufgenommen, die von Gertrud Kolmar aus der ersten Fassung gestrichen wurden. Darüber hinaus sind einzelne Gedichte, die die Autorin in keinen Zyklus aufgenommen hat, kurzerhand nach thematischen Gesichtspunkten in bestehende Zyklen eingeordnet worden. Aus ihrem jeweiligen zyklischen Zusammenhang gerissen wurden auch einige frühe Gedichte, die einfach in die späteren Zyklen *Weibliches Bildnis, Erster und Zweiter Raum* und *Mein Kind* mit eingeflochten wurden. Die Reihenfolge in den Zyklen *Weibliches Bildnis, Tierträume, Mein Kind* und *Welten* ist verändert worden. Einige Gedichttitel wurden ebenfalls geändert (*Dies:* zu *Wunder, Häßliche alte Frauen* zu *Die Beerensammlerinnen, Erstarrt* zu *Die Erstarrte, Großmutter* zu *Großmutters Stube, Travemünde* zu *Hafenstadt, Der Freund* zu *Seinem Freunde, Kunst* zu *Zueignung*). Das erste Gedicht aus dem Zyklus *Napoleon und Marie*, das im Manuskript nur mit *** überschrieben ist, erhielt den Titel *Widmung*.

Nachvollziehbar sind diese Eingriffe eigentlich nur im Falle der Gedichte über preußische Wappen, die alphabetisch und nicht nach Provinzen geordnet wie im Typoskript gedruckt wurden, eine im Nachkriegsdeutschland begrüßenswerte politische Entscheidung. Gegen diese hatte offensichtlich auch Peter Wenzel nichts einzuwenden, der darüber hinaus in seinem Brief vom 1. Februar 1949 an Peter Suhrkamp schrieb: »Der Titel *Alte Stadtwappen* ist dem ursprünglichen Titel *Preußische Wappen* vorzuziehen.« In anderen Fällen machte er Suhrkamp und Kasack jedoch vorsichtig darauf aufmerksam, daß letzterer seines Erachtens zu stark eingegriffen habe. Er erklärte sich zwar grundsätzlich – auch im Namen der Erben – damit einverstanden, »daß die Auswahl und Gruppierung der Gedichte« dem Verlag überlassen bleibe, auch damit, daß einige Gedichte aus den früheren Zyklen mit in die Zyklen *Weibliches Bildnis* und *Mein Kind* eingeordnet würden. Er äußerte aber Bedenken gegen einige Umstellungen und die Titeländerungen und setzte sich dafür ein, daß von Verlagsseite gestrichene Widmungen wieder aufgenommen werden sollten. Kasack verteidigte daraufhin am 16. Februar 1949 weitgehend seine Entscheidungen, und Peter Wenzel gab schließlich nach. In seinem Brief vom 18. März 1949 schrieb er:

> »Was bleibt mir anderes übrig, als die Waffen zu strecken und Ihre Einwendungen gegen die von mir vorgebrachten Wünsche hinsichtlich der Auswahl hinzunehmen, auch wo ich Ihrer Meinung nicht zustimmen kann. Schließlich muß Ihnen als Lektor und Verleger die Verantwortung und damit auch die Entscheidung für Auswahl und Gruppierung der Gedichte überlassen bleiben.«

Seinem ebenfalls in diesem Brief geäußerten Wunsch, die Gedichte *Mose im Kästchen* und *Dagon spricht zur Lade* möge man doch in die Ausgabe noch mit aufnehmen, wurde nur im Falle von *Mose im Kästchen*, auf das er besonderen Wert legte, entsprochen.

1960 erschien im Kösel-Verlag in einer Auflage von 2 500 Exemplaren (+ 250 Exemplaren Überdruck) die von Friedhelm Kemp betreute überarbeitete Ausgabe des *Lyrischen Werks*. Kemp, der seit 1948 Lektor des Münchner Kösel-Verlags war, ergänzte die Kasacksche Ausgabe um 24 Gedichte und beseitigte einige editorische Mängel. So nahm er sechs der frühen Gedichte, die Kasack in andere Zyklen eingeordnet hatte, heraus und brachte sie mit 22 der obengenannten Gedichte in einer neuen Rubrik *Frühe Gedichte* unter. Obwohl Kemp diese Umstellungen in den Zyklen veranlaßte und einige durch Kasack veränderte Gedichttitel nach den Typoskripten brachte, blieb doch der größte Teil der von Kasack vorgenommenen Veränderungen bezüglich der Zykluszugehörigkeit und -reihenfolge und der Gedichttitel in der 1960 erschienenen Auflage erhalten. Die Ausgabe wurde ergänzt um einen bibliographischen Anhang, in dem erstmals die früheren Publikationen nachgewiesen wurden. Das Nachwort von Jacob Picard – auch er wie Karl Escher ein Freund Gertrud Kolmars – wurde ersetzt durch eine biographische Skizze der Schwester Hilde Wenzel.

In den 1970er Jahren entdeckte Hilde Benjamin den handschriftlich erhaltenen Zyklus *Das Wort der Stummen* wieder, den sie bei der Übergabe der Nachlaßteile an den Suhrkamp Verlag 1946 vermutlich übersehen hatte. Zunächst veröffentlichte Uwe Berger 1972 daraus drei Gedichte in der Zeitschrift *Sinn und Form*. Anfang 1977 wandte sich Johanna Woltmann-Zeitler an Uwe Berger und bat um Vermittlung, da sie für ihr Kolmar-Biographie-Projekt Fotokopien des Manuskripts benötigte, deren Veröffentlichung sie überdies in Aussicht stellte. Uwe Berger verwies sie an Hilde Benjamin, deren Sohn Michael ihm daraufhin nahelegte, den Zyklus doch zunächst in der DDR erscheinen zu lassen. In dessen Brief vom 2. Februar 1977 an Uwe Berger heißt es:

»Für uns war gerade der Brief von Frau Z[eitler]. Anlaß, uns noch einmal um eine vollständige Ausgabe der meiner Mutter hinterlassenen Gedichte G. Kolmars zu bemühen. Denn ich bin nach wie vor der Meinung, daß ihr Werk Bestandteil unseres Kulturerbes ist und daß nur wir das moralische und politische Recht – wie mir scheint, allerdings auch die Pflicht – haben, dieses Werk zu publizieren.

Mit dieser Auffassung stehen wir – zumindest was die praktische Durchführung anbetrifft – offensichtlich allein.

Jedenfalls gedenken meine Mutter und ich nicht, dieses Material ohne vorherige Veröffentlichung bei uns, der BRD zur Verfügung zu stellen.«

Gerade daß Gertrud Kolmar Jüdin war und sich im Zyklus *Das Wort der Stummen* explizit nicht nur der Verfolgung von politischen Widerstandskämpfern, sondern auch der von Juden widmete, erschwerte vermutlich dessen

Rezeption in der DDR.[20] Wenn man diese Gedichte veröffentlichen wollte – so Uwe Berger im Gespräch[21] –, mußte man immer einem latenten Zionismus-Vorwurf begegnen, der möglicherweise mit dem gespannten Verhältnis der DDR zum Staat Israel zusammenhing. Die bittere Klage von Michael Benjamin in dem zitierten Brief an Uwe Berger ist vermutlich in diesem Zusammenhang zu sehen. Während in der Bundesrepublik die Tendenz vorherrschte, die unpolitische Dichterin und die verfolgte Jüdin zu würdigen und die dezidiert politischen Gedichte von Gertrud Kolmar als marginal oder ästhetisch nicht befriedigend abzutun, war man in der DDR bemüht, gerade der politisch links ausgerichteten Lyrikerin der dreißiger Jahre ein Forum zu bieten; der 1968 erschienene Auswahlband heißt denn auch bezeichnenderweise nach dem Titel eines Gedichtes über Robespierre *Die Kerze von Arras*.[22]

Uwe Berger, Herausgeber dieses 1968 im Aufbau Verlag erschienenen Bandes, versuchte dann, den Zyklus *Das Wort der Stummen* komplett ebenfalls dort zu veröffentlichen. Nachdem der Verlag abgelehnt hatte, gelang es ihm schließlich über die Vermittlung von Walter Nowoiski, den Buchverlag *Der Morgen* für den Zyklus zu interessieren. Berger bat Hilde Benjamin im Juni 1977 um »Einzelheiten über die Auffindung der Gedichte und was Sie sonst für wichtig halten«. Sie ließ ihm schon einen Monat später ihre *Erinnerungen an Gertrud Kolmar* zukommen. Der Band erschien mit diesen Erinnerungen 1978 in einer Auflage von 2 000 Exemplaren im Buchverlag *Der Morgen* als dessen erste Lyrikveröffentlichung.

1980 schließlich gab Johanna Woltmann erstmals sämtliche erhaltenen frühen Gedichte heraus und ergänzte den Band um einen Wiederabdruck des Zyklus *Das Wort der Stummen* (textidentisch mit der Ausgabe von Uwe Berger) wiederum im Kösel-Verlag. Der Verlag ›wagte‹ damals eine Auflage von 3 000 Exemplaren, wie es in einem Brief von Christoph Wild an Johanna Woltmann vom 28. März 1980 heißt. Diese Edition enthält neben einer editorischen »Nachbemerkung« eine »Bibliographische Notiz« mit einer kurzen Beschreibung der gedruckten Materialien und Manuskripte, die der Ausgabe zugrunde liegen. Der Text dieser Ausgabe enthält einige kleine Lesefehler.

1987 erschienen dann die von Friedhelm Kemp 1960 herausgegebenen Gedichte im Deutschen Taschenbuch Verlag in einer Auflage von 8 000 Exemplaren

---

20 Bestätigt wird diese Einschätzung durch Aleida Assmann u. Ute Frevert, Geschichtsvergessenheit, Geschichtsversessenheit. Vom Umgang mit deutschen Vergangenheiten nach 1945, Stuttgart 1999 und Moshe Zuckermann (Hg.), Zwischen Politik und Kultur. Juden in der DDR (»Conferences« Tagungsbände des Instituts für deutsche Geschichte der Universität Tel Aviv, Bd. 1), Göttingen 2002.

21 Vgl. auch Claudia Petzold, Ein Weg zu Gertrud Kolmar. Im Gespräch mit dem Schriftsteller Uwe Berger, in: Neue Zeit, 31. August 1990.

22 Diese gegenläufige Tendenz läßt sich auch bis in die Gegenwart hinein konstatieren, wenn man die in den alten Bundesländern erschienenen Kritiken der 2003 erschienenen Kolmar-Ausgabe mit denen aus den neuen Ländern vergleicht.

in einer fast textidentischen Ausgabe mit dem Titel *Weibliches Bildnis. Sämtliche Gedichte.* Nur wurde hier die Rubrik »Frühe Gedichte« durch die vollständigen Zyklen ersetzt und auch *Das Wort der Stummen* mit aufgenommen. Das heißt also, auch hier blieben die durch Hermann Kasack vorgenommenen Veränderungen zum großen Teil erhalten. Alle bisherigen Auswahlausgaben (Kemp 1960, Berger 1968, Ulla Hahn 1983) gehen auf die unzulänglichen Ausgaben von 1955 und 1960 zurück.

Erst mit der im Jahr 2003 im *Wallstein Verlag*, Göttingen erschienenen dreibändigen Ausgabe liegt eine kritische Edition des lyrischen Werks von Gertrud Kolmar vor.

Zum Schluß soll Gertrud Kolmar noch einmal selbst zu Wort kommen mit einem ihrer letzten in deutscher Sprache verfaßten Gedichte, das sich mit der Möglichkeit der Wirkung von Kunst auseinandersetzt. Karl Josef Keller hat Johanna Woltmann Ende der Siebziger Jahre erzählt, daß er und Gertrud Kolmar im Herbst 1934 die Hamburger Kunsthalle besucht hätten.[23] Als sie vor dem Bild eines Romantikers standen, habe eine Norddeutsche bemerkt:»Ja, da staunen Sie, so etwas kann der Jude nicht.« Gertrud Kolmar habe versucht, ihr etwas zu entgegnen, doch habe sich die Frau schnell wieder entfernt. Kolmars Gedicht *Kunst* aus dem 1937 entstandenen Zyklus *Welten*,[24] das vermutlich auf diese Situation reflektiert, lautet:

Kunst

Sie nahm den Silberstift
Und hieß ihn hingehn über die weiße matt glänzende Fläche:
Ihr Land. Er zog
Und schuf Berge.
Kahle Berge, nackte kantig steinerne Gipfelstirnen, über Öde sinnend;
Ihre Leiber
Schwanden umhüllt, vergingen hinter dem bleichen Gespinst
Einer Wolke.
So hing das Bild vor dem schwarzen Grunde, und Menschen sahen es an.
Und Menschen sprachen:
»Wo ist Duft? Wo ist Saft, gesättigter Schimmer?
Wo das strotzende, kraftvoll springende Grün der Ebenen
Und der Klippe bräunlich verbranntes Rot oder ihr taubes graues Düster?
Kein spähender Falke rüttelt, hier flötet kein Hirt.
Nie tönen groß in milderes Abendblau die schön geschwungenen Hörner
wilder Ziegen.
Farbenlos, wesenlos ist dies, ohne Stimme; es redet zu uns nicht.
Kommt weiter.«

23 Johanna Woltmann, Gertrud Kolmar. Leben und Werk, Göttingen 1995, S. 210.
24 Das lyrische Werk (Anm. 1), Bd. 2, S. 545.

Sie aber stand und schwieg.
Klein, unbeachtet stand sie im Haufen, hörte und schwieg.
Nur ihre Schulter zuckte, ihr Blick losch in Tränen.
Und die Wolke, die ihre zeichnende Hand geweht,
Senkte sich und umwallte, hob und trug sie empor
Zum Schrund ihrer kahlen Berge.

Ein Wartender,
Dem zwei grüngoldene Basilisken den Kronreif schlangen,
Stand im Dämmer auf, glomm und neigte sich, sie zu grüßen.

ARIANE HUML

Ziehende Landschaft[en] –
generationsspezifische Remigration in der Dichtung
jüdischer Schriftstellerinnen nach 1945

»Müssen wir wieder von dem alten Apfelbaum essen, um zurückzugelangen?«[1] läßt Hilde Domin ihre Hauptfigur Constantin zum Schluß ihres einzigen Romans *Das zweite Paradies* über die Zeit der Remigration fragen. Dieser alte Apfelbaum kann für vieles stehen, nicht nur für die Versuchung in der Liebe, sondern auch für die Versuchung, die Heimat für einen Menschen darstellen kann.

Ich werde mich für die erste Generation von Schriftstellerinnenn zunächst auf die 1912 in Köln geborene Dichterin Hilde Domin konzentrieren. Sie gelangte über ihre Flucht nach Italien und England schließlich nach Santo Domingo, wo sie viele Jahre zubrachte. Hilde Domin kehrte erst 1954, neun Jahre nach Kriegsende, nach Deutschland zurück. Die seit ihrer Rückkehr in Heidelberg lebende Dichterin schreibt und liest noch heute aus ihren Werken – mit 92 Jahren.[2]

Im Vergleich zu den Erfahrungen der ›ersten Generation‹ um Hilde Domin[3] ziehe ich im folgenden Ausschnitte aus dem Werk Barbara Honigmanns, aber auch aus dem anderer deutschsprachiger »jüdischer«[4] Schriftstellerinnen der ›zweiten Generation‹ heran, um zu erfahren, was Remigration für die Autorinnen der jeweiligen Generation bedeutet bzw. bedeutet hat,

1 Hilde Domin, Das zweite Paradies. Roman in Segmenten, München, Zürich ²1986, S. 189.

2 Katrin Hillgruber, Das tätige Alphabet. Urvertrauen in die deutsche Sprache und fester Glaube an die Macht des Wortes: Zum 95. Geburtstag der Lyrikerin Hilde Domin, in: Badische Zeitung v. 27. Juli 2004, S. 12. (Abweichend zum Jahr 1912 (s.o.) findet sich auch 1909 als Geburtsjahr Domins ausgewiesen; dieser Angabe folgt der Zeitungsartikel.)

3 An dieser Stelle ließen sich selbstverständlich auch weitere Werke etwa von Grete Weil, Rose Ausländer oder Hilde Spiel zum Vergleich heranziehen; eine weiterführende Untersuchung, die als größere Arbeit zum Thema »Konzeptionen von Identität, Heimat und Nationalität in der deutschsprachigen jüdischen Literatur nach 1945« von mir vorgenommen wird.

4 Ich beziehe mich bei der Verwendung des Begriffs ›jüdisch‹ vor allem auf das Selbstverständnis der jeweiligen Autorin und nicht in erster Linie auf das religiöse Moment der Geburt durch eine jüdische Mutter.

d.h. inwiefern ihre Erfahrungen zu diesem Themenkomplex Eingang in ihr Werk gefunden haben. Dazu gehören beispielsweise die 1942 in Berlin geborene Katja Behrens oder die 1952 in Heppenheim an der Bergstrasse geborene Schriftstellerin Esther Dischereit. Die ›dritte Generation‹ wird durch die im Jahr 1963 geborene Gila Lustiger und ihren Roman *Die Bestandsaufnahme* aus dem Jahr 1995 vertreten sein.

In der Erzählung *Joëmis Tisch* schreibt Esther Dischereit über das Thema Remigration in einem ganz neuartigen Ton, den wir aus der ersten Generation nicht kennen. Hier heißt es lapidar:

> »Da sitze ich auf diesem blöden Drehstuhl. Nach zwanzig Jahren Unjude will ich wieder Jude werden. Ich habe es mir zehn Jahre überlegt. Was sagt der Mann hinter dem Schreibtisch dazu? ›Steuerhinterziehung‹, sagt er und lächelt. Ich müsse vier Jahre Buße tun und die Steuer nachbezahlen. Ich erzähle ihm: Mutter tot, Papa ein Goj – vierzehn Jahre alt, weg auf das Land, kein Brief, kein nix von der Gemeinde – und ich komm zurück nach zwanzig Jahr, will wieder Jude sein – und der Jude sagt zu mir: ›Ungefähr 800,– DM – oder soll ich sie schätzen lassen?‹«[5]

Offen und direkt läßt die Autorin ihre Erzählfigur über ihr Verhältnis zu sich selbst, zu ihren Mitmenschen und zum Staat, über ihre bewußt vorgenommene, vor allem aber selbstbestimmte Verwandlung vom »Unjuden« zum »Juden« im neuen Deutschland sprechen. Die Identität wird gewählt wie das Land, in dem man leben möchte. Von dem eben erwähnten Kreis gehört zweifelsfrei Barbara Honigmann zu den meist gelesenen und bekanntesten Schriftstellerinnen der ›zweiten Generation‹ jüdischer Autorinnen. Sie wurde 1949 in Ostdeutschland geboren und siedelte zunächst von Ost- nach Westberlin über, bis sie dann im Jahr 1984 nach Straßburg wechselte, wo sie auch gegenwärtig lebt und schreibt. Von diesem Standort aus denkt sie über Remigration und Heimat nach.

Damit können wir eine erste weiterreichende Unterscheidung treffen, nämlich zwischen einer tatsächlichen, einer psychophysischen Remigration in das Heimat- oder Geburtsland, wie es bei Hilde Domin der Fall war, oder jener hypothetischen Remigration, die sich vor allem im Geiste abspielt, wie etwa bei der in ihrer Wahlheimat Straßburg lebenden Barbara Honigmann. »Es klingt paradox«, schreibt Honigmann 1999,

> »aber ich bin eine deutsche Schriftstellerin, obwohl ich mich nicht als Deutsche fühle und nun auch schon seit Jahren nicht mehr in Deutschland lebe. Ich denke aber, der Schriftsteller ist das, was er schreibt, und er

5   Esther Dischereit, Joëmis Tisch. Eine jüdische Geschichte, Frankfurt/M. 1988, S. 9. Siehe auch Dischereits Aufsatzsammlung zum Thema: Übungen, jüdisch zu sein, Frankfurt/M. 1998.

ist vor allem die Sprache, in der er schreibt. [...] Als Jude bin ich aus Deutschland weggegangen, aber in meiner Arbeit, einer sehr starken Bindung an die deutsche Sprache kehre ich immer wieder zurück.«[6]

Remigration kann also, wie wir an verschiedenen der folgenden Texte sehen werden, auf mehreren Ebenen stattfinden: Sie kann eine tatsächliche ›Bewegung zurück‹ darstellen, wie es bei Hilde Domin oder Grete Weil[7] der Fall war. Oder es kann sich um eine innere Bewegung in Richtung »Herkunft und Heimatland« handeln, vor allem hin zu einem Leben und Denken in der Heimatsprache, bei der der Körper zunächst außen vor und von dem tatsächlich einschneidenden Moment der Rückwanderung verschont bleibt. So, als gäbe es einen letzten Halt, eine letzte Sicherheit doch nirgends als im Außerhalb der Herkunft. Dies trifft vor allem auf die ›zweite Generation‹ der jüdischen Autorinnen wie etwa Barbara Honigmann zu. Stellvertretend für die ›dritte Generation‹, die mit dem Stichwort »Remigration« nur sehr bedingt erfaßt werden kann,[8] wird am Ende dieser Ausführungen auf Gila Lustiger und ihren Roman *Die Bestandsaufnahme* eingegangen.

I. Remigration nach Deutschland nach 1945 –
die ›erste Generation‹ am Beispiel des Werkes von Hilde Domin

Ziehende Landschaft – *Zurück zum Beginn?*

Eines der zentralen Gedichte, die Hilde Domin zu diesem Thema verfaßt hat, trägt den Titel:

6   Barbara Honigmann, Selbstporträt als Jüdin, in: dies., Damals, dann und danach. Erzählungen, ungekürzte Ausg. München 2002, S. 11-18, hier S. 17f.
7   S. hierzu auch Irmela von der Lühe, ›Osten, das ist das Nichts.‹ Grete Weils Roman *Tramhalte Beethovenstraat* (1963), in: Irmela von der Lühe u. Anita Runge (Hg.), Wechsel der Orte. Studien zum Wandel des literarischen Geschichtsbewußtseins (Festschrift für Anke Bennholdt-Thomsen), Göttingen 1997, S. 322-333, hier S. 331. Vgl. außerdem die Kapitel über Grete Weil in: Stephan Braese, Die andere Erinnerung. Jüdische Autoren in der westdeutschen Nachkriegsliteratur, Berlin, Wien 2001, S. 105ff. u. 517ff.
8   Zur Diskussion um den gegenwärtigen Forschungsstand zur deutsch-jüdischen Literatur der neunziger Jahre siehe Sander L. Gilman u. Hartmut Steinecke, Deutschjüdische Literatur der neunziger Jahre. Die Generation nach der Shoah (Beiheft zur Zeitschrift für Deutsche Philologie Nr. 11), Berlin 2002, hier besonders die Aufsätze von Andreas Kilcher, Exterritorialitäten. Zur Selbstreflexion der aktuellen deutschjüdischen Literatur, S. 131-146 und Hartmut Steinecke, Deutsch-jüdische Literatur heute. Die Generation nach der Shoah. Zur Einführung, S. 9-16 sowie ders.,»Geht jetzt wieder alles von vorne los?«, Deutsch-jüdische Literatur der ›zweiten Generation‹ und die Wende, S. 162-173. Zur neueren jüdischen Literatur in der Schweiz vgl. Rafaël Newman, Schweizerischer Schriftstellerverband (Hg.), Zweifache Eigenheit, Neuere jüdische Literatur in der Schweiz, Zürich 2001, S. 195ff.

Ziehende Landschaft

Man muß weggehen können
und doch sein wie ein Baum:
als bliebe die Wurzel im Boden,
als zöge die Landschaft und wir ständen fest.

Man muß den Atem anhalten,
bis der Wind nachläßt
und die fremde Luft um uns zu kreisen beginnt,
bis das Spiel von Licht und Schatten,
von Grün und Blau,
die alten Muster zeigt
und wir zuhause sind,
wo es auch sei,
und niedersitzen können und uns anlehnen,
als sei es das Grab
unserer Mutter.[9]

Dieses reimlose Gedicht in 15 Versen zeigt den spannungsreichen und facetten-
artigen Prozeß von Weggang und Rückkehr. Doch ganz anders als erwartet
ist bei Domin die nährende Wurzel im heimatlichen Boden verblieben; ein
»Boden«, der sich am Schluß des Gedichts wiederum in die letzte Ruhestätte
für den eigenen ›Geburts- und Herkunftsort‹, nämlich in den Leib der toten
Mutter verwandelt. Dorthin aber gibt es nun wirklich kein Zurück mehr, zu
keiner Zeit: Der Ort der Herkunft, der Geburt, ist bei Domin deshalb nur
ein Ort, an den man sich künstlerisch, psychisch, in den Gedanken anlehnen
kann. Die im Gedicht dargestellte Rückkehr zu den eigenen (nunmehr abge-
bzw. verstorbenen) Wurzeln findet also nicht primär im geographisch-politi-
schen, sondern im symbolischen Raum statt.

Wenn auch der Ort der Herkunft in diesem Gedicht nicht mehr existiert,
so kann man ihn doch aufsuchen und sich bei Bedarf ganz unabhängig von
seiner geographischen Lage hin zur eigenen Ursprungsrichtung wenden. Auf
diese Weise läßt sich wenigstens einige Momente lang von der ›Reise‹, der
extrem strapaziösen Flucht und den unvermuteten Erfahrungen des Exils am
Ort der eigenen Herkunft Ruhe und Orientierung finden, und sei es ganz
zuletzt am »Grab unserer Mutter«.

Doch wie kehrt das lyrische Ich, von dem in diesen wenigen Versen die
Rede ist, in seine Heimat zurück? Noch spürt es, wie an Vers fünf ff. nachzu-
lesen, die fremde Luft um sich herum sehr wohl, atmet sie aber für einige
Momente lang nicht ein. Auf diese Weise trennt es sich von der Gegenwart
und gelangt zurück zum Beginn, zum eigenen Ursprung, hier sogar zurück

9 Hilde Domin, Ziehende Landschaft, in: dies., Gesammelte Gedichte, Frankfurt/M.
³1987, S. 13.

zum menschlichen Anbeginn, zur mütterlichen Heimat. Willkürlich unterbricht es also den Kreislauf und Austausch mit dem Jetzt und trennt sich minutenlang von der eigentlichen, realen Umgebung, in der es sonst lebt. Es versenkt sich in die Erinnerung an die Vergangenheit und an seinen Ursprung. Es gelangt unter Verwendung eines sog. ›mentalen Tricks‹ an den Anfang seiner Herkunft zurück. »Alte Muster« sind es, die auftauchen und die die geglückte Ankunft in der Heimat anzeigen. Die Verteilung von Licht und Schatten, das Farbenspiel, die andersartige Luft: Sie alle rufen synästhetisch die verloren geglaubte Erinnerung an die Heimat wach. Das Ich kann sich endlich niederlassen und einen festen Platz auf dieser Erde einnehmen – wie der zu Beginn erwähnte »Baum« werden.

Das Bild der Verse zwei und drei unterstreichen dies: »[...] als bliebe die Wurzel im Boden / als zöge die Landschaft und wir ständen fest«. Hilde Domins Gedicht zeigt, wie stark sich der Wunsch nach Heimatverortung im Exil entwickeln konnte, nämlich bis hin zur Umdeutung der real existierenden physikalischen Gesetze mit den Mitteln der Kunst. Das Spiel der dichterischen Phantasie gipfelt in der Ausgestaltung einer physikalisch nicht durchführbaren Idee, die im Endeffekt jedoch zu einer für das Ich weitaus erträglicher erscheinenden Umdeutung der Realität und ihrer tatsächlichen Gegebenheiten und Bezugsgrößen führt: Das Ich steht auf einmal fest in der Welt. Es ist allein die Landschaft, die sich verändert.

Wie in einem Kaleidoskop der Bilder drehen sich neue Länder, neue Städte, neue Lebensformen um das heimatverlorene Ich. Diese Einkehr aber in ein fest umrissenes Ich – also hin zu einer gedanklichen Vorform der realen Rückkehr in eine seit langem verlassene, verloren geglaubte und dabei zutiefst herbeigesehnte Heimat – schützt das vertriebene Ich zunächst vor dem Schmerz der Erkenntnis über den eigenen aktuellen Standort in der Welt. Der imaginäre Vorgang füllt die schmerzlich empfundene Lücke der momentanen Heimatlosigkeit. Er verkürzt die als real empfundene tatsächliche Distanz zum Ort der Geburt, der Kindheit, des früheren Daseins noch vor der Verfolgung und Vertreibung durch die Nationalsozialisten.

Bei Hilde Domin findet das veränderte Bewußtsein seinen Ausdruck in der künstlerischen Darstellung und Ausformung jenes existentiellen, zunächst rein persönlichen Wunsches, psychisch und physisch endlich wieder fest und ›verwurzelt‹ an einem früher bekannten, vertrauten und zugleich geschützten Ort verweilen zu dürfen: in der Heimat/Erde – hier sogar noch einen Schritt weiter, am »Grab unserer Mutter« –, vielleicht, um neue Kräfte zu sammeln, vielleicht, um Zwiesprache mit der Vergangenheit zu halten, vielleicht, um zu schweigen und um das Verlorene zu trauern. Diese Sichtweise auf das eigene Ich in der Welt aber kommt einem vorkopernikanischen Weltbild gleich, bei dem das Ich willkürlich feststeht, ja von der umgebenden Erde festgehalten wird, welche sich ganz und gar um das Ich dreht – und nicht umgekehrt.

Das lyrische Ich in Domins Gedicht hat sein Ziel durch diese Umdeutung für den Augenblick jedenfalls erreicht: Für Momente steht es sicher und fest verankert da in einer zerbrochenen Welt/Geschichte, wie der »Baum« im Gedicht oder jener »Apfelbaum« im Roman *Das zweite Paradies*. Noch einmal wird es wie bei seiner Geburt genährt von der »heimatlichen Erde«, in der unabweisbaren Hoffnung auf ein langes und erfülltes Leben an seinem angestammten, vielleicht gar vorausbestimmten Platz. Denn nur dort kann das Ich des Gedichts auch unter veränderten Bedingungen seine Kräfte weiterhin aus seinem ehemaligen Ursprungsgebiet beziehen. Wie es nach seiner eigentlichen Geburt der Fall war, könnte es noch einmal weiter, und darüber hinaus, wachsen und gedeihen – hin zu einem Leben in einem neuen, zweiten Paradies. Darauf weist der Titel von Domins einzigem Roman über die Zeit der Rückkehr ausdrücklich hin.[10] So gesehen aber wird die Remigration zur zweiten Chance.

Der tatsächliche (Bezugs-)Wert des Ortes/Landes wird entsprechend der Realität und ihren Gesetzen mit der Zeit ein anderer werden, je mehr sich das Ich innerlich wie äußerlich zwangs- und zeitweise – verursacht von historischen Ereignissen außerhalb seiner Selbst – von seinem Ursprungsort entfernen mußte. Diesen Vorgang gestaltete Hilde Domin in ihrem 1968 erschienenen Roman *Das zweite Paradies*, der eine Verarbeitung jener ersten Jahre der Rückkehr nach Deutschland darstellt. Übrigens ist neben dem Gedicht auch ihr einziger Roman der Mutter der Dichterin gewidmet. Sie verkörperte für Hilde Domin über viele Jahre des Exils hinweg die niemals abgeschlossene Möglichkeit zur Remigration in die alte Heimat Deutschland, in der künstlerischen Phantasie wie in der Realität.

Gadamer schreibt darüber:»Hilde Domin ist die Dichterin der Rückkehr. [...] Wer mit ihr realisiert, was Rückkehr ist, weiß mit einem Male, daß Dichtung immer Rückkehr ist – Rückkehr zur Sprache. Darin liegt die doppelte Symbolkraft ihrer dichterischen Aussage.«[11]

Hilde Domin wollte es selbst so ausgedrückt wissen:

»Wie konnte ich in den schlimmen Jahren des Exils das Vertrauen zu den Menschen bewahren und es auch mit nach Hause bringen in dies Land, in dem unsagbare Furchtbarkeiten unter dem Schweigen und Wegsehen aller geschehen waren? Vielleicht hat mich das Glück der Rückkehr in das

---

10 Vgl. hierzu Paul Konrad Kurz, Auf der Suche nach dem verlorenen Paradies, in: Bettina von Wangenheim (Hg.), Heimkehr ins Wort. Materialien zu Hilde Domin, München 1982, S. 112ff. und Ulrike Böhmel-Fichera, ›Das beschädigte Bild von sich selbst‹: Die Suche nach Identität in Hilde Domins Roman *Das zweite Paradies* (1968), in: Ariane Huml u. Monika Rappenecker (Hg.), Jüdische Intellektuelle im 20. Jahrhundert. Literatur- und Kulturgeschichtliche Studien, Würzburg 2003, S. 233-236.

11 Hans-Georg Gadamer, Hilde Domin, Dichterin der Rückkehr, in: Bettina von Wangenheim (Hg.), Heimkehr ins Wort (Anm. 10), S. 28f.

Land meiner Sprache, meiner Kindheit, also mein Land, blind gemacht. Ich war ja wie betrunken von soviel Wiedersehen. Sicher hat dabei eine Rolle gespielt, daß in der Rückkehr Freiheit war, im Gegensatz zu all den Fluchten und Exilen, Freiwilligkeit der Entscheidung. Die Rückkehr, nicht die Verfolgung, war das große Erlebnis meines Lebens. Ein Erlebnis von äußerster Zerbrechlichkeit.«[12]

Auf der Basis dieser neu eroberten Freiheit im Schreiben – Hilde Domin begann damit erst 1951 im Alter von 39 Jahren – erfolgte bei ihr die Freiheit der Tat, die Rückkehr in die neu gegründete Bundesrepublik Deutschland, entgegen allen tiefsitzenden Ängsten und Verlusterfahrungen.

Der Versuchung ›Heimat‹ erlegen – Rückkehr, aber wohin?

Gerade für die ›erste Generation‹ von Remigrantinnen drängt sich die Frage auf, ob der Begriff ›Remigration‹ nicht geradezu irreführend ist, nicht zutreffend für die schwerwiegenden Umstände der Rückkehr aus dem Exil nach vielen Jahren schmerzhaft erlittenen Heimatverlusts? Es bleibt zu fragen, ob ›erzwungene Wanderungsbewegungen‹ ›freiheitlichen Wanderungsströmen‹ überhaupt gleichzusetzen sind? Die Dichterin der ›ersten Generation‹, Hilde Domin, schreibt dazu:»[...] Wir behalten das / Heimweh nach dem Abschied / lange / nach der Rückkehr.«[13] »Was für ein Zeichen / mache ich über die Tür / um bleiben zu dürfen?«[14]

Viele ihrer Gedichte beschäftigen sich mit dem Zustand und den Umständen von Flucht und Suche nach Heimat, deren Gefühlswelten auch dann noch bestehen bleiben, wenn die Rückkehr nach Deutschland längst vollzogen ist. Was aber heißt ›Remigration‹, wenn der Geist noch in allen Ländern unterwegs ist und sich zwangsläufig beständig und immer aufs Neue auf der Flucht befindet, nach all den Jahren der realen Angst und Entbehrung? Ist eine ›Remigration‹ im inneren Kern des Begriffs daher überhaupt möglich? Bedeutet es nicht vielmehr die endlose Suche nach einer längst zerstörten Heimat, die selbst bei der geglückten Rückkehr an den Ort der eigenen Herkunft nicht mehr existiert, wie etwa in *Ziehende Landschaft*? Solche Fragen werden in unterschiedlichen Variationen in Domins Gedichten immer wieder thematisiert.

12 Wolfgang Blaschke, Karola Fings u. Cordula Lissner (Hg.), Unter Vorbehalt: Rückkehr aus der Emigration 1945, Köln 1997, S. 171. Vgl. auch Marita Krauss, Heimkehr in ein fremdes Land. Geschichte der Remigration nach 1945, München 2001.
13 Hilde Domin, Wir nehmen Abschied, in: dies., Gesammelte Gedichte (Anm. 9), S. 286.
14 Dies., Was für ein Zeichen mache ich über die Tür, ebd., S. 233.

Remigriert – Wünsche nach einer neuen Identität in einer altbekannten Welt

Wie eng der Prozeß der Rückkehr mit dem Wunsch nach einer neuen Identität, nach neuer Namensgebung verbunden ist, zeigt exemplarisch Domins Gedicht *Landen dürfen* aus dem Jahr 1959. Bemerkenswert ist vor allem die Tatsache, daß der Name wie der einstmalige Stempel ›Jude‹ wieder von einem Bewohner der ehemaligen Heimat gegeben wird, um auf die Vergangenheit und den Ort der Ausgrenzung der Überlebenden zu verweisen. Das remigrierte Ich gibt sich den neuen Namen wieder nicht selbst: erneute Eingrenzung durch den Verweis auf die ehemalige Ausgrenzung.

Landen dürfen

Ich nannte mich
ich selber rief mich
mit dem Namen einer Insel.

Es ist der Name eines Sonntags
einer geträumten Insel.
Kolumbus erfand die Insel
an einem Weihnachtssonntag.

Sie war eine Küste
etwas zum Landen
man kann sie betreten
die Nachtigallen singen an Weihnachten dort.

Nennen Sie sich, sagte einer
als ich in Europa an Land ging,
mit dem Namen Ihrer Insel.[15]

Das Exil bleibt auf diese Weise auch nach der Rückkehr im neu gewählten Namenspseudonym, in der frei gewählten bundesrepublikanischen Nachkriegs-Identität erhalten.[16] Dies mag aus Gründen des reinen Selbstschutzes erfolgt sein oder einfach als Kennzeichen einer bleibenden Erinnerung an den Namen der einst rettenden Insel in einem Meer von Untergang – oder es stellt bereits wieder eine latente Form der Selbst-Stigmatisierung dar, diesmal jedoch eine freiwillig übernommene.

Natürlich ist nicht nur Hilde Domin zurückgekehrt. Viele sind es, die es verdient hätten, an dieser Stelle Erwähnung zu finden. Mascha Kaléko zum Beispiel schrieb nach ihrer zeitweiligen, versuchsweisen Rückkehr in die Stadt Hamburg, 18 Jahre, nachdem sie Deutschland verlassen hatte, den la-

---

15 Dies., Landen dürfen, ebd., S. 229.
16 Elisabeth Beck-Gernsheim, Der Name als Zeichen –Jüdische Identität und jüdische Namen im Wandel, in: Ariane Huml u. Monika Rappenecker (Hg.), Jüdische Intellektuelle im 20. Jahrhundert (Anm. 10), S. 63-76.

konischen Vers:»Als ich Europa wiedersah / nach jahrelangem Sehnen, / als ich Europa wiedersah, / da kamen mir die Tränen.«[17] Nur wenige Überlebende haben es nachgewiesenermaßen überhaupt gewagt, zurückzukehren in dieses Europa, in das neue Deutschland – Ost wie West. Statistiken versuchen darüber Auskunft zu geben, sofern sie es überhaupt können, bei den unterschiedlichen Arten der Einwanderer und Rückwanderungen, wie etwa im Band von Wolfgang Blaschke, Karola Fings und Cordula Lissner: *Unter Vorbehalt: Rückkehr aus der Emigration 1945*, aus dem Jahr 1997. Hier heißt es:

>»Die Rückkehrquote von WissenschaftlerInnen und KünstlerInnen aus den Bereichen, in denen Sprache eine wichtige Rolle spielt – wie etwa bei den Geisteswissenschaften oder beim Schauspiel – [war] relativ hoch im Vergleich etwa zu Musik oder zu den naturwissenschaftlichen Disziplinen.«[18]

Es ist nicht schwer nachzuvollziehen, daß die Verwurzelung in der Muttersprache sicherlich eine entscheidende Rolle bei der Rückkehr in die ehemalige Heimat spielte. Und doch klingt es heute noch wie Hohn, liest man den so kurz nach Kriegsende erlassenen Aufruf zur sofortigen Rückkehr von Wissenschaftlern und Künstlern des im Juli 1945 gegründeten *Kulturbundes zur demokratischen Erneuerung Deutschlands*:

>»Allen ihnen, die seinerzeit aus Deutschland vertrieben wurden, allen deutschen Wissenschaftlern, Künstlern und Schriftstellern jenseits der Heimat senden wir unseren Gruß. […] Die Zeit der Emigration ist zu Ende, innerhalb Deutschlands und außerhalb seiner Grenzen. Laßt Euch sagen, daß Deutschland Eurer bedarf. […] Über Trümmern und Ruinen weht ein neuer Geist, und dieses, unser werdendes neues Deutschland ruft Euch.«[19]

Nach diesem angeblich »neuen Geist« aber haben viele der zurückgekehrten KünstlerInnen, SchriftstellerInnen und WissenschaftlerInnen häufig vergeblich gesucht. Und wer kehrt schon gerne in einen Kollegenkreis zurück, der das eine Mal schweigt und das persönliche und berufliche ›Todesurteil‹ fällt, zwölf Jahre danach aber die Einladung zur Beteiligung am deutschen Wiederaufbau ausspricht?[20] Dieser Sachverhalt ist hinlänglich bekannt, doch

---

17 Mascha Kaléko, Die paar leuchtenden Jahre, hrsg. u. eingel. v. Gisela Zoch-Westphal, München ²2004, S. 318.
18 Blaschke, Fings, Lissner (Hg.), Unter Vorbehalt (Anm. 12), S. 165.
19 Ebd., S. 164.
20 Frank Golczewski, Rückkehr aus dem Exil an die Universität – Überlegungen zu Lebens- und Organisationsentscheidungen, sowie Kultur nach 1945 – Die Rückkehr von Wissenschaften und Künsten, beide in: Blaschke, Fings, Lissner (Hg.), Unter Vorbehalt (Anm. 12), S. 33ff. und 164ff.

bleiben Einzeluntersuchungen ein dringendes Desiderat.[21] Kurz und treffend schreibt Hilde Domin dazu in ihrem Gedicht *Rückkehr der Schiffe*:

[...] nichts stirbt ganz. [...]
Alles kann wiederkommen.
Nicht so.
Aber doch, auf seine Art,
wieder-kommen. [...][22]

Das Wort im doppelten Sinne seiner Bedeutung begegnet uns in diesen wenigen Versen. Es kann bedeuten, daß der Mensch auch nach erlittenem Unrecht und nach einer erlittenen Vertreibung in die ehemalige Heimat zurückkehren kann. Es bedeutet jedoch auch, daß die Vertreibung wiederkehren kann. Das ist ein wichtiger, für viele der Remigranten ein (über-)lebenswichtiger Unterschied in der Einschätzung der politischen Lage im Nachkriegsdeutschland. »Nichts stirbt ganz. / Alles kann wieder-kommen.« Eine latente Warnung an die aus politischen und rassischen Gründen Vertriebenen, an die Leidensgenossinnen und -genossen, die noch im Exil verblieben waren, nicht zuletzt eine Warnung an die Folgegenerationen, die Hilde Domin hier möglicherweise ausspricht.

Was hieß also ›Zurückzukehren‹, was bedeutete es für die einzelnen jüdischen Schriftstellerinnen und Schriftsteller so kurz nach Kriegsende ›wiederzukommen‹?

Vielen erging es wie dem 1923 in Köln geborenen und 1938 in die USA emigrierten Psychologieprofessor Adolf Grünbaum, der von seinem ersten Besuch in Deutschland gleich nach Kriegsende im Jahr 1945 berichtete: »Wissen Sie, was mich am meisten niedergeschmettert hat? Ich fuhr zurück nach Köln. Und ich kannte niemanden mehr. Ich kannte einfach keinen. [...] Da war nicht eine einzige mir bekannte Seele, die überlebt hätte, nicht eine.«[23] Entgegen allen Hoffnungen fand tatsächlich ein großer Teil der Re-

21 Vgl. hierzu die bereits vorliegenden Untersuchungen von Claus-Dieter Krohn und Axel Schildt (Hgg.), Zwischen den Stühlen, Remigranten und Remigration in der deutschen Medienöffentlichkeit der Nachkriegszeit, (Hamburger Beiträge zur Sozial- und Zeitgeschichte 39), Hamburg 2002; ders. u. Patrick von zur Mühlen (Hg.), Rückkehr und Aufbau nach 1945. Deutsche Remigranten im öffentlichen Leben Nachkriegsdeutschlands, Marburg 1997. Vgl. auch: Exilforschung. Ein internationales Jahrbuch, Bd. 19, Jüdische Emigration: Zwischen Assimilation und Verfolgung, Akkulturation und jüdischer Identität, München 2001.
22 Hilde Domin, Rückkehr der Schiffe, in: dies., Gesammelte Gedichte (Anm. 9), S. 216.
23 Atheismus, Induktivismus und Freud oder: die Vertreibung eines Kölschen Jungen. Ein Interview mit Adolf Grünbaum von Hans-Peter Krüger, in: Deutsche Zeitschrift für Philosophie 42 (1994), 3, S. 437-495.

migrantInnen auch in der neu gegründeten Bundesrepublik keine echte Heimat, kein neues Zuhause mehr. Die alte / neue / wiedererlangte Heimat beginnt sich nur allzu häufig auf die eigenen vier Wände zu reduzieren:

>»Wissen Sie, es ist ja der Fall, daß die meisten von uns, ich möchte sagen, mehr die Frauen als die Männer komischerweise, sich weder hier noch dort zu Hause fühlen. Man steht mit einem Bein hier und mit einem Bein dort. Ich könnte heute nicht mehr in Israel leben. Aber echt zu Hause fühlen? In meinen vier Wänden, ja, aber als solches kann ich nicht sagen.«[24]

Aus der 1995 erschienenen Studie von Martina Kliner-Fruck, »*Es ging ja ums Überleben*«. *Jüdische Frauen zwischen Nazi-Deutschland, Emigration nach Palästina und ihrer Rückkehr*, wird dieser Sachverhalt besonders deutlich. Diese Gefühlslage hatte sich nicht nur bei der Dichterin Rose Ausländer eingestellt, die als Spätfolge der Verbrechen und Verfolgungen durch die Nationalsozialisten ganze zehn Jahre lang – von 1978 bis zu ihrem Tod im Jahr 1988 – ihr Zimmer im Nelly-Sachs-Haus der jüdischen Gemeinde Düsseldorf nicht mehr verlassen konnte.[25] Das von ihr geprägte Bild vom funktionstüchtigen neudeutschen ›Ameisenstaat‹ in ihrem Gedicht *Heim*[26] läßt keinen Platz für die zwischenzeitlich staatenlos gewordenen Rückkehrer. Wieder funktioniert er in den Augen der ›einen‹ nur reibungslos ohne die ›anderen‹. Hilde Domin war hingegen gegenüber dem neuen Staatsgebilde vergleichsweise positiv eingestellt:

>»Ich glaube nicht, daß Sie in meinem Werk Bitterkeit finden werden. Ich bin kein Mensch, der zurückblickt, ich sehe alles auf die Zukunft an. Und was die Bundesrepublik betrifft, so ist sie für mich zwar nicht das bestdenkbare, aber das gutartigste und reformfreudigste Deutschland, das je – seit dem Jahre 9 A.D. – auf diesem Territorium existiert hat.«[27]

---

24 Martina Kliner-Fruck, »Es ging ja ums Überleben«. Jüdische Frauen zwischen Nazi-Deutschland, Emigration nach Palästina und ihrer Rückkehr. Frankfurt/M., New York 1995, hier: Interview mit Frau Golding, S. 229.

25 Rose Ausländer, Hinter allen Worten, Gedichte, Frankfurt/M. 1992, S. 198f. Vgl. auch die Schilderung von Ingeborg Hecht, Als unsichtbare Mauern wuchsen, Hamburg 1984, und dies., Von der Heilsamkeit des Erinnerns. Opfer der Nürnberger Gesetze begegnen sich, Hamburg 1991. Ingeborg Hecht konnte aufgrund der erlittenen Verfolgungen unter den Nationalsozialisten nach Kriegsende 1945 noch dreißig Jahre lang die eigene Wohnung nicht verlassen.

26 Rose Ausländer, Heim, in: dies., Hinter allen Worten (Anm. 25), S. 96. »Es heißt / ein Heim haben // In morschem Gebälk / haben Ameisen / einen Staat errichtet / Wege aus Willen und Holz // Perlmutteller / ans Ufer gespült / taugen nicht für Wände // Wo die Stadt ins Nichts hinausstürzt / sind wir ins Eisen gebettet // Unsere Heimatlosigkeit.«

27 Bettina von Wangenheim (Hg.), Aus einem Interview mit R.A. Bauer (1972), in: Heimkehr ins Wort (Anm. 10), S. 208.

Die Lyrikerin Nelly Sachs dagegen – die mit ihrer Mutter noch 1940 ins schwedische Exil hatte fliehen können – erlebte 1960 nach dem ersten Kurzbesuch in Deutschland anläßlich der Verleihung des Meersburger Droste-Preises einen Zusammenbruch.[28] In ihrem Gedicht *Chor der Geretteten* heißt es:

»Unsere Leiber klagen noch nach / mit ihrer verstümmelten Musik. / Wir Geretteten, / Immer noch hängen die Schlingen für unsere Hälse gedreht / Vor uns in der blauen Luft – [...] zusammen hält uns nur noch der Abschied [...].«[29]

Für die einstige Berlinerin blieb es vollkommen ausgeschlossen, jemals wieder in ihr Geburtsland, in das Land der Täter, zu remigrieren. Sie starb 1970 in ihrem Stockholmer Exil: eine der größten Dichterinnen deutscher Sprache aus einer assimilierten deutsch-jüdischen Familie, die erst durch die tiefgreifenden Erfahrungen von Verfolgung und Emigration, wie so viele ihrer Leidensgenossen, unumkehrbar verwiesen und rückverwurzelt wurde in ein neu entstehendes Judentum nach 1945.

II. Jüdische Autorinnen der ›zweiten Generation‹ – Barbara Honigmann, Katja Behrens und Esther Dischereit

Alles normal? – *Auf dem Weg in die Bundesrepublik der achtziger Jahre hin zu einem wiedervereinigten Deutschland*

»Die ganze Welt habe ich bereist und ich bin es doch nicht losgeworden, dieses Gefühl, untertauchen zu müssen. Da hilft kein gutes Zureden: Hab nichts zu verbergen, längst nicht mehr, kann mich sehen lassen. [...] Es durfte bloß niemand wissen, was wir waren. Was ganz Schlimmes. [...] daß wir nicht dazugehörten, spürte ich schon, bevor ich sprechen lernte, einen charmanten Dialekt mit Singsang und rollendem R. Den Dialekt verlernte ich nach der Rückkehr in das Land, in dem wir eigentlich hätten vergast werden sollen. Das Gefühl der Nichtzugehörigkeit blieb.«[30]

Das konstatierte Katja Behrens in ihrer 1995 erschienenen Erzählung *Alles normal* aus dem Band *Salomo und die anderen*. Immer noch nicht dazuzugehören, weiterhin in die Position des Außenseiters gedrängt zu werden, ist eines der zentralen Themen jüdischer Autorinnen und Autoren der zweiten Generation. Von tatsächlicher Integration der Zurückgekehrten kann keinesfalls die Rede sein, wenigstens berichtet die zweite Generation nicht davon.

---

28 Ruth Dinesen, Nelly Sachs, Eine Biographie, Frankfurt/M. 1994, S. 110ff.
29 Nelly Sachs, Wir Geretteten, in: dies., Fahrt ins Staublose, Gedichte, Frankfurt/M. 1988, S. 50.
30 Katja Behrens, Alles normal, in: dies., Salomo und die anderen, Frankfurt/M. 1995, S. 7-17, hier S. 8.

Barbara Honigmann faßt die Lage in ihrem Erzählband *Damals, dann und danach* aus dem Jahr 1999 wie folgt zusammen: Sie persönlich sei in jenen Jahren »in Wirklichkeit [...] auf der Suche nach einem Minimum jüdischer Identität [...] jenseits eines immerwährenden Antisemitismus-Diskurses« gewesen. Doch das war für die damaligen »deutsche[n] Verhältnisse [...] eben schon zuviel.« So erklärt sie in ihrer Erzählung *Selbstporträt als Jüdin*:

»Die Deutschen wissen gar nicht mehr, was Juden sind, wissen nur, daß da eine schreckliche Geschichte zwischen ihnen liegt, und jeder Jude, der auftauchte, erinnerte sie an diese Geschichte, die immer noch weh tut und auf die Nerven geht. [...] Beide, die Juden und die Deutschen, fühlen sich in dieser Begegnung ziemlich schlecht, sie stellen unmögliche Forderungen an den anderen, können sich aber auch gegenseitig nicht in Ruhe lassen. [...] Obwohl ich selbst das Jüdische thematisiere und auf meinem jüdischen Leben insistiere, bin ich schockiert, wenn man mich darauf anspricht, empfinde es als Indiskretion, Aggression, spüre die Unmöglichkeit, in Deutschland über die ›jüdischen Dinge‹ unbelastet, unverkrampft zu sprechen. [...] Es kommt mir manchmal vor, als wäre erst *das* jetzt die so oft beschworene deutsch-jüdische Symbiose, dieses Nicht-voneinander-los-kommen-Können, weil die Deutschen und die Juden in Auschwitz ein Paar geworden sind, das auch der Tod nicht mehr trennt.«[31]

Für immer untrennbar verbunden – das »deutsch-jüdische Paar aus Auschwitz«? Was Barbara Honigmann hier beschreibt, entspricht weitestgehend auch den Ergebnissen der sozialhistorischen Forschungen für die Geschichte der Bundesrepublik in den siebziger, achtziger und neunziger Jahren.[32] Verdrängungsmechanismen, Berührungsängste, gegenseitiges Unwohlsein beim Aufeinandertreffen statt offenen Neubeginns und beherzten Aufeinanderzugehens bestimmen die Tagesordnung, auch wenn die jüdischen Gemeinden Deutschlands besonders in den neunziger Jahren durch eine starke Zuwanderung aus dem russischen Judentum neue Mitglieder gewinnen und dadurch weiter anwachsen konnten. Oft kommt es im Gegenzug sogar zu einer erneuten Emigration vieler jüdischer Überlebender und ihrer Kindeskinder

31 Barbara Honigmann, Selbstporträt als Jüdin (Anm. 6), S. 15f.
32 Vgl. hierzu Marita Biller, Exilstationen. Eine empirische Untersuchung zur Emigration und Remigration deutschsprachiger Journalisten und Publizisten, Münster, Hamburg 1994. Oder Jacqueline Vansant, Reclaiming Heimat. Trauma and mourning in memoirs by Jewish-Austrian Rémigrées, Wayne State University Press, Detroit 2001. Was den methodischen Zugang zur Biographie-Forschung angeht, siehe auch Waltraud Kannonier-Finster u. Meinrad Ziegler, Frauen-Leben im Exil. Biographische Fallgeschichten, Wien, Köln, Weimar 1996, S. 12-55 und S. 136ff. Eine der frühen Untersuchungen zu deutsch-amerikanischen Remigranten hat Alfred Vagts in den sechziger Jahren verfaßt: ders., Deutsch-Amerikanische Rückwanderung, Probleme-Phänomene-Statistik-Politik-Soziologie-Biographie, Heidelberg 1960. Zum Themenkreis »Dichter, Schriftsteller und Künstler« s. bes. S. 96ff.

nach Israel oder in andere Staaten, wie nach England oder in die USA. Im eigenen Land weiterhin nicht gerne gesehen zu sein, ist für viele der Remigranten und Remigrantinnen eine bittere Erfahrung. Die ehemaligen Täter und Mittäter sähen lieber keine Opfer, mit denen es sich auseinanderzusetzen gilt. Die Vergangenheit sollte in den Augen so mancher endlich ruhen können. Einige artikulieren und diskutieren dies auch lautstark in aller Öffentlichkeit.[33] Nach der Wiedervereinigung kam es gehäuft zu antisemitischen Ausschreitungen – im ehemaligen Osten wie auch im ›demokratie-geübten‹ Westen, beispielsweise an der Grenze zu Frankreich, im Elsaß. Unverhohlener Antisemitismus tritt in vielerlei Gestalt auch in einer modernen, postmodernen Gesellschaft zu tage. In gesellschaftlichen Krisenzeiten sucht manch einer erneut auch in Deutschland wieder, zu Beginn des 21. Jahrhunderts, nach tradierten Sündenböcken, obwohl die Mechanismen der Ressentiments hinlänglich bekannt sind und öffentlich diskutiert wurden. Auch damit setzen sich die deutsch-jüdischen Schriftstellerinnen der ›zweiten Generation‹ in ihren Erzählungen offen auseinander. Katja Behrens beschreibt dies in ihrer gleichnamigen Erzählung *Alles normal*:

»Nichts hatte sich geändert. Sie sind gebildet. Sie sind fortschrittlich. Sie sind furchtbar nett. Wir haben zusammen für den Frieden geschwiegen und sind zu Ostern marschiert. Und dann kommt plötzlich so ein Satz – [...] bei einem gepflegten Abendessen in der Stadt oder an einem lauen Sommerabend bei Wein und Oliven. Zikadenzirpen und ein Gespräch über Musik. Der Mann war in meinem Alter. Ein deutscher Kirchenmusiker, feinsinnig. Hatte ein bißchen was getrunken.

Um es in der Musik zu etwas zu bringen, muß man entweder Jude sein oder schwul.

Ich sah die blauen Äderchen unter seinen Schläfen pochen und dachte, ich hätte nicht richtig gehört.

Doch, doch, sie sitzen schon wieder überall drin, halten alle Schlüsselpositionen besetzt. Was? Alle vergast? Eben nicht. Schanzen sich gegenseitig die guten Posten zu, wenn ich es Ihnen sage.«[34]

Was der eine an Vorurteilen nicht vergessen hat, möchte der andere gerne bewußt in Vergessenheit geraten lassen. Den Wunsch, die Vergangenheit endlich ruhen zu lassen, ihn zu artikulieren, übernimmt in Behrens Ich-Erzählung *Alles normal* ein ehemaliger Lehrer, der die Verdrängung geradezu

33 Siehe hierzu die Dokumentation von Frank Schirrmacher (Hg.), Die Walser-Bubis-Debatte: eine Dokumentation, Frankfurt/M. 1999; Gerd Wiegel u. Johannes Klotz (Hg.), Geistige Brandstiftung? Die Walser-Bubis-Debatte, Köln 1999 sowie Gerd Wiegel, Die Zukunft der Vergangenheit: Konservativer Geschichtsdiskurs und kulturelle Hegemonie – vom Historikerstreit zur Walser-Bubis-Debatte, Köln 2001.

34 Behrens, Alles normal (Anm. 30), S. 12.

postuliert, während das erzählende Ich nach seiner Remigration dagegen entschlossen einen letzten offensiven Versuch der Vergangenheitsbewältigung startet:

»Nachdem das Weggehen nicht geholfen hatte, versuchte ich es damit, der Vergangenheit ins Auge zu sehen. Lassen wir die Vergangenheit ruhen, sagte mein einstiger Klassenlehrer, als ich ihn besuchte, oder besser: aufsuchte. Lassen wir die Vergangenheit ruhen [...]. Wir müssen jetzt den Blick nach vorne richten. [...] Es war keine Befreiung. Er war stärker als ich. Für ihn ruht die Vergangenheit. Er sah so aus, als ob er gut schläft. Sie alle schlafen gut. Sie haben nichts zu fürchten. Auch das scheint normal zu sein.«[35]

Alles ist also wieder »normal« in Deutschland, fast so, wie es vorher war, vor dem Krieg. Nur gibt es kaum mehr jüdische Menschen in Deutschland. Die Remigration nach 1945 hat daran kaum etwas geändert.[36]

Was heißt also »normal«, fragt man sich angesichts der scharfen Kritik am bundesdeutschen Staat und seinen Bürgern, die einige Autorinnen der zweiten Generation mit ihren Erzählungen in den Raum stellen? Ist ein gewisses Maß an antisemitischen Tendenzen in Deutschland »normal« zu nennen? Die quälenden Fragen nach dem Warum und Wieso bleiben und ihre Antworten greifen weiter zu kurz, das muß auch die ›zweite Generation‹ jüdischer RemigrantInnen feststellen.

Begegnungen mit Israel

Im Austausch, in der Begegnung mit den Nachkommen israelischer Emigranten wird die schwierige Position deutsch-jüdischer RemigrantInnen der ›zweiten Generation‹ besonders deutlich: Majoll, Tochter jüdischer Flüchtlinge, noch geboren in Deutschland, aufgewachsen jedoch in Israel, trifft sich mit der Ich-Erzählerin aus Behrens' Erzählung *Danille* am heimischen Küchentisch, diesmal in Israel, zum Gespräch über die gemeinsame Vergangenheit und die Chancen der Zukunft:

»Wir redeten über das Erbe der verzweifelten Hoffnung, es besser ertragen zu können, wenn wir verstanden... Wir sprachen Englisch. Majoll hatte die deutsche Sprache nie gelernt, obwohl es die Sprache ihrer Mutter gewesen war. Ich fragte nicht, ob die Eltern zu Hause deutsch gesprochen

---

35 Ebd., S. 16.
36 Karola Fings, Rückkehr als Politikum – Remigration aus Israel, in: Blaschke, Fings, Lissner (Hg.), Unter Vorbehalt (Anm. 12), S. 22ff. Vgl. hierzu die statistischen Angaben zur Remigration bei Krauss, Heimkehr (Anm. 12), S. 9.f.

hatten. Sogar die Sprache ist gezeichnet. Zwölf Jahre. Ein Olivenbaum braucht doppelt so lange, bis er zum erstenmal Früchte trägt. Es ist jetzt schon zwei Generationen her, und ich zucke noch immer zusammen, wenn ich irgendwo zwei Buchstaben höre oder sehe. Es kann ein unschuldiges Schiff sein, die SS Miliaris oder die Initialen eines Namens. Ich fragte sie nach ihrem Namen. Den habe ich mir selber gegeben, sagte sie. Ihre Eltern hatten sie Ursula genannt. Sie war noch in Deutschland geboren worden, wenn auch *danach*. Ihre Eltern waren mit ihr in das Land der Väter gekommen, sie war ein kleines Kind, das noch nicht sprechen konnte. Später fand sie ihn schrecklich diesen Namen Ursula, alle anderen Kinder hatten jüdische Namen, nur sie war mit diesem Ursula gezeichnet. Das klang so entsetzlich deutsch, sagte sie. Sie wartete bis sie volljährig war, dann nannte sie sich Majoll.«[37]

Auch hier steht die Suche nach einer neuen Identität – verbunden mit einer bewußten Namensänderung – in dem neuen Land der Wahl im Vordergrund bei der Auseinandersetzung mit der Vergangenheit. Ob Remigration oder erneute Emigration, die Handlungsmuster zur Sicherung des eigenen Überlebens gleichen sich. In den Augen Majolls ist die Ich-Erzählerin »die Deutsche, [...] die vielleicht Antwort geben konnte auf die Frage nach dem Warum.« Doch auch sie kann es nicht, ›verheddert‹ sich in ihren Beispielen, in ihrer Doppelrolle als deutsche Jüdin, als jüdische Deutsche: »Als Deutsche sitze ich da, als Sachverständige, die sich verpflichtet fühlt zu erklären, was nicht zu erklären ist. Eine dünne Decke von vernünftigen Worten über die Leichenberge.«[38]

Die ›zweite Generation‹ weiß um die Vergangenheit, sie spricht und schreibt offen und schonungslos über die Verbrechen der Nazis an ihren jüdischen Müttern und Vätern, Verwandten und Freunden. Ihre bevorzugte Gattung ist die Roman- und Erzählliteratur. Sie setzt sich mit dem neuen Antisemitismus, mit der eigenen Rolle, Herkunft, Religionszugehörigkeit, Nationalität und Identität schreibend auseinander. Offensichtlich sind die Autorinnen und Autoren der zweiten Generation dabei viel weniger bemüht um eine Verschlüsselung des dargestellten ›Unaussprechlichen‹, als wir es von den künstlerischen Zeugnissen der ersten Generation kennen. Aber auch die zweite Generation jüdischer RemigrantInnen weiß letztlich keinerlei Antwort zu geben auf die alten Fragen nach dem ›Warum und Wieso‹ von Ausgrenzung, Verfolgung und Vernichtung: weder in der Literatur noch in der Realität des gelebten Lebens.

---

37 Katja Behrens, Danile, in: dies., Salomo und die anderen (Anm. 30), S. 175-195, hier
    S. 190.
38 Ebd., S. 194.

III. Schrittweise Normalisierung oder Wiederholung?
Gila Lustigers Roman *Die Bestandsaufnahme* (1995)

Kommen wir zu den offenen Fragen, die zu lösen der ›dritten Generation‹ schreibender jüdischer Autorinnen und Autoren aufgegeben sind. Diese Fragen scheinen von Generation zu Generation weitergereicht zu werden. Doch eine Lösung bzw. vollständige Normalisierung ist auch hier nicht in Sicht. Gila Lustiger (*1963) ging von Frankfurt/M. nach einem Studium in Israel nach Paris; Elena Lappin (*1954), Schriftstellerin wie der Bruder Maxim Biller (*1960), ging von Moskau über Prag und Hamburg nach Israel, dann nach Kanada und in die USA. Heute lebt sie in London, während ihr Bruder Deutschland vorgezogen hat. Doron Rabinovici (*1961) ging von Tel Aviv nach Wien. Auch die Vertreterinnen und Vertreter der ›dritten Generation‹ versuchen sich an möglichen Antworten:

»In einem Interview aus dem Jahr 1990 in der Zeitschrift *Szene Hamburg* betont Biller, daß ›Juden [genauso] funktionieren [...] wie alle anderen Menschen‹ und er sie in seinen Erzählungen dementsprechend mit allen menschlichen Stärken und Schwächen darstellt. Gleichzeitig begreift er aber das ›Jüdischsein als eine verdichtete Form des Menschsein‹, weil die Juden aufgrund ihrer Minderheitenposition und der vielen gewalttätigen Angriffe im Laufe der Geschichte gegen sie zwangsläufig schneller, bewußter und entschiedener reagieren mußten, um zu überleben, als die Nichtjuden.«[39]

Heimat müsse immer wieder neu »erschrieben« werden, so Biller. Seine Entscheidung für ein Leben in Deutschland und nicht etwa in Israel hat er längst getroffen. »Ich, das weiß ich genau, werde immer in Deutschland bleiben, denn es gibt Orte, die sind für die Gegenwart da, und es gibt Orte, die sind für die Erinnerung«, so das Fazit aus einer seiner Erzählungen aus dem Jahr 1998, *Drei Partien Scheschbesch*.[40]

Doch auch in der neuen und neuesten Literatur der ›dritten Generation‹ sind derart eindeutige Antworten auf individuelle Bestimmungsfragen nach

39 Helene Schruff, ›Maxim Biller‹, in: Andreas B. Kilcher (Hg.), Metzler Lexikon der deutsch-jüdischen Literatur, Stuttgart, Weimar 2000, S. 67-68. Vgl. auch Helene Schruffs Studie Wechselwirkungen. Deutsch-jüdische Identität in erzählender Prosa der ›Zweiten Generation‹, Hildesheim 2000. Vgl. dazu das Standardwerk von Thomas Nolden, Junge jüdische Literatur, Würzburg 1995. Und Karen Remmler, The ›Third Generation‹ of Jewish-German Writers, in: Yale Companion to Jewish Writing and Thought in German Culture, hrsg. v. Sander L. Gilman u.a. New Haven u.a. 1997, S. 796-804. Sowie Anat Feinberg, The Issue of Heimat in Contemporary German-Jewish Writing, in: German Critique 70 (1997), S. 161-181.
40 Maxim Biller, Drei Partien Scheschbesch, in: ders., Deutschbuch, München 2001, S. 291-297, hier S. 297.

jenen für die jüdische Gemeinschaft stetig wiederkehrenden tiefgreifenden Geschichts-, Orts- und Überlebensfragen, ob nun ›jenseits oder diesseits der Grenzen Deutschlands‹ die wahre Heimat liege, nicht immer zu finden. Biller und Rabinovici gingen freiwillig ins deutschsprachige Ausland, doch von einer echten Remigration kann keine Rede sein. Ist dagegen Gila Lustiger von Frankfurt nach Paris emigriert oder einfach in das Land ihrer Wahl umgezogen?

Die zentrale Frage nach Heimat, Heimatverlust und Erinnerung hat Gila Lustiger im Epilog zu ihrem ersten Roman *Die Bestandsaufnahme* (1995) auf überraschende Weise zu lösen gesucht. Der Hauptfigur Lea, einer Vertreterin der zweiten Generation jüdischer Überlebender des Holocaust, zudem einzige Überlebende ihrer Familie, widerfährt eine eigentümliche Geschichte. Schlüsselsymbol ist ein gerettetes silbernes Zigarettenetui aus der elterlichen Wohnung, das einzig verbliebene Erinnerungsstück an die Eltern, die noch während des Zweiten Weltkriegs verschleppt und ermordet wurden. Das Etui steht für den unterschiedlichen Umgang mit der Vergangenheit und Gegenwart der zweiten [Lea, die Mutter] und dritten Generation [Samuel, der 33-jährige Sohn]:

»Sie [Lea, Anm. d. Verf.] begriff als fast sechzigjährige Frau, daß sie ihren Eltern noch nicht verziehen hatte, sie verlassen zu haben, und daß ihr Leben von dieser Angst, noch einmal alleingelassen zu werden, bestimmt war. Sie begriff, daß sie sich schuldig fühlte, weil sie als einzige überlebt hatte, und daß es nicht ihre Schuld war, daß sie lebte.

Lea denkt oft an ihre Familie, an ihren Vater und die Mutter, die in ihrer Erinnerung eine junge Frau ist – viel jünger, als sie heute – weil sie mit achtundzwanzig erschossen worden ist.

Aus dem Elternhaus ist ihr das Hochzeitsbild ihrer Eltern und ein silbernes Zigarettenetui mit den Initialen des Vaters geblieben, das Erika damals eingepackt hatte, weil es auf der Kommode im Flur lag.

Lea schenkte es ihrem Sohn zum achtzehnten Geburtstag, denn sie dachte, daß es wichtig für ihn wäre, etwas von der Familie zu besitzen – als eine Art Beweis. Er verlor das Etui nach einer Woche.

Zuerst war Lea deprimiert, aber dann spürte sie, wie sich eine unerklärliche und befreiende Leichtigkeit in ihr breitmachte, so als hätte sie nach all den Jahren auf stürmischer See endlich den Ballast aus dem schwankenden Boot geworfen, um sich vor dem Ertrinken zu retten.«[41]

Jede Generation scheint generationenübergreifende Probleme doch generationsspezifisch zu lösen, das jedenfalls legt der Textauszug aus Lustigers Roman nahe. Erst im Verlust der krampfhaft festgehaltenen symbolischen Erinnerung, hier im ›Zigarettenetui der Eltern‹, liegt für Lustiger die tatsächliche

---

41 Gila Lustiger, Die Bestandsaufnahme, Berlin 1995, S. 336.

Befreiung aus der erdrückend erlebten Vergangenheit. Diesen Befreiungsakt aus den Verstrickungen der persönlichen Geschichte wie der Zeitgeschichte hat die Mutter Lea als Vertreterin der zweiten Generation jedoch noch nicht selbst in der Hand. Erst ihrem Sohn Samuel gelingt es – unabsichtlich bzw. unbewußt – einen Neuanfang zu setzen, ohne die erdrückende Symbolik des Schicksals seiner jüdischen Vorfahren mit in die Zukunft transportieren zu müssen. Schon nach einer Woche verliert er kurzerhand das unersetzliche Familienerbstück. Ein, wie sich im Nachhinein herausstellt, in diesem Falle lohnender und weitreichender Verlust: Dieser macht eine neue, unbelastetere Zukunft möglich, ohne das krampfhafte Festhalten am Verbliebenen, ohne die erdrückende Materialität einer allzu schmerzhaften Erinnerung an die Verluste der Vergangenheit.

Während die ›erste Generation‹ von Autorinnen wie Domin, Ausländer, Weil oder Spiel nach Deutschland und Österreich zu remigrieren versuchte, um sich in der alten wieder eine neue Heimat aufzubauen, und diesen Prozeß dabei künstlerisch vielfach in verschlüsselter, d.h. in lyrischer Form verarbeitete, erleben wir bei der ›zweiten Generation‹ vor allem zwei Bewegungen: Die erneute Emigration oder eine hypothetische Remigration, wie es z.B. bei Honigmann dargestellt wird bzw. auch der Fall ist. Der Ton und Tenor der überwiegend erzählenden Texte hat sich dabei vollkommen verändert: Offen, sehr direkt, zuweilen hart, mitunter ganz in der Alltagssprache gehalten, äußern sich die Autorinnen über die Verstrickungen der Vergangenheit, über ihre Ängste und Hoffnungen in ihrer Gegenwart und Zukunft innerhalb wie außerhalb Deutschlands. Unverschlüsseltes, ja bisweilen aggressives Erzählen ist hier eher typisch. Der Blick von außen auf Deutschland ist vorrangig; der Blick von innen her gestaltet sich höchst schwierig, schmerzhaft und spaltet die Figuren.

Bei der ›dritten Generation‹ jüdischer Autorinnen wie etwa bei Gila Lustiger oder Elena Lappin tritt ansatzweise eine Normalisierung der Verhältnisse ein, jedenfalls ist ein flexiblerer Umgang mit der Geschichte möglich. Im Bewußtsein, das eigene Leben weitgehend frei von früheren Restriktionen und Vorurteilen führen zu können, ist auch die Wahl des Wohnortes und Heimatlandes keine Frage mehr, die weiterhin noch unter das Stichwort der Re- oder Emigration fallen würde. Im Bewußtsein der Chancen eines Neubeginns nimmt die Vergangenheit einen veränderten, distanzierteren Platz im Leben wie im Schreiben ein. Gegenwärtig scheint bei den Autorinnen und Autoren der ›dritten Generation‹ vieles eine Frage des eigenen Umgangs mit der Geschichte wie eine Frage der persönlichen Haltung zur Vergangenheit geworden zu sein: Vergessen oder Aufarbeiten, Verlieren oder Behalten, Gehen oder Wiederkommen – Umzug oder R/Emigration – die individuelle Option, wie man sich zur Vergangenheit stellt, bestimmt die Zukunft der jüdischen Enkelgeneration.

Es sind nicht mehr einzig und allein die bitteren Lehren, die sie aus der Vergangenheit ihrer Eltern und Großeltern ziehen und mittragen müssen. Heimat kann für die dritte Generation überall sein, sofern sie frei wählbar ist. In diesem existentiellen Wunsch aber treffen sich die RemigrantInnen der ersten Generation mit ihren EnkelInnen.

Die Autorinnen und Autoren

GEORG BOLLENBECK, Studium der Germanistik, Geschichte, Politologie und Philosophie an der Universität Bonn, Promotion 1976; 1982 Habilitation (*Der dauerhafte Schwankheld. Zum Ineinander von Produktions- und Rezeptionsgeschichte beim Till Eulenspiegel,* Stuttgart 1985). Professor für Neuere Deutsche Literaturwissenschaft an der Universität-GH Siegen. Veröffentlichungen u.a. zur Literatur des 20. Jahrhunderts, zum Bildungs- und Kulturbegriff sowie zur kulturellen Moderne; jüngste Monographien: *»Bildung«* und *»Kultur«.* Glanz und Elend eines deutschen Deutungsmusters. Frankfurt/Main 1994; Tradititon – Avantgarde – Reaktion. Deutsche Kontroversen um die kulturelle Moderne (1880-1945). Frankfurt/Main 1999.

KLAUS BRIEGLEB, Berlin und Hamburg, emeritierter Literaturwissenschaftler im Dienst, Arbeitsschwerpunkte z.zt: Heinrich Heine, Literatur nach der Shoah, Antisemitismus. Arbeit an der Gattung literar-musikalischer Populär-Vermittlung durch Collagen klassischer Texte (»Getrommelte Tränen«, Heine, Hamburger Kammerspiele 1997; »Mephistos Faust«, Deutsches Schauspielhaus 1999/2000; Celan-Gedenktage, Schloß Elman, 2005). Buchveröffentlichungen zuletzt: Das Jerusalemer Heine-Symposion, Hamburg 2002; Mißachtung und Tabu. Eine Streitschrift zur Frage: *Wie antisemitisch war die Gruppe 47?,* Berlin 2003.

ERNST FISCHER, Studium der Germanistik und Philosophie an der Universität Wien, Promotion 1979; 1989 Habilitation an der Ludwig-Maximilians-Universität München; seit 1993 Professor für Buchwissenschaft an der Johannes Gutenberg-Universität Mainz. Publikationen zur Literatur-, Buchhandels- und Mediengeschichte des 18.-20. Jahrhunderts, u.a. Begleitbuch zur Ausstellung *Buchgestaltung im Exil 1933-1950* (Frankfurt/M. 2003).

HERMANN HAARMANN, Jg. 1946, Dr. phil., habil., Universitätsprofessor, Direktor des Institut f. Kommunikationsgeschichte u. angewandte Kulturwissenschaften der FU Berlin. Herausgeber der Schriftenreihe akte exil. Zahlreiche Editionen (Carl Einstein, Alfred Wolfenstein, Paul Zech, Alfred Kerr, Erwin Piscator) und Veröffentlichungen zum deutschen Exil 1933-1945; zuletzt erschien: *Heimat, liebe Heimat. Exil und Innere Emigration 1933-1945,* akte exil Bd. 9, Berlin 2004.

IrENE HEIDELBERGER-LEONARD, 1944-1950 Frankreich, 1950-1963 Deutschland, 1963-1980 London. Seit 1985 Professorin für Neue deutsche Literatur,

Université libre de Bruxelles. Ca. 90 Aufsätze zur Nachkriegsliteratur. Buchveröffentlichungen zuletzt: *Jean Améry. Revolte in der Resignation. Biographie*, Stuttgart 2004. Gesamtherausgeberin der Jean Améry-Werkausgabe. Korrespondierendes Mitglied der Deutschen Akademie für Sprache und Dichtung seit 1999.

ARIANE HUML, Studium der Literatur, der Alten und Neueren Geschichte und Kunstgeschichte in Freiburg. 1997 Promotion (*Silben im Oleander; Wort im Akaziengrün – Zum literarischen Italienbild Ingeborg Bachmanns*. Göttingen 1999). Derzeit Habilitation (*Konzeptionen von Identität, ›Heimat‹ und Nationalität in der deutschsprachigen jüdischen Literatur nach 1945*). Arbeitsschwerpunkte: Literatur nach 1945, deutschsprachige jüdische Literatur und Geschichte, Lyrik, Reiseliteratur.

LEONORE KRENZLIN, Studium der Germanistik 1953-1957 an der Humboldt-Universität Berlin; wiss. Mitarbeiterin am Zentralinstitut für Literaturgeschichte der Akademie der Wissenschaften der DDR; 1978 Promotion (*Hermann Kant – Leben und Werk*, Berlin 1978). Seit Abwicklung der Akademie (1990) freischaffend. Forschungen zur nationalsozialistischen Literatur, Literatur der ›Inneren Emigration‹ sowie zur Literatur der DDR.

CLAUS-DIETER KROHN, Professor- für Kultur- und Sozialgeschichte an der Universität Lüneburg. Veröffentlichungen zur Wirtschafts- Sozial- und Theoriegeschichte des 19. und 20. Jahrhunderts und zur Exilforschung. Mitherausgeber des *Jahrbuchs für Exilforschung* (1986ff.), des *Handbuchs der deutschsprachigen Emigration 1933-1945* (1998) und des *Biographischen Handbuchs der deutschsprachigen wirtschaftswissenschaftlichen Emigration nach 1933* (1999).

DIETER LAMPING, Professor für Allgemeine und Vergleichende Literaturwissenschaft an der Johannes Gutenberg-Universität Mainz. Veröffentlichungen zur Literaturtheorie und zur Literatur des 18.-20. Jahrhunderts. Letzte Buchveröffentlichung: *Über Grenzen – Eine literarische Topographie*. Göttingen 2001. Herausgeber von Alfred Andersch: *Gesammelte Werke*. Kommentierte Ausgabe in 10 Bänden. Zürich 2004.

IRMELA VON DER LÜHE, Professorin für Neuere Deutsche Literatur an der FU Berlin. Veröffentlichungen zur Ästhetik und Poetik im 18. Jahrhundert, zur Brief- und Biographieforschung, zu Autorinnen im 19. und 20. Jahrhundert sowie zur Literatur- und Kulturgeschichte des Exils.

REGINA NÖRTEMANN, Dr. Phil., freiberufliche Literaturwissenschaftlerin, Berlin, Veröffentlichungen zur Briefkultur des 18. Jahrhunderts, zum Expressionismus und zur Lyrik des 20. Jahrhunderts. Zuletzt kritische Edition des lyrischen Werks von Gertrud Kolmar (3 Bde., Göttingen 2003).

HELMUT PEITSCH, Professor für Neuere deutsche Literatur an der Universität Potsdam. Schwerpunkte in Forschung und Lehre u.a. deutsche Literaturgeschichte des späten 18. Jahrhunderts und der Nachkriegszeit. Publizierte zuletzt u.a. *Vom Faschismus zum Kalten Krieg – auch eine deutsche Literaturgeschichte.* Berlin 1996; *Georg Forster. A History of His Critical Reception.* New York 2001.

EVA-MARIA SIEGEL, Priv.-Doz., Dr. phil. Studium der Germanistik in Jena 1980-1985; wiss. Mitarbeiterin am Zentralinstitut für Literaturgeschichte der Akademie der Wissenschaften der DDR 1985-1992; Promotion 1991, Habilitation 2002 (*High Fidelity – Konfigurationen der Treue um 1900,* München 2004). Arbeitsschwerpunkte: Literatur des 18.-20. Jahrhunderts, Diskursgeschichte, Mediengeschichte, Geschlechterforschung, Kulturwissenschaft.

BERNHARD SPIES, Dr. phil., Professor für Neuere deutsche Literaturwissenschaft, Universität Mainz. Veröff. zur Aufklärung, zum bürgerlichen Realismus, zur Literatur des 20. Jahrhunderts (Schwerpunkte: Literatur der Weimarer Republik, des Exils, Literatur nach 1945 in der Bundesrepublik und der DDR), Formen der literarischen Komik. Mitherausgeber der Zeitschrift *literatur für leser.* Mitherausgeber der Anna-Seghers-Werkausgabe.

Bibliografische Information Der Deutschen Bibliothek
Die Deutsche Bibliothek verzeichnet diese Publikation in der
Deutschen Nationalbibliografie; detaillierte bibliografische Daten
sind im Internet über http://dnb.ddb.de abrufbar.

© Wallstein Verlag, Göttingen 2005
www.wallstein-verlag.de
Vom Verlag gesetzt aus der Adobe Garamond
Umschlag: Basta Werbeagentur, Steffi Riemann
Druck: Hubert & Co, Göttingen

ISBN 3-89244-836-1